새 교과서 반영
중등 듣기 시리즈
공부감각

LISTENING

영어듣기 모의고사 [20회＋2회]

Level **3**

Listening 공감 Level 3

지은이 넥서스영어교육연구소
펴낸이 임상진
펴낸곳 (주)넥서스

출판신고 1992년 4월 3일 제311-2002-2호 ④
10880 경기도 파주시 지목로 5
Tel (02)330-5500 Fax (02)330-5555

ISBN 978-89-6790-900-0 54740
　　　 978-89-6790-897-3 (SET)

가격은 뒤표지에 있습니다.
잘못 만들어진 책은 구입처에서 바꾸어 드립니다.

www.nexusEDU.kr
NEXUS Edu는 넥서스의 초·중·고 학습물 전문 브랜드입니다.

※집필에 도움을 주신 분
　:Carolyn Papworth, Mckathy Green, Rachel Swan

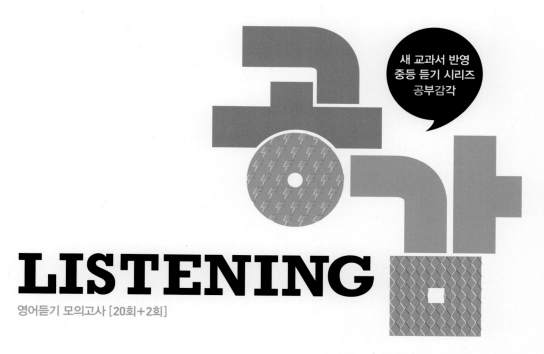

LISTENING

영어듣기 모의고사 [20회+2회]

넥서스영어교육연구소 지음

Level 3

NEXUS Edu

Listening Gong Gam helps you...

Get high scores
최근 5년간 출제된 전국 시·도 교육청 공동 주관 영어듣기능력평가의 출제 경향을 철저히 분석, 시험에 자주 나오는 문제 유형으로 구성하여 듣기능력평가 성적을 향상시켜 줍니다.

Obtain a wide vocabulary
풍부한 어휘 리스트를 제공, 기본적인 어휘 실력을 향상시켜 줍니다.

Nurture your English skills
최신 개정 교과서를 분석, 반영하여 다양한 상황에서의 대화 및 문제로 듣기 실력의 기초를 튼튼히 다져 줍니다.

Get writing skills
받아쓰기 문제를 통해 기본적인 어휘, 핵심 구문 및 회화에서 많이 쓰이는 간단한 문장을 듣고 쓰는 실력을 향상시켜 줍니다.

Get speaking skills
다양한 상황에서 일어나는 영어 대화를 통해 일상 회화 능력을 기르고, 내신 대비 듣기·말하기 수행평가를 대비하며, 스피킹 능력을 향상시킬 수 있게 해 줍니다.

Acquire good listening sense
풍부한 양의 영어 대화 및 지문을 들음으로써 영어 듣기의 기본 감각을 익히고, 영어식 사고의 흐름을 파악할 수 있게 해 줍니다.

Master the essentials of Listening
엄선된 스크립트와 문제, 많이 쓰이는 기본 어휘 등을 통해 영어 말하기의 기초인 듣기를 정복할 수 있게 해 줍니다.

Features

영어듣기 모의고사
1회~20회

최근 5년간 출제된 기출 문제를 철저히 분석하여 출제 가능성이 높은 문제로 엄선하여 구성하였습니다. 총 20회 400문제를 통해 듣기 실력을 향상시킬 수 있습니다.

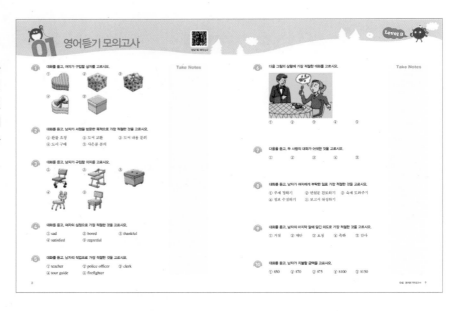

받아쓰기
Dictation

실제 회화에서 쓰이는 대화 및 시험에 자주 출제되는 상황을 원어민의 생생한 목소리를 통해 들으면서 놓치기 쉬운 주요 핵심 단어, 구문, 간단한 문장을 학습할 수 있도록 구성하였습니다.

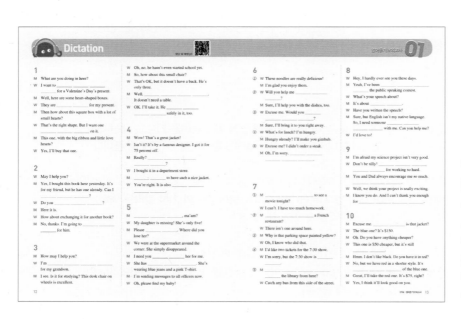

기출모의고사
1회~2회

최신 기출 문제를 분석하여 중등 시·도 교육청이 주관하는 실전 듣기능력평가시험에 대비할 수 있도록 기출 문제 2회분을 수록하였습니다. 실전모의고사를 통해 쌓은 듣기 실력을 최종 점검할 수 있습니다.

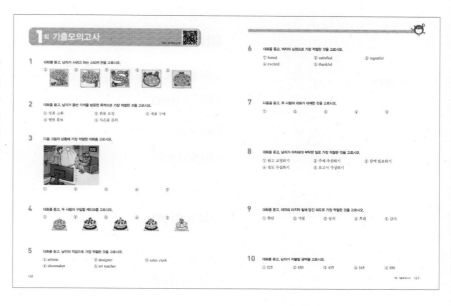

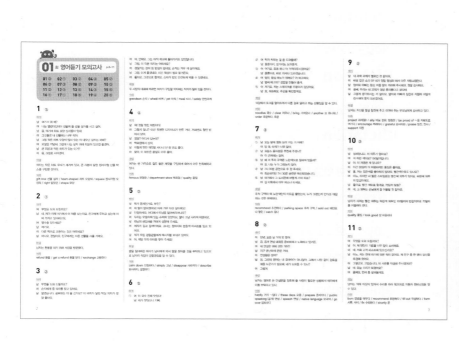

정답 및 해설
Answers

쉽고 간단한 해설 및 해석을 통해 듣기 실력을 확인할 수 있습니다. 각 문제별 어휘 모음을 통해 듣기와 말하기의 기초 실력을 다질 수 있습니다.

Contents

영어듣기 모의고사
01회 ~ 20회

기출모의고사
01회 ~ 02회

1 대화를 듣고, 여자가 구입할 상자를 고르시오.

Take Notes

①   ② 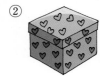 ③

④   ⑤

2 대화를 듣고, 남자가 서점을 방문한 목적으로 가장 적절한 것을 고르시오.

① 환불 요청　② 도서 교환　③ 도서 내용 문의
④ 도서 구매　⑤ 사은품 문의

3 대화를 듣고, 남자가 구입할 의자를 고르시오.

①   ②  ③

④   ⑤

4 대화를 듣고, 여자의 심정으로 가장 적절한 것을 고르시오.

① sad　② bored　③ thankful
④ satisfied　⑤ regretful

5 대화를 듣고, 남자의 직업으로 가장 적절한 것을 고르시오.

① teacher　② police officer　③ clerk
④ tour guide　⑤ firefighter

6 다음 그림의 상황에 가장 적절한 대화를 고르시오.

①   ②   ③   ④   ⑤

7 다음을 듣고, 두 사람의 대화가 <u>어색한</u> 것을 고르시오.

①   ②   ③   ④   ⑤

8 대화를 듣고, 남자가 여자에게 부탁한 일로 가장 적절한 것을 고르시오.

① 주제 정하기   ② 연설문 검토하기   ③ 숙제 도와주기
④ 정보 수집하기   ⑤ 보고서 작성하기

9 대화를 듣고, 남자의 마지막 말에 담긴 의도로 가장 적절한 것을 고르시오.

① 거절   ② 제안   ③ 요청   ④ 축하   ⑤ 감사

10 대화를 듣고, 남자가 지불할 금액을 고르시오.

① $50   ② $70   ③ $75   ④ $100   ⑤ $150

Take Notes

11 대화를 듣고, 두 사람이 대화하고 있는 장소로 가장 적절한 곳을 고르시오.

① train station ② car repair shop ③ parking lot
④ car rental ⑤ car wash

12 다음을 듣고, Cumberland Leisure Center에 관해 언급되지 <u>않은</u> 것을 고르시오.

① 개장 날짜 ② 이용 요금 ③ 인기 프로그램
④ 이용 가능 시간 ⑤ 이용 가능 대상

13 다음 관람 구역 배치도를 보면서 대화를 듣고, 남자가 예약할 좌석의 구역을 고르시오.

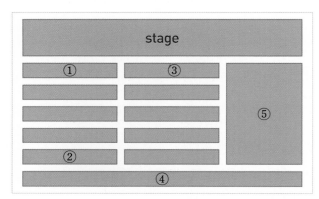

14 다음 상황 설명을 듣고, 엄마가 딸에게 할 말로 가장 적절한 것을 고르시오.

Mother: _____

① You can do better next time.
② Have you been there before?
③ Oh, thank goodness you're alright!
④ I'm sorry to have kept you waiting.
⑤ How many times did you win the game?

15 대화를 듣고, 남자가 대화 직후에 할 일로 가장 적절한 것을 고르시오.

① 집안일 돕기 ② 친구 블로그 방문하기
③ 사진 정리하기 ④ TV 보기
⑤ 숙제하기

16 대화를 듣고, 동아리 회의를 하기로 한 날짜를 고르시오.

① September 14   ② September 15   ③ September 16

④ September 17   ⑤ September 24

17 다음을 듣고, 무엇에 관한 설명인지 고르시오.

① 방충망   ② 커튼   ③ 사다리   ④ 파리채   ⑤ 온도계

18 대화를 듣고, 남자가 할 일로 가장 적절한 것을 고르시오.

① 컴퓨터 재부팅하기   ② 인터넷 선 확인하기

③ 바이러스 검사하기   ④ 새로운 컴퓨터 구입하기

⑤ 컴퓨터 업그레이드하기

19 대화를 듣고, 상황을 가장 잘 표현한 속담을 고르시오.

① 시작이 반이다.

② 짚신도 짝이 있다.

③ 공든 탑이 무너지랴.

④ 세 살 버릇 여든까지 간다.

⑤ 원숭이도 나무에서 떨어진다.

20 대화를 듣고, 여자의 마지막 말에 대한 남자의 응답으로 가장 적절한 것을 고르시오.

Man: _____

① Yes. It's my old health club.

② No. It's valid for 12 months.

③ I'm not sure if I can afford that.

④ I didn't know you were a member.

⑤ Great! So how much is the membership fee?

 **Dictation**

1

M   What are you doing in here?

W   I want to _____ _____ _____
    _____ for a Valentine's Day's present.

M   Well, here are some heart-shaped boxes.

W   They are _____ _____ for my present.

M   Then how about this square box with a lot of
    small hearts?

W   That's the right shape. But I want one
    _____ _____ _____ on it.

M   This one, with the big ribbon and little love
    hearts?

W   Yes, I'll buy that one.

2

W   May I help you?

M   Yes, I bought this book here yesterday. It's
    for my friend, but he has one already. Can I
    _____ _____ _____?

W   Do you _____ _____ _____?

M   Here it is.

W   How about exchanging it for another book?

M   No, thanks. I'm going to _____ _____
    _____ for him.

3

M   How may I help you?

W   I'm _____ _____ _____ _____
    for my grandson.

M   I see. Is it for studying? This desk chair on
    wheels is excellent.

W   Oh, no, he hasn't even started school yet.

M   So, how about this small chair?

W   That's OK, but it doesn't have a back. He's
    only three.

M   Well, _____ _____ _____ _____.
    It doesn't need a table.

W   OK. I'll take it. He _____ _____
    _____ _____ safely in it, too.

4

M   Wow! That's a great jacket!

W   Isn't it? It's by a famous designer. I got it for
    75 percent off.

M   Really? _____ _____ _____
    _____ _____?

W   I bought it in a department store.

M   _____ _____ to have such a nice jacket.

W   You're right. It is also _____ _____
    _____ _____.

5

M   _____ _____ _____, ma'am?

W   My daughter is missing! She's only five!

M   Please _____ _____. Where did you
    lose her?

W   We were at the supermarket around the
    corner. She simply disappeared.

M   I need you _____ _____ her for me.

W   She has _____ _____ _____. She's
    wearing blue jeans and a pink T-shirt.

M   I'm sending messages to all officers now.

W   Oh, please find my baby!

6

① W These noodles are really delicious!

M I'm glad you enjoy them.

② W Will you help me _____ _____ _____?

M Sure, I'll help you with the dishes, too.

③ W Excuse me. Would you _____ _____ _____ _____?

M Sure, I'll bring it to you right away.

④ W What's for lunch? I'm hungry.

M Hungry already? I'll make you gimbab.

⑤ W Excuse me? I didn't order a steak.

M Oh, I'm sorry. _____ _____ _____ _____ _____.

7

① M _____ _____ _____ to see a movie tonight?

W I can't. I have too much homework.

② M _____ _____ _____ a French restaurant?

W There isn't one around here.

③ M Why is that parking space painted yellow?

W Oh, I know who did that.

④ M I'd like two tickets for the 7:30 show.

W I'm sorry, but the 7:30 show is _____ _____.

⑤ M _____ _____ _____ _____ _____ the library from here?

W Catch any bus from this side of the street.

8

W Hey, I hardly ever see you these days.

M Yeah, I've been _____ _____ _____ _____ the public speaking contest.

W What's your speech about?

M It's about _____ _____.

W Have you written the speech?

M Sure, but English isn't my native language. So, I need someone _____ _____ _____ _____ with me. Can you help me?

W I'd love to!

9

M I'm afraid my science project isn't very good.

W Don't be silly! _____ _____ _____ _____ _____ for working so hard.

M You and Dad always encourage me so much. _____ _____ _____.

W Well, we think your project is really exciting.

M I know you do. And I can't thank you enough for _____ _____ _____ _____.

10

M Excuse me. _____ _____ is that jacket?

W The blue one? It's $150.

M Oh. Do you have anything cheaper?

W This one is $50 cheaper, but it's still _____ _____.

M Hmm. I don't like black. Do you have it in red?

W No, but we have red in a shorter style. It's _____ _____ _____ of the blue one.

M Great, I'll take the red one. It's $75, right?

W Yes, I think it'll look good on you.

11

W   What can I do for you?

M   Ah, my engine is burning a lot of oil.

W   OK. Do we have you in our customer list?

M   No, I haven't been here before. One of my friends recommended you.

W   Great, thanks. Could you _____ _____ _____ _____, please?

M   Sure. Do you think someone _____ _____ _____ today?

W   Well, I'll _____ _____ _____ _____ _____ first.

12

M   The Cumberland Leisure Center _____ _____ _____ on March 4th after remodeling. Now I'm proud to announce that we have _____ _____ _____ _____ in the region. The center is open 24 hours a day, seven days a week, and offers many special classes and activities for all residents of Cumberland _____ _____. Come and see the brand-new CLC!

13

M   What are the best seats in the concert hall?

W   We can see musicians very well on the first row.

M   But they are _____ _____ _____ _____. How about the other rows?

W   Well, Rows 2 to 5 are _____ _____, and I don't want to sit any further back.

M   Then we have only one option left, the standing area _____ _____ _____.

W   Yes, standing area is not that bad.

M   I'll book two tickets in that section.

14

W   Molly usually gets home by 4. But it's already 5, and Molly isn't home yet. She _____ _____ _____ her mom she was practicing with the volleyball team. The practice finished at 5:30. The coach told Molly _____ _____ _____ _____. She's so happy! She hurries home. Her mom _____ _____ _____ by the phone, terribly worried. In this situation, what would her mother most likely say when Molly arrives?

Mother

15

W   You are not playing computer games, _____ _____?

M   No, I'm just _____ _____ my friends' latest blog posts.

W   _____ _____ _____ _____ your homework?

M   My math homework? Not quite.

W   Shouldn't you finish that first?

M   You're right. I will.

16

M The Book Club Day is coming up fast.

W I know. September 24th, right? We have to _____ _____ _____ _____ before that.

M How about Monday, the 17th?

W Is that enough time to _____ _____ everything is prepared? What about September 14th?

M You mean Friday? That would be _____ _____. The extra weekend will help a lot.

W Alright. Let's schedule the meeting on that day.

17

W This is a net stretched across a frame. _____ _____ in the net allow air to flow freely. But the spaces are too small for insects to _____ _____. This is fixed to window frames to keep flies and mosquitoes out. So this is _____ _____ _____ in homes, restaurants, and most other buildings in hot climates.

18

W _____ _____ _____ this website? It's taking forever to load.

M It might have too much traffic right now.

W Can you access it on your computer?

M _____ _____ _____. *[pause]* Well, there's nothing wrong with the website.

W Then maybe my computer has a problem.

M I think you need to _____ _____ _____. I can do that for you if you wish.

W Thanks.

19

W Are you OK? _____ _____ _____.

M Yeah, I've been getting up before 5 am since last week.

W What for?

M I read an article that said successful CEOs are early risers. But it hasn't helped me at all.

W Well, you're still a night person. You have to _____ _____ _____ _____ if you want to get up early.

M I'd rather just go back to the way I've always been. It is not easy to _____ _____ _____ _____.

20

M I'd like to _____ _____ for a gym membership, please.

W Certainly, sir. Are you a local resident?

M Yes, here's my driver's license. It has my address on it.

W Oh, I see you are _____ 20.

M Yes, why do you mention it?

W It means that you _____ _____ a Junior Membership Card.

M What's that?

W It's for people younger than 20. It's 50 percent _____ _____ a full membership.

M _____

1 대화를 듣고, 여자가 남자에게 줄 우표를 고르시오.

Take Notes

①  ②   ③

④  ⑤

2 대화를 듣고, 여자가 남자에게 전화한 목적으로 가장 적절한 것을 고르시오.

① 약속 장소 변경　　② 약속 취소　　③ 비행기 표 예매
④ 부모님 마중 부탁　⑤ 공항 위치 문의

3 대화를 듣고, 두 사람이 구입할 티셔츠를 고르시오.

①  ②  ③

④  ⑤

4 대화를 듣고, 남자의 심정으로 가장 적절한 것을 고르시오.

① happy　　② bored　　③ confused
④ worried　　⑤ confident

5 대화를 듣고, 남자의 직업으로 가장 적절한 것을 고르시오.

① athlete　　② teacher　　③ designer
④ actor　　⑤ sales clerk

6 다음 그림의 상황에 가장 적절한 대화를 고르시오.

① ② ③ ④ ⑤

7 다음을 듣고, 두 사람의 대화가 <u>어색한</u> 것을 고르시오.

① ② ③ ④ ⑤

8 대화를 듣고, 남자가 여자에게 부탁한 일로 가장 적절한 것을 고르시오.

① 운동 코치 소개해 주기   ② 체육관 예약해 주기
③ 체육관에 데려가 주기   ④ 복싱 가르쳐 주기
⑤ 체육관 위치 알려주기

9 대화를 듣고, 여자의 마지막 말에 담긴 의도로 가장 적절한 것을 고르시오.

① 격려   ② 동의   ③ 요청   ④ 거절   ⑤ 감사

10 대화를 듣고, 남자가 지불할 금액을 고르시오.

① $10   ② $20   ③ $35   ④ $45   ⑤ $50

Take Notes

⑪ 대화를 듣고, 두 사람이 대화하고 있는 장소로 가장 적절한 곳을 고르시오.

① 호텔　　　　② 미술관　　　　③ 화장품 가게
④ 식당　　　　⑤ 문구점

⑫ 다음을 듣고, Summer Children's Program에 관해 언급되지 <u>않은</u> 것을 고르시오.

① 시작일　　　② 프로그램 이름　　③ 참가 대상
④ 프로그램 정원　⑤ 접수 방법

⑬ 다음 표를 보면서 대화를 듣고, 내용과 일치하지 <u>않는</u> 것을 고르시오.

	Volunteer Clean-up Day	
①	Date	Sunday 9 am - 11 am
②	Place	Walking Path near City Hall
③	Transportation	Bus
④	Meeting Place	The National Museum
⑤	Meeting Time	8 am

⑭ 다음을 듣고, 무엇에 관한 설명인지 고르시오.

① 동상　　　　② 울타리　　　　③ 새 둥지
④ 눈사람　　　⑤ 허수아비

⑮ 대화를 듣고, 남자가 할 일로 가장 적절한 것을 고르시오.

① 보험사에 전화하기　　　② 휴대 전화 구입하기
③ 서비스 센터 방문하기　　④ 분실물 센터에 전화하기
⑤ 휴대 전화 빌리기

16 대화를 듣고, 남자가 여자와 회의를 하기로 한 날짜를 고르시오.

① July 3   ② July 4   ③ July 5

④ July 6   ⑤ July 7

17 다음 상황 설명을 듣고, Lily가 점원에게 할 말로 가장 적절한 것을 고르시오.

Lily: _____

① How much is a gift box?

② Have you got another one?

③ Where can I buy a gift card?

④ Do you think it's a proper gift?

⑤ Which shop sells wrapping paper?

18 대화를 듣고, 여자가 할 일로 가장 적절한 것을 고르시오.

① 축하 카드 보내기   ② 선물 구입하기   ③ 발표 준비하기

④ 옷 갈아입기   ⑤ 과제 제출하기

19 대화를 듣고, 상황을 가장 잘 표현한 속담을 고르시오.

① 공든 탑이 무너지랴.

② 도랑 치고 가재 잡는다.

③ 달면 삼키고 쓰면 뱉는다.

④ 돌다리도 두들겨 보고 건너라.

⑤ 가는 말이 고와야 오는 말이 곱다.

20 대화를 듣고, 남자의 마지막 말에 대한 여자의 응답으로 가장 적절한 것을 고르시오.

Woman: _____

① Oh, you're still afraid of heights.

② No, let's try something different.

③ Sorry, but I rode a bike last weekend.

④ Yes. Let's go on another ride right now.

⑤ Why don't we go to an amusement park?

1

M You've got a lot of stamps. They're cool.

W You can have one if you like. _____ _____ _____ the bird or the sea animals?

M I love the ones with the sea animals.

W Me, too. This one _____ _____ _____ in the ocean is my favorite. You can have it.

M I can't take your favorite stamp!

W That's OK. I've got a few of this one.

M Really? Thanks. _____ _____ _____ _____, too.

2

[Cell phone rings.]

W Honey. Where are you right now?

M I'm having lunch with my friends. Why?

W _____ _____ _____ _____ _____ _____ _____ at the airport at three.

M That's right. You told me earlier.

W Someone _____ _____ _____, so I have to stay at work. Can you go for me?

M No problem. I'll leave now. It _____ _____ _____ to drive there.

3

M Which T-shirt do you like for Sam? I think the heart is _____ _____.

W For Sam? I thought _____ _____ _____ _____.

M But he's already got a few floral T-shirts.

W Then how about one of these cute animals?

M Sure. Which one, the panda or the tiger?

W I think he _____ _____ _____ _____. He liked it very much when we went to the zoo the other day.

M OK. Let's buy it for him.

4

W Do you think you've _____ _____ for your Chinese exam?

M I wish you wouldn't mention it. I haven't even opened my books yet.

W _____ _____ _____ do you have left?

M Not enough! And if I don't pass Chinese I don't know what I'll do.

W _____ _____ _____.

M I wish I could agree with you. But _____ _____ you're very wrong.

5

W Can we try these shoes in another color?

M Don't you like these samples?

W _____ _____ _____ _____. But I'd like to see the shoes in blue, too.

M _____ _____. Anything else?

W While you're at the computer, can you change the shape of the toe?

M Sure. I think a more rounded shape would be cute.

W Right. _____ _____ a more rounded toe in blue. Thanks.

6

① M Look out for the lion.

    W I'm _____ _____ of the lion now.

② M Hold on, I'm taking a picture.

    W Do I _____ _____?

③ M Don't try to touch any animals. You could _____ _____.

    W I'll make sure not to.

④ M You _____ _____ _____ to take any pictures here.

    W Is that because the baby animals are scared of a flashlight?

⑤ M _____ _____ _____ is not permitted in the zoo.

    W But the animals looked so hungry and thirsty.

7

① M What time do you open?

    W It's the grand opening.

② M When does your train leave?

    W It _____ at 7:30 pm.

③ M Don't you think it's too loud?

    W You're right. I'll _____ _____ _____ for you.

④ M _____ _____ _____ _____ _____ to send it to France?

    W I need to weigh it first.

⑤ M We just _____ _____ _____.

    W Don't worry. The next one won't be long.

8

M Wow. You look so fit and healthy.

W Thanks. I've been working out as a boxer.

M Boxing? The real thing?

W No, boxing classes _____ _____ _____.

M I'd like to _____ _____ _____, too.

W But you have to be a member.

M Then, can I come with you? I'll sign up.

W Sure. I'll _____ _____ _____ for introducing a new member!

9

W I heard you went to the Motor Show.

M I sure did.

W I did, too! _____ _____ _____ _____ _____?

M It was _____! I wish I could go again!

W That's exactly what I was thinking!

10

W How may I help you?

M I need skis for myself, my wife and my daughter.

W OK. The rental fee is _____ for adults and _____ for juniors.

M Alright, let's do it.

W Oh, I forgot! It's _____ _____ _____ Monday to Thursday.

M So I get _____ _____ the total. Nice.

11

M   Brown is _____ _____ right now.

W   But it makes me look tired. I _____
_____ _____.

M   Do you like red? Try this.

W   Hmm. It looks good on me. I like it.

M   It's a brand-new lipstick.

W   I'll take this one. _____ _____
_____ _____?

M   It's $27.

12

M   Montgomery Library's summer children's
program starts on July 15th. The "Cool
Summer Book Club" will meet Monday to
Friday _____ _____ _____.
The program includes group storytelling
and discussion, and fun activities _____
_____ each book. Class sizes _____
_____ _____ 12, so sign up soon at the
library or on the website.

13

W   When is the volunteer Clean-up Day?

M   This Sunday from 9 until 11.

W   _____ _____ are we going to volunteer
at?

M   We're going to the walking path near City
Hall.

W   That is _____ _____ _____ our
home.

M   Yes, so I'm _____ _____ _____
_____ _____ there. Would you come
with me?

W   Okay. Let's meet at the National Museum at
8 am.

14

M   This is a human-like figure _____
_____ _____. Farmers who grow
crops of grain such as rice or corn _____
_____ in their fields. It can be really
human-like, with eyes, a nose, a mouth,
and clothes, or it can be _____ _____
_____ in the ground with a hat or scarf
tied to it. It's meant to _____ _____
_____ from the farmer's crops.

15

W   You don't look very happy. _____
_____ _____?

M   Look at my new phone.

W   Uh-oh. The screen is cracked.

M   Yeah. Someone bumped me at the bus stop
and _____ _____ _____.

W   Why don't you take back to where you
bought it?

M   I'll get it to the service center. I hope
_____ _____ _____ _____.

16

M Can we schedule a meeting next week?

W Sure. How about Wednesday, July the fifth?

M Sorry, I'll be in meetings _____ _____ _____. How about the sixth?

W Thursday? Let's see. No, I've _____ _____ _____ _____ on the sixth.

M Friday, then?

W The seventh? I'm free after two o'clock. How about at three?

M _____ _____ _____ _____.

17

W Lily saw a cute necklace at a shop in Cool Springs Mall. So _____ _____ _____ for her friend's birthday. She has wrapping paper and ribbon at home. But then she sees a sign, "Beautiful gift boxes _____." So she decides to ask _____ _____ they cost. In this situation, what would Lily most likely say to the clerk?

Lily _____

18

M _____ _____ _____ _____ _____ to the wedding?

W Is Mr. Lee's wedding today?

M Yeah, he reminded us in science class on Monday.

W I was absent on Monday. Can you wait while _____ _____ _____ _____ _____ _____?

M Then you'd better _____ _____. I need to buy a gift.

W OK. Just wait ten minutes.

19

M Guess what! Emma _____ Best Prize for the under-16s.

W Emma? The girl _____ _____ _____ _____?

M Yes, can you believe it? She wasn't very good when she started on our team.

W You're right. But didn't you say she _____ _____ _____ this year?

M Yeah, she was on the volleyball court practicing nearly every day.

W That would explain _____ _____ _____ _____ _____ _____.

20

W Wow! _____ _____ _____ _____.

M I told you that you'd love the Crazy Coaster.

W _____ _____ _____ _____ amusement park rides.

M But you're OK now, aren't you?

W I feel great! I want to go for another ride!

M _____ _____ _____ _____ do the Crazy Coaster again?

W _____

정답 및 해설 p9

1 대화를 듣고, 여자가 선택할 의상을 고르시오.

Take Notes

①
②
③

④
⑤

2 대화를 듣고, 남자가 방문한 목적으로 가장 적절한 것을 고르시오.

① 도서 반납   ② 제품 교환   ③ 도서 구입
④ 신제품 홍보   ⑤ 컴퓨터 수리

3 다음 그림의 상황에 가장 적절한 대화를 고르시오.

①   ②   ③   ④   ⑤

4 대화를 듣고, 여자의 심정으로 가장 적절한 것을 고르시오.

① angry   ② satisfied   ③ regretful
④ playful   ⑤ pleased

5 대화를 듣고, 여자의 마지막 말에 담긴 의도로 가장 적절한 것을 고르시오.

① 격려   ② 거절   ③ 동의   ④ 확인   ⑤ 감사

6 대화를 듣고, 남자가 미술 숙제에 사용할 도구를 고르시오.

①

②

③

④

⑤

7 다음을 듣고, 두 사람의 대화가 <u>어색한</u> 것을 고르시오.

①   ②   ③   ④   ⑤

8 대화를 듣고, 남자가 전화한 이유로 가장 적절한 것을 고르시오.

① 가전제품 설치를 도와 달라고   ② 세탁기 사용법을 알려 달라고
③ 뜯어진 단추를 달아 달라고   ④ 손잡이를 고쳐 달라고
⑤ 가전제품 기술자를 불러 달라고

9 대화를 듣고, 남자의 직업으로 가장 적절한 것을 고르시오.

① professional musician   ② police officer
③ taxi driver   ④ flight attendant
⑤ waiter

10 대화를 듣고, 남자가 지불해야 할 금액을 고르시오.

① $6   ② $8   ③ $10   ④ $16   ⑤ $22

11 대화를 듣고, 두 사람이 대화하고 있는 장소로 가장 적절한 곳을 고르시오.

① restaurant   ② theater   ③ hotel

④ train station   ⑤ car rental shop

12 다음을 듣고, Double Decker Tours에 관해 언급되지 <u>않은</u> 것을 고르시오.

① 관광 요금   ② 방문 장소   ③ 출발 시간

④ 가이드 이름   ⑤ 최종 도착지

13 다음 표를 보면서 대화를 듣고, 내용과 일치하지 <u>않는</u> 것을 고르시오.

University League Football Final		
①	Date	March 26th
②	Place	The National Park
③	Teams	GS Tigers vs. NS Lions
④	Score	2:2
⑤	MVP	David Wilson

14 다음을 듣고, 무엇에 관한 설명인지 고르시오.

① 명함   ② 엽서   ③ QR코드

④ 신용카드   ⑤ 우표

15 대화를 듣고, 남자가 대화 직후에 할 일로 가장 적절한 것을 고르시오.

① 여권 분실 신고하기   ② 비행기 탑승하기

③ 공항에 마중 나가기   ④ 여행자 보험 가입하기

⑤ 카페에 가기

16 대화를 듣고, 두 사람이 식사를 할 날짜를 고르시오.

Take Notes

① April 14　　② April 15　　③ April 16

④ April 17　　⑤ April 18

17 다음 상황 설명을 듣고, Adam이 Nicole에게 할 말로 가장 적절한 것을 고르시오.

Adam: _____

① Who is your babysitter?

② What's your favorite subject?

③ Are you interested in babysitting?

④ How often do you visit your parents?

⑤ Why don't you give it to your kid?

18 대화를 듣고, 남자가 할 일로 가장 적절한 것을 고르시오.

① 방 청소하기　　② 설거지하기　　③ 식사 준비하기

④ 쓰레기 버리기　　⑤ 재활용품 정리하기

19 대화를 듣고, 남자의 충고를 가장 잘 표현한 속담을 고르시오.

① Look before you leap.

② Rome was not built in a day.

③ A rolling stone gathers no moss.

④ Make hay while the sun shines.

⑤ When in Rome, do as the Romans do.

20 대화를 듣고, 여자의 마지막 말에 대한 남자의 응답으로 가장 적절한 것을 고르시오.

Man: _____

① That's what I want to see.

② I didn't even think of that.

③ It looks better by the window.

④ You need to push it a bit harder.

⑤ I think we need to buy a new one.

1

W Honey, I _____ _____ _____
_____ _____ for an English interview
this Friday.

M Really? What kind of clothes do you need?
A skirt and a white blouse?

W I want to buy a suit with pants and a jacket.

M OK, but a skirt _____ _____ _____
than pants for the interview.

W Do you think a jacket will match the skirt?

M Sure! _____ _____ _____ would go
well with it.

W All right. Then I will buy a striped scarf, too.

M That's a great idea!

2

M Excuse me. Do you have Nelson Mandela's
autobiography?

W Yes, it should be on the shelf just over there.

M That's where I looked. I _____ _____
in the history and biography sections but I
couldn't find it.

W I'll _____ _____ _____. Here we
are. Oh, I'm sorry. It's all _____ _____.

M Will you get more books in?

W We'll have the book back _____ _____
tomorrow.

3

① M Is it okay to take pictures in here?

  W No, cameras are not permitted.

② M What _____ _____ _____ to
drink?

  W Nothing for me, thank you.

③ M Is there anything I can help you with?

  W No, thanks. I'm just _____ _____.

④ M Would you like to try it on?

  W Yes. Where is the fitting room?

⑤ M I bought this camera here but _____
_____ _____.

  W Could I see your receipt, please?

4

W I am really sorry.

M What for?

W For shouting this morning. I was so angry
that I _____ _____ _____.

M But it was my fault for playing a joke on you.

W But I should have laughed. I reacted so badly.

M _____ _____. I already forgot about it.

5

M What are you doing after school?

W I have to help my parents at the supermarket.
Why?

M Kenny and I _____ _____ _____
_____ _____ in the park.

W That sounds interesting.

M _____ _____ _____ _____
_____ after you finish work?

W That's OK. I have to _____ _____
_____ after work.

6

W   What are you using to make your picture?

M   A black pencil. Why?

W   Because the art teacher said he wants us to use _____ _____ _____ _____.

M   Oh, did he? _____ _____ _____ _____. OK. I'll use watercolor paints.

W   But you don't have paint brushes.

M   Then _____ _____ _____ _____ which my uncle bought for me in France.

W   That's a great idea!

M   Do you want to share?

7

①   W   Where did you get the coupon?

    M   My friend _____ _____ _____ _____.

②   W   Are you good at playing tennis?

    M   No, I wish I could play better.

③   W   _____ _____ _____ the new P.E. teacher?

    M   Not yet. I heard he is nice.

④   W   What color do you think I should wear?

    M   The red shoes look fine.

⑤   W   We're having a test on Monday.

    M   _____ _____ _____ helping me.

8

[Telephone rings.]

M   Mom? Are you there?

W   _____ _____, Frank?

M   I'm sorry to bother you. But the washing machine _____ _____.

W   Did you press the "start" button?

M   Yes, but I don't know _____ _____ _____. Can you help me?

W   OK. I'll be there soon.

9

[Telephone rings.]

W   Hello, honey! What's the matter?

M   Karen, I think we _____ _____ _____ our tickets for the movie tomorrow.

W   Why?

M   A customer asked me to take him to the airport for his flight tomorrow.

W   Oh, no! I really want to see that movie.

M   We can see it _____ _____.

W   OK. I hope we can see it _____ _____.

10

W   May I help you?

M   One jumbo-size popcorn and two Cokes, please.

W   That's _____. What movie are you seeing today?

M   *The Christmas Story*. Why?

W   There's _____ _____ _____ today. See the movie and get two Cokes for free.

M   Great. Here is the ticket.

W   Thanks. You'll get _____ _____.

11

W   How can I help you?

M   _____ _____ _____ _____. My name is Dan Kim.

W   Let me see. Yes, you are in room 1405. Here's your key.

M   Thank you. And I need _____ _____ _____ at 5:30.

W   OK. Let me put it in the computer. It's set for 5:30 am.

M   Also, I need a car for the next two days. Do you have a number for _____ _____ _____?

W   We recommend Ace Car Rental. I can call them for you, sir.

12

M   _____ _____ Double Decker Tours. I'm your guide, Bob Cooper. The bus _____ _____ at 10 o'clock, and drop you back here at the hotel two hours later. The tour _____ _____ Buckingham Palace, the Tower of London, St. James' Park, Sherlock Holmes' house at Baker Street and much more. I hope all of _____ _____ _____ your Double Decker bus tour of London.

13

W   When is _____ _____ _____?

M   It was on Saturday.

W   Was it? What was Saturday? March 26th?

M   Yes. The game was at the National Park.

W   Again?

M   Yes. The GS Tigers _____ _____ the NS Lions.

W   Who won the match?

M   The Tigers. They scored one point more. So the score was _____ _____ _____.

W   That was close. Who was chosen MVP?

M   David Wilson. He was _____ _____.

14

M   This is a square white space with lots of square black dots in various patterns. It was first printed on motor vehicle parts so computers _____ _____ _____. These days it's on a range of products and advertisements. When you scan this _____ _____ _____, your smartphone will open a web page with more information _____ _____ _____ or service.

15

M   Oh, no! _____ _____ _____? It's not in my pocket!

W   Don't panic. Just _____ _____ _____ the last time you saw it.

M   I remember putting it in my pocket when I left the house. I had it at the check-in counter.

W   Then we went to that cafe. _____ _____ _____ your things on the chair next to yours?

M   I did! _____ _____ with the bags, OK? I have to run back to the cafe.

16

W Happy birthday! Would you like to do _____ _____ today?

M How about lunch at Johnny Burger with Dad?

W Your dad's too busy at work today. _____ _____ _____ for lunch on Friday.

M But that's April the 17th. I'm going to the Car Show with Tom and his dad.

W That's right. Then _____ _____ _____?

M Saturday the 18th? That sounds good.

W Anyway, happy 15th birthday!

17

M Nicole is standing at the community bulletin board, _____ _____ a part-time job. Adam happens to come along. Adam's older sister has two kids and _____ _____ _____ a babysitter. Nicole loves children and is very reliable. Adam _____ _____ _____ Nicole if she would like to babysit. In this situation, what would he say to Nicole?

Adam _____

18

W Can you _____ _____ _____, please?

M I'm doing the trash and recycling tonight. Do you want me to do the dishes as well?

W No, I'll _____ _____ _____ and trash out instead.

M OK, but why is that?

W Because I burned my hand on the stove and _____ _____ _____ _____ _____ _____.

M Really? Then I'll do the dishes.

19

W The exchange student program chose me to go to Italy _____ _____ _____.

M Congratulations! This is your dream, _____ _____?

W Yes, but I'm not sure I'm ready to be so far away from my family and friends.

M What? It's _____ _____ _____ a lifetime!

W I know. It is my dream but I can go when I'm older.

M Such an opportunity won't _____ _____ _____.

W You're right. I should do it.

20

W Can you _____ _____ _____ _____ to move this desk?

M Sure. Where do you want to move it?

W Over there _____ _____ _____ _____. Wait, don't move it yet!

M Why not?

W We _____ _____ _____ _____ _____ under it first or we'll scratch the floor.

M _____

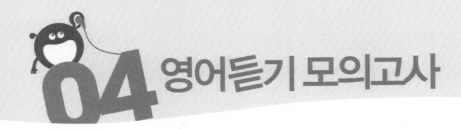

정답 및 해설 p13

1 대화를 듣고, 남자가 사려고 하는 스티커 판을 고르시오.

Take Notes

①   ②   ③

④   ⑤

2 대화를 듣고, 남자가 여자에게 전화한 목적으로 가장 적절한 것을 고르시오.

① 식사 초대　　② 도움 요청　　③ 약속 취소
④ 경기 예매　　⑤ 안부 인사

3 다음 그림의 상황에 가장 적절한 대화를 고르시오.

①　　　②　　　③　　　④　　　⑤

4 대화를 듣고, 여자의 직업으로 가장 적절한 것을 고르시오.

① movie director　② writer　　　③ designer
④ book editor　　⑤ actress

5 대화를 듣고, 여자의 마지막 말에 담긴 의도로 가장 적절한 것을 고르시오.

① 감사　　② 동의　　③ 거절　　④ 걱정　　⑤ 충고

대화를 듣고, 두 사람이 선택한 그림을 고르시오.

Take Notes

① 　② 　③

④ 　⑤

⑦ 다음을 듣고, 두 사람의 대화가 <u>어색한</u> 것을 고르시오.

① 　　② 　　③ 　　④ 　　⑤

⑧ 대화를 듣고, 여자가 남자에게 부탁한 일로 가장 적절한 것을 고르시오.

① 진료 예약하기　　② 식당에서 일하기
③ 병문안 함께 가기　　④ 여행 계획 세우기
⑤ 파티 준비 도와주기

⑨ 대화를 듣고, 여자의 심정으로 가장 적절한 것을 고르시오.

① bored　　② upset　　③ proud
④ satisfied　　⑤ jealous

⑩ 대화를 듣고, 남자가 지불한 금액을 고르시오.

① $2　　② $4　　③ $6　　④ $8　　⑤ $10

 11 대화를 듣고, 두 사람이 대화하고 있는 장소로 가장 적절한 곳을 고르시오.

① hair salon　　② concert hall　　③ flower shop
④ bookstore　　⑤ wedding hall

12 다음을 듣고, 송별회에 관해 언급되지 <u>않은</u> 것을 고르시오.

① 날짜　　② 시간　　③ 복장　　④ 장소　　⑤ 회비

13 다음 표를 보면서 대화를 듣고, 두 사람이 보기로 한 영화를 고르시오.

Kino Cinema		
Winterfell	After Dark	War Horse
09:00	② 10:20	④ 11:00
① 11:00	12:30	⑤ 14:00
	③ 14:40	

14 다음을 듣고, 무엇에 관한 설명인지 고르시오.

① 온천　　　　② 해수욕장　　③ 호수
④ 오아시스　　⑤ 갯벌

15 대화를 듣고, 여자가 대화 직후에 할 일로 가장 적절한 것을 고르시오.

① 버스에서 내리기　　　② 여행 안내소 찾아가기
③ 버스 노선 알아보기　　④ 버스 기사에게 물어보기
⑤ 지도 검색하기

16 대화를 듣고, 여자가 과제를 제출할 날짜를 고르시오.

① June 4   ② June 5   ③ June 6   ④ June 7   ⑤ June 8

17 다음 상황 설명을 듣고, Mark가 점원에게 할 말로 가장 적절한 것을 고르시오.

Mark: _____

① Do you work around here?

② Where can I find a post office?

③ Can you show me the way, please?

④ What time does this store close tonight?

⑤ Can I get ten of these postcards, please?

18 대화를 듣고, 남자가 할 일로 가장 적절한 것을 고르시오.

① 보일러 켜기   ② 보일러 수리하기

③ 히터 가지러 가기   ④ 수리점에 전화 걸기

⑤ 차고 청소하기

19 대화를 듣고, 상황을 가장 잘 표현한 속담을 고르시오.

① Practice makes perfect.

② All that glitters is not gold.

③ Many hands make light work.

④ Heaven helps those who help themselves.

⑤ A great journey begins with a single step.

20 대화를 듣고, 남자의 마지막 말에 대한 여자의 응답으로 가장 적절한 것을 고르시오.

Woman: _____

① You don't have to visit him again.

② My grandfather died when I was very young.

③ It's very hard to recover from injury at that age.

④ He looked pretty good in the hospital.

⑤ His birthday is coming up.

Dictation

정답 및 해설 p17

1

M Hi. I'd like to _____ _____ _____ _____ for my daughter.

W OK. What about this one with animals on it? Does she like giraffes or bears?

M Oh, she _____ _____.

W How about this one with the dog holding a bone?

M No, it's not cute.

W I think _____ _____ _____ _____ _____ and the dog's house is cute.

M I do, too. I will take it.

2

[Telephone rings.]

M Hey, Emma. It's Matt. _____ _____ _____ on Saturday morning?

W Why?

M Well, I'm having friends over on Saturday afternoon _____ _____ _____ _____.

W I know. You invited me, too, remember?

M Of course. I was wondering if you'd come early to help me _____ _____.

W Sure. What time?

3

① W How can I help you?

　　M I'd like these trousers dry-cleaned.

② W What's the problem?

　　M Look! _____ _____ _____ in your drink.

③ W How about this cute little hat?

　　M OK. I'll take _____ _____ _____, please.

④ W We can give you 10% off on this cup.

　　M Then, _____ _____ is it?

⑤ W What would you like to order?

　　M I'd like a sandwich and a glass of apple juice.

4

M Today, we have a special guest, Paula Chapman. Hello, Paula.

W Hello, everyone.

M Let me ask you this first. What _____ _____ _____ _____ making movies?

W That's easy. It was my parents' love of reading. I grew up in a house full of books.

M You mean books are the reason _____ _____ _____ _____?

W Exactly. My favorite books were _____ _____ _____.

M That's why you became one of them.

W Yes! I was very impressed with the directors' creativity.

5

W The rain has stopped. Do you _____ _____ _____ for a walk?

M I'd love to get out of this stuffy library.

W _____ _____. Look. It started again.

M The weather is really unpredictable here.

W _____ _____ _____ _____ _____. I never know what to wear.

6

W _____ _____ would be good for the guest room?

M I'm thinking of this picture with running lions.

W I want _____ _____.

M Yeah, you're right. How about this picture with the sheep in the green field?

W Hmm… I think the fruit picture is better.

M But I think it would be better in the kitchen.

W Then what about that one _____ _____ in the field?

M Great! Let's take it!

7

① W You _____ _____.

M Yes. I need a good night's sleep.

② W Where is the subway station?

M It's usually the best way.

③ W Can I go to the party, please?

M _____ _____ _____ again! The answer is no.

④ W Do you think I'll get into a good university?

M Sure. Just _____ _____ the hard work.

⑤ W Is your essay coming along OK?

M It's going pretty well, thanks.

8

M What's the matter?

W I can't go to the party tomorrow night.

M _____ _____?

W The guy who helps in Mom's restaurant is sick. I _____ _____ _____ him.

M That's too bad.

W Hey. You're _____ _____ a part-time job, aren't you?

M Sure.

W _____ _____ _____ in the restaurant tomorrow starting at 6?

M That would be great!

9

W Did you _____ _____ the dry cleaning, honey?

M Yes. It's hanging behind the door in our room.

W Thank you! *[pause]* Oh, look! _____ _____ _____ is still on my skirt!

M Oh, sorry. I should've checked before I paid.

W It's _____ _____ _____. It's terrible service. I'm going to call and complain.

10

W Can I help you?

M Yes, I'd like two adult tickets and one for a child.

W Tickets are _____ _____ _____ and $2 for children.

M So, $10 in total. Can I pay _____ _____?

W Yes. Oh, is this your daughter?

M Yes, it's her fifth birthday today.

W Really? It's free for children _____ _____.

M That's great! Here's my card.

11

M   I'll wait for you in the car, OK?

W   No, I need help. I _____ _____ which of these to buy for Rachel.

M   Well, I think the bouquet of roses is lovely, _____ _____?

W   Yes, I do. But I don't know if she likes red. How about this bouquet of _____ _____?

M   Yes, just get them! We have to hurry. Rachel's concert starts in 30 minutes.

W   OK.

12

[Answering machine beeps.]

W   Can you give Matt's mother a message for me, please? Tell her the farewell party for Laura is _____ _____, Friday the 5th. It's at 6:30 at Dolce Vita, the Italian restaurant on York Street. Tell her we're all wearing _____ _____, Laura's favorite color. And _____ _____ _____ _____ by tomorrow night because I have to finalize the booking. Thanks, darling!

13

W   Would you like to see a movie tomorrow?

M   Sure, but I _____ _____ _____ at 11 for an hour.

W   Really? Then we can't see *Winterfell*. We have two choices.

M   Which one do you prefer?

W   I think *After Dark* will be _____ _____ _____ _____.

M   I think so, too. Then there's only one movie we can see. What do you think?

W   I heard it has good reviews. _____ _____ _____ online.

14

M   This is a place where _____ _____ _____ naturally. The water is heated by volcanic magma and is high in minerals. Here, people _____ _____ _____ in pools of this naturally hot mineral water, because it's refreshing and _____ _____ _____.

15

W   Hey! Look out the window! Is that the National Museum?

M   I think so. Then we _____ _____ _____ City Hall already.

W   _____ _____ _____ the tour map.

M   Look here. It says City Hall is four stops from the National Museum.

W   I _____ _____ the bus driver where we are on the map.

16

[Telephone rings.]

M Hello?

W Hello, professor Smith. This is Lisa Perry in your class.

M Yes, Lisa. How can I help you?

W I wonder if I can _____ _____ _____ _____ on June 8th.

M What's the reason?

W My grandmother is very sick. So I have to _____ _____ _____ her for a week.

M Sorry to hear that. Well, the due date is June 5th, but that's OK. Just _____ _____ _____ _____ _____ _____ .

W Thanks, professor Smith.

17

W Mark is traveling in England. One day, he hikes to a beautiful mountain. He _____ _____ _____ it to friends and family back home. So he buys postcards at a tourist store. And he _____ _____ _____ his postcards by airmail. He decides to ask the sales clerk where he can _____ _____ _____ . In this situation, what would Mark say to her?

Mark _____

18

W It's freezing in here. Why don't you _____ _____ _____ _____ ?

M It's not working. A service technician is coming _____ _____ _____ at three.

W Don't you have a portable heater? It's too cold!

M I think I have one in the garage.

W Really? _____ _____ _____ _____ ?

M Sure. I'll be right back.

19

W Can you organize the drinks for our club awards night?

M No problem. _____ _____ the trophies?

W Alan ordered them.

M Maggie has booked the main hall. She and Lisa will decorate it.

W _____ _____ has to be done?

M Nothing. Everyone in the club is helping.

W That's good. It would be a huge job if I had to _____ _____ _____ .

20

M Hi, Mary.

W Hello, Sam.

M You _____ _____ . What's the matter?

W My grandpa fell and _____ _____ _____ . I'm worried about him.

M He'll be OK soon, won't he?

W Well, he's ninety years old.

M What do you mean?

W _____

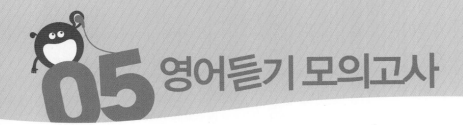

05 영어듣기 모의고사

① 다음을 듣고, 지시에 따라 알맞게 그린 그림을 고르시오.

Take Notes

① ② ③

④ ⑤

② 다음을 듣고, 남자가 여자에게 전화한 목적으로 가장 적절한 것을 고르시오.

① 새로운 상품을 소개하려고
② 숙제를 했는지 확인하려고
③ 할머니 안부를 물어보려고
④ 시험공부하는 것을 도와 달라고
⑤ 콘서트에 가는 것을 허락받으려고

③ 대화를 듣고, 남자의 심경으로 가장 적절한 것을 고르시오.

① happy ② angry ③ scared
④ regretful ⑤ excited

④ 대화를 듣고, 두 사람의 관계로 가장 적절한 것을 고르시오.

① doctor - patient ② pharmacist - customer
③ teacher - student ④ sales clerk - customer
⑤ doctor - nurse

⑤ 다음을 듣고, 마라톤이 열리는 날 오후 날씨를 고르시오.

① rainy ② foggy ③ cloudy
④ snowy ⑤ sunny

6 대화를 듣고, 여자가 가고자 하는 곳을 고르시오.

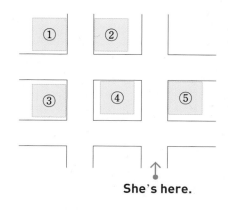

7 다음을 듣고, 두 사람의 대화가 <u>어색한</u> 것을 고르시오.

①   ②   ③   ④   ⑤

8 대화를 듣고, 여자가 현재 겪고 있는 문제를 고르시오.

① 과제 분량   ② 자료 조사
③ 주제 선정   ④ 제출 방법
⑤ 작성 방법

9 대화를 듣고, 남자의 마지막 말에 담긴 의도로 가장 적절한 것을 고르시오.

① 거절   ② 감사   ③ 요청   ④ 제안   ⑤ 동의

10 대화를 듣고, 남자가 연체료로 지불해야 할 총 금액을 고르시오.

① $1   ② $3   ③ $5   ④ $7   ⑤ $10

Take Notes

⑪ 다음을 듣고, 오후 3시에 방문할 장소를 고르시오.

① 절   ② 동굴   ③ 식당
④ 박물관   ⑤ 시장

⑫ 대화를 듣고, 가족 신문에 실리지 <u>않을</u> 것을 고르시오.

① 신문 이름   ② 조상   ③ 가훈
④ 취미   ⑤ 사진

⑬ 대화를 듣고, 미술관에 대한 설명으로 옳은 것을 고르시오.

①	Hours	10 am - 8 pm
②	Closed	Sundays
③	General Admission	Free
④	Exhibition Admission	$30 / Family
⑤	Special Exhibition Title	Classic Art

⑭ 다음을 듣고, 무엇에 대한 설명인지 고르시오.

① smartphone   ② TV   ③ watch
④ electric car   ⑤ tablet computer

⑮ 대화를 듣고, 남자가 대화 직후에 할 일로 가장 적절한 것을 고르시오.

① 책상 먼지 닦기   ② 숙제 하기   ③ 인터넷 검색하기
④ 양말 치우기   ⑤ 바닥 청소하기

16 대화를 듣고, 두 사람이 만날 시각을 고르시오.

① 5:00　　② 6:00　　③ 6:30　　④ 7:00　　⑤ 7:30

17 대화를 듣고, 대화의 내용과 일치하지 <u>않는</u> 것을 고르시오.

① 여자는 봉사 활동을 하고 있다.
② 여자는 스포츠를 좋아한다.
③ 남자는 럭비를 하고 있다.
④ 여자는 호수로 캠핑을 갈 계획이다.
⑤ 남자는 산으로 캠핑을 갈 계획이다.

18 대화를 듣고, 대화 직후 남자가 가장 먼저 할 일을 고르시오.

① 학교 가기　　② 전화하기　　③ 인터넷하기
④ 서점 가기　　⑤ 친구 만나기

19 대화를 듣고, 상황에 가장 잘 어울리는 속담을 고르시오.

① Pie in the sky.
② Haste makes waste.
③ Slow and steady wins the race.
④ Too many cooks spoil the broth.
⑤ A picture is worth a thousand words.

20 대화를 듣고, 여자의 마지막 말에 대한 남자의 응답으로 가장 적절한 것을 고르시오.

Man: _____

① Recycling can save a lot of energy.
② I appreciate your efforts.
③ Just be careful and wear a helmet.
④ Our mothers are really safe drivers.
⑤ Yes, you can ride your bike without lights.

1

M First, _____ _____ _____. Then draw a small circle in the middle of the square. Draw another small circle in the bottom left corner of the square. Fill the left circle _____ _____ _____ with black ink. Finally, draw a straight line to _____ _____ _____.

2

[Cell phone rings.]

W Hello, Daniel.

M Hi, Mom. _____ _____ _____ _____ today?

W Good. Do you want me to give you my answer now?

M Yes, please. My friends and I _____ _____ _____ your permission.

W OK. I say… "Yes" only for this time. You _____ _____ _____ _____ with your friends tonight.

M Wow. Thank you, Mom! I will study very hard and always listen to you!

3

W You look worried. What's up?

M I have an English essay _____ _____, but I haven't finished it yet.

W Why didn't you do it yesterday?

M I watched the baseball game.

W You _____ _____ instead of doing your paper?

M Yeah, I thought I'd have time to finish it this morning, but I was wrong.

W Remember what your grandfather used to say. "_____ _____ _____ until tomorrow what you can do today."

M I should've taken Grandpa's advice more seriously.

4

W You look pale, Josh. What's the matter?

M I've got a really _____ _____, Mrs. King.

W When did it start?

M This morning.

W _____ _____ _____ _____ _____ why?

M I was playing around with my friends. I fell and hit my head.

W Let me see. Oh my goodness, it's a huge bump. Let's get you _____ _____ _____ _____ immediately.

5

M Preparations for the City Marathon are almost complete. _____ _____ _____ at 9 am this Thursday. The latest forecast is for cool and cloudy weather at the start of the race. But conditions are expected to change sometime during the afternoon because _____ _____ _____ _____ from the east. It will bring light rain at first, but the rain _____ _____ steadily. Don't worry, though. The race will be finished before noon. Have a great marathon!

6

W Excuse me. _____ _____. I'm looking for the State Library. Is it around here?

M Yes, you can walk there from here. It's easy. Just go straight for two blocks, then _____ _____ and go straight for another block and then turn right.

W Sorry, again please. Turn left at the second intersection. Then right after one more block?

M Yes. When you turn right, you'll see it _____ _____ _____.

W Thank you so much!

7

① M _____ _____ _____ _____ I open this box?

　 W Sure, go ahead.

② M I fell in the rain and got wet.

　 W Oh, that's too bad.

③ M _____ _____ _____ _____ _____ on Sundays?

　 W I go hiking.

④ M Would you like something to eat?

　 W No, thanks. I'm full.

⑤ M Ben is absent today because he has a cold.

　 W You're right. He _____ _____ _____ a snowman.

8

M What's the matter? You _____ _____.

W I am trying to upload my essay to the school website, but it keeps failing.

M When's _____ _____ _____?

W It was due yesterday. But my teacher gave me an extension for one day.

M _____ _____ _____ the website's FAQ page for problems?

W Yes. I couldn't find any help.

M I suppose you'll just have to go and _____ _____ _____ to the office.

W Well, I guess I have no choice.

9

W I'd like to _____ _____ a job at a big hotel, but I'm worried about the interview. Have you got any good tips for me?

M Well, the first thing is to present a great first impression.

W Right, even before I open my mouth. _____ _____ _____ _____ _____ before I speak?

M _____ _____ _____ your best suit and smiling?

10

M I _____ _____ _____ these books, please.

W Can I see your membership card, please?

M Yes. Here you are.

W Hmm. There are some unpaid fines. You _____ _____ _____ a week late. It's 50 cents per day for an overdue book. So that's _____ _____ _____ _____, sir.

M And I returned them seven days late? I'm sorry. Here's the money.

11

W Good morning, everyone. We have quite a busy schedule for today. Breakfast is from seven to eight. Then we _____ _____ _____ for the temple. We'll have an hour to _____ _____, and then we'll hike to the caves. Lunch will be around noon at the restaurant. At one, we have our tour of the National Museum. At three, we have our last stop, the Friday Market. You _____ _____ as much as you like, but please be back on the bus at five!

12

M I'm worried about my homework. I have to make a family newspaper.

W That sounds fun! I can help you.

M But I don't know _____ _____ _____ _____.

W Well, first, decide on a title and the date of issue for the paper. Then it would be a good idea to introduce our ancestors.

M Yeah! And _____ _____ _____ hobbies of everyone in the family?

W That's a good idea. And you could make a front-page story _____ _____.

13

W National Art Gallery. How may I help you?

M Hi. Can you tell me your opening hours, please?

W Certainly. The Gallery opens at ten and closes at five daily _____ _____.

M Oh. Is it closed on Monday? And how much does it cost?

W Yes, _____ _____ _____ on Mondays. And admission is free, except for special exhibitions.

M I want to take my family to see the Modern British Art show.

W It's _____ _____ _____. Tickets are $20 per family.

M Great. Thank you very much.

14

M Almost everyone has one of these. But _____ _____ _____. Another problem is that the technology is _____ _____ _____. So almost as soon as you get used to your new one, there are faster ones on the market. The very first ones were only used for making phone calls _____ _____ _____. Now, it's used as a mini-computer. What is it?

15

W What a mess! David, please clean your room.

M Sorry, Mom. I'm busy doing my science homework.

W I think you are _____ _____ _____. Are you really doing your homework?

M Yes, Mom. _____ _____. After doing my homework, I will do what you want.

W OK. But _____ _____ _____ _____ the desk!

M Alright, Mom. I will do it right away.

16

W What are you doing this Friday?

M _____ _____, how about you?

W I've got two free tickets for the basketball game. I thought you might like to come.

M That's fantastic! What time does it start?

W The doors open at 6, and _____ _____ _____ at 7:30.

M Can we meet outside the stadium _____ _____ _____ the game?

W That's perfect. See you there.

17

M Are you in any clubs at school?

W Sure. I'm in a few of them.

M _____ _____ _____ _____ the best?

W Probably the Volunteer Club. We serve meals for the homeless.

M _____ _____ _____ _____ softball or hockey?

W I'm not really into competitive sports.

M That's too bad. I play rugby in a league.

W Awesome. Hey, what are you doing this summer? I'm going to a camp at the lake.

M Really? _____ _____ _____ _____ _____, too. I'll go to the mountains.

W I love summer camp. It's so much fun!

18

W Are you busy now?

M I'm just about to go and meet my friends. What's up?

W You told me you'd help me with my project.

M Oh, that's right! I _____ _____. What's it about, again?

W I think I'll do it on an energy-saving design.

M Great topic. Let's go online and _____ _____ it.

W I want to go to the big bookstore to find some design magazines.

M OK, wait a second. I _____ _____ _____ and let the guys know I'm not coming.

19

W What are you doing this weekend?

M Well, Lee and I want to go skating, but Matt and Josh want to _____ _____ _____, and Ben wants to rent a boat and _____ _____ and have a barbecue afterwards.

W Everyone's idea sounds good, but they're all different. It is hard _____ _____ which is best.

20

W What can we do to use less energy?

M Well, _____ _____ _____ when you don't need them is a good one.

W Yes, it is. What else?

M We _____ _____ to school instead of our moms driving us.

W But it's too far to walk with our heavy bags.

M Then _____ _____ _____? Both of us have a bike.

W But isn't it too dangerous to ride?

M _____

1 대화를 듣고, 남자에게 도움이 되지 <u>않는</u> 것을 고르시오.

Take Notes

① ② ③

④ ⑤

2 대화를 듣고, 지난 주말에 남자가 한 일로 바르게 짝지어진 것을 고르시오.

① 등산 – TV 시청
② 등산 – 결혼식 참석
③ 해변에 가기 – 등산
④ 결혼식 참석 – TV 시청
⑤ 결혼식 참석 – 해변에 가기

3 대화를 듣고, 두 사람이 피크닉에 가져갈 음식이 <u>아닌</u> 것을 고르시오.

① tomato juice ② tea ③ sandwiches
④ hot dogs ⑤ cupcakes

4 대화를 듣고, 여자가 Fiji 여행을 가지 <u>못했던</u> 이유를 고르시오.

① 돈이 없어서 ② 시간이 없어서 ③ 사이클론이 와서
④ 볼거리가 없어서 ⑤ 거리가 너무 멀어서

5 대화를 듣고, 여자의 심정으로 가장 알맞은 것을 고르시오.

① proud ② excited ③ angry
④ frightened ⑤ regretful

6 대화를 듣고, 내용과 일치하지 <u>않는</u> 것을 고르시오

Name	① Karen Jones
Cell Phone	② 317-427-3358
Experience	③ Yes
Possible jobs	④ Help sick people
Availability	⑤ Tuesdays and Thursdays

7 대화를 듣고, 이번 일요일에 여자가 할 일을 고르시오.

① 탁구하기   ② 체스하기   ③ 전시회 관람하기
④ 하이킹하기   ⑤ 배드민턴 치기

8 대화를 듣고, 남자가 원하는 것을 고르시오.

① to repair his coat
② to get a refund
③ to order a different style
④ to get one in another color
⑤ to exchange it for a new one

9 대화를 듣고, 두 사람이 보게 될 영화의 장르로 알맞은 것을 고르시오.

① fantasy   ② horror   ③ documentary
④ thriller   ⑤ romantic comedy

10 대화를 듣고, 남자가 한 마지막 말의 의도를 고르시오.

① 동의   ② 비난   ③ 조언   ④ 위로   ⑤ 격려

11 대화를 듣고, 남자가 놀라는 이유를 고르시오.

Take Notes

① 길을 잘못 찾아서　　　② 낚시터가 사라져서
③ 큰 물고기를 잡아서　　　④ 낚시가 잘 되지 않아서
⑤ 여자가 옷을 많이 사서

12 대화를 듣고, 두 사람이 대화하는 장소를 고르시오.

① park　　　② library　　　③ café
④ school　　　⑤ home

13 대화를 듣고, 여자가 전화를 건 목적을 고르시오.

① 인쇄를 부탁하려고　　　② 잉크를 주문하려고
③ 용지 구매를 부탁하려고　　　④ 이메일 주소를 확인하려고
⑤ 프린터 수리를 도와 달라고

14 대화를 듣고, 남자가 여자의 집에 대해 걱정하는 이유를 고르시오.

① 건물이 낡아서　　　② 집세가 비싸서
③ 동네가 위험해서　　　④ 동네가 지저분해서
⑤ 교통편이 좋지 않아서

15 다음을 듣고, 적절한 뉴스 제목을 고르시오.

① Train Crash
② Tragic Car Crash
③ Traffic Jam on the Highway
④ Fire at Clarksville High School
⑤ Brave Sisters at the Accident Scene

16 다음을 듣고, 두 사람의 대화가 <u>어색한</u> 것을 고르시오.

①   ②   ③   ④   ⑤

17 대화를 듣고, 남자가 지켜야 할 사항으로 언급되지 <u>않은</u> 것을 고르시오.

① 담배를 피우지 말 것   ② 벽에 사진을 걸지 말 것

③ 애완동물을 키우지 말 것   ④ 외출할 때에는 전등을 끌 것

⑤ 늦은 밤에는 빨래를 하지 말 것

18 다음을 듣고, 무엇에 대한 설명인지 고르시오.

① 자연 보호 방법   ② 동물원 방문자 수칙

③ 사육사 행동 지침   ④ 동물원 가는 방법

⑤ 동물에게 먹이 주는 방법

19-20 대화를 듣고, 여자의 마지막 말에 대한 남자의 응답으로 가장 적절한 것을 고르시오.

19 Man: _____

① Keep the change.

② It's not far from here.

③ It's around five dollars.

④ The traffic is too bad now.

⑤ It's popular among tourists.

20 Man: _____

① No, it's a dozen.

② Yes, it is a perfect gift.

③ They are too expensive.

④ No, the lilies will be fine.

⑤ No, my wife doesn't like flowers.

1

M   Do I have a serious problem, doctor?

W   It's nothing serious. Don't worry.

M   That's a relief. What should I do now?

W   This medicine will help you. Take one capsule with a meal three times a day. Also, make sure you drink a lot of water.

M   _____ _____ _____?

W   I recommend you eat oranges or kiwis after breakfast. They're very good. And _____ _____ _____. Caffeine is not good for you.

M   OK. I'll _____ _____ _____. Thanks.

2

W   What did you do last weekend?

M   I went to Jeju to _____ _____ _____ _____. It's the holiday season, so there were a lot of people wherever I went.

W   Did you _____ _____ _____ _____, or did you climb Mt. Han-la?

M   No, I don't like crowded places. And it was too hot to go to mountain climbing.

W   Really? Didn't you do anything there?

M   No, I just _____ _____ in the hotel room.

3

M   It's a beautiful day. Let's _____ _____ _____ _____ to the park.

W   Yes. What shall we pack?

M   I'll make some tomato juice and cupcakes.

W   Great. I'll make hot dogs and sandwiches.

M   _____ _____ _____ sandwiches?

W   Well, we've got bread, ham, cheese, and tomatoes.

M   If you want to use tomatoes in sandwiches, I'll just _____ _____ _____ _____ _____ _____ _____.

W   Oh, that sounds better.

4

M   What are your plans for the vacation?

W   I'd love to go to Italy, but _____ _____ _____ _____ _____ and the time.

M   I'd love to go to Fiji.

W   Me, too! Actually, I _____ _____ _____ there last year but I couldn't go.

M   Why?

W   A huge cyclone hit the island. It was _____ _____ _____.

M   Oh, no! I hope people in Fiji are OK.

5

W   Dad? I've finished my lunch. Can we go to the pool now?

M   Not yet, sweetheart. You know the rules. _____ _____ _____ _____ after lunch.

W   I know the rule. But two hours have passed since we had lunch.

M   Really? Is it that late already? _____ _____ _____ _____.

W   I can't wait! I will go first!

6

M Hello, Angel Volunteer's Center.

W Hi. My name is Karen Jones. I heard you
_____ _____ _____.

M Yes, we do. Caroline Jones, was it?

W No, It's Karen. K-A-R-E-N.

M Is there a number where we can call you?

W Sure. My cell phone is 317-427-3358.

M Thanks. Is this your first time volunteering?

W No, I've got lots of experience. I can
_____ _____ _____.

M Good. When can you work?

W Weekdays _____ _____ _____
_____.

7

M What do you usually do _____ _____
_____ _____?

W I love playing table tennis and badminton.
What are your hobbies?

M Well, most weekends I _____ _____.

W You do? I'd love to go with you.

M Why don't you come along this Sunday? I'm
going with two other friends.

W Sorry, _____ _____. I have to go to my
friend's art exhibition that day.

8

W May I help you?

M Yes, I bought this coat here about two weeks
ago. The sleeve _____ _____.

W I'm sorry. Can I see your receipt?

M Yes, here it is.

W OK. Do you want to _____ _____
_____?

M No, I like my coat. Do you have a new one?

W Yes, but we're out of this color in your size.

M Really? But I only like this color.

W Then I can order one _____ _____
_____.

M OK. Go ahead and do that. Thanks.

9

M Do you feel like _____ _____ _____?

W Sure. What are you thinking of?

M I want to see a horror movie.

W Really? I can't handle anything too scary.

M I think you'd like a romantic comedy.

W Sure, or an interesting documentary.

M How about a fantasy movie?

W Hmm... What else is there?

M Well, there's _____ _____ _____
_____ out. It got great reviews.

W _____ _____. Let's watch that one.

10

W I'm worried about my children. I don't want
them to see bad things on the Internet.

M It's a serious problem. Children can _____
_____ _____ very harmful websites.

W I know. But what can I do to protect them?

M One very good idea is to _____ _____
_____ in the living room. That way, you
can keep an eye on your kids when they use it.

11

M It's going to be a great trip. I'm really _____ _____ _____ _____ with you.

W I don't know if I can catch fish.

M Of course you can do it.

W By the way, where are we? Are we there yet?

M The place where _____ _____ _____ _____ is just around the corner.

W Hey! There's a shopping mall! Are you sure it's _____ _____ _____?

M Yes, it was here. Everything is gone! Oh, no!

12

W Let's take a break.

M OK. Do you want to go out for lunch?

W Isn't it _____ _____ _____ _____?

M I know it's only 11. But we've been studying since 8.

W You're right. Where shall we go?

M There's a cafeteria in the basement.

W Isn't it just _____ _____ _____?

M No, it's open to visitors, too.

13

[Telephone rings.]

M Hello.

W Hey, it's Kate.

M What's up Kate?

W You know the research paper we _____ _____ _____ _____ by 10 am?

M Sure. I finished mine yesterday.

W So did I, but the worst thing just happened.

M What?

W I've _____ _____ _____ paper. I can't print it out.

M How can I help?

W I just emailed it to you. _____ _____ _____ it out for me?

M Of course.

W Thanks. See you in the morning!

14

M I heard you finally found an apartment.

W Yes, but it was very hard. I looked in every neighborhood before I found it.

M Where did you find it?

W It's near the furniture factory. It's an old apartment, but _____ _____ _____.

M But that neighborhood, isn't it dangerous?

W I'll be OK. My apartment has good security, and my neighbors seem friendly.

M Sounds good. But _____ _____. Don't come home alone late at night.

15

M Twin sisters from Clarksville _____ _____ _____ from a two-car crash on Stuart Street yesterday. Tara and Liz were walking home when they _____ _____ _____. They immediately ran to the scene of the accident. Thick smoke was coming from the two cars. The drivers and passengers were _____ _____. Tara called 911 and reported the emergency. Then the sisters _____ _____ _____ to pull all the victims out before the cars exploded.

16

① M Are you looking for a new car?

W Yes, my car _____ _____.

② M You're not supposed to bring dogs in here.

W Sorry. I'll be out in a minute.

③ M What's the matter? Why are you crying?

W It's OK. I always cry at sad movies.

④ M Do you keep a diary every day?

W I can keep it _____ _____ _____.

⑤ M Are you ready for the camp?

W Sure. I _____ _____ _____.

17

M This room is _____ _____ _____. Is there anything I should know?

W Let's see. There are no pets allowed.

M That's OK. I don't have any pets.

W And smoking is absolutely not permitted.

M Great. I'm a non-smoker.

W And if you hang pictures on the walls, you must _____ _____ _____.

M Don't worry. I'll fix any damage.

W OK. There are just two more things. Turn all your lights off when you go out. And don't do the laundry between 11 pm and 6 am.

M All right, I'll _____ _____ _____ _____!

18

W Welcome to Taronga Park Zoo. I'd like to remind all teachers and children of Taronga Park's rules. First, _____ _____ _____ _____ _____ _____. Feeding times are posted for all school groups. Second, never try to reach inside an animal's fence. Third, put trash into the proper bins. Finally, _____ _____ at the animals. Thank you. Have a great day.

19

M May I help you?

W I'm looking for the Rex Hotel.

M Oh, that's a famous old hotel.

W I know, but _____ _____ _____ _____ there?

M Well, you can take a taxi or a bus.

W How long does it take to get there by taxi?

M At this time of day, it'll take about 30 minutes.

W _____ _____ _____ _____ _____?

M

20

M I need some flowers for my wife. It's _____ _____.

W We have some beautiful lilies.

M How much are they?

W You can have a dozen for $29.

M That sounds like _____ _____ _____.

W Yes, it's a special anniversary price for you!

M I'll take two dozen.

W Wonderful. Would you like _____ _____?

M

영어듣기 모의고사

정답 및 해설 p25

1 대화를 듣고, 대화의 내용에 가장 잘 어울리는 손 모양을 고르시오.

Take Notes

①   ②   ③

④   ⑤

2 대화를 듣고, 남자의 마지막 말의 의도로 가장 알맞은 것을 고르시오.

① 칭찬　　② 충고　　③ 거절　　④ 허락　　⑤ 감사

3 대화를 듣고, 여자가 미용실에 갈 시각을 고르시오.

① 11:30 am　　② 12:00 pm　　③ 12:30 pm
④ 1:00 pm　　⑤ 1:30 pm

4 대화를 듣고, 여자가 약속 장소로 가는 데 이용할 교통수단을 고르시오.

① bus　　② taxi　　③ subway
④ motorcycle　　⑤ car

5 대화를 듣고, 대화 후 남자가 할 일로 가장 적절한 것을 고르시오.

① 치즈 자르기　　② 프라이팬 데우기　　③ 빵 굽기
④ 야채 썰기　　⑤ 차 가져오기

6 대화를 듣고, 여자가 휴대 전화를 살 때 가장 중요하게 여기는 것을 고르시오.

① 상표명　　② 넓은 화면　　③ 카메라 기능

④ 낮은 가격　　⑤ 단순한 디자인

7 대화를 듣고, 대화에 언급되지 않은 표지판을 고르시오.

① 　　② 　　③

④ 　　⑤

8 대화를 듣고, 남자의 심경으로 가장 알맞은 것을 고르시오.

① joyful　　② afraid　　③ angry

④ disappointed　　⑤ embarrassed

9 대화를 듣고, 남자의 직업으로 가장 적절한 것을 고르시오.

① 기술자　　② 경비원　　③ 제빵사　　④ 교사　　⑤ 택시 기사

10 대화를 듣고, 여자가 지불해야 할 금액을 고르시오.

① \$6　　② \$7　　③ \$8　　④ \$13　　⑤ \$15

11 대화를 듣고, 남자가 내일 할 일이 <u>아닌</u> 것을 고르시오.

Take Notes

① 카드 만들기　　② 차고 청소하기　　③ 꽃에 물 주기
④ 선물 사기　　　⑤ 파티 참석하기

12 대화를 듣고, 두 사람이 보려는 영화 프로그램을 고르시오.

	Film	Time	Theater
①	*Superman*	4:00 pm, 6:00 pm	1
②	*The Avengers*	5:00 pm, 7:00 pm	3
③	*Taken*	5:30 pm, 7:30 pm	5
④	*Scream*	6:00 pm, 8:00 pm	7
⑤	*Psycho*	6:30 pm, 8:00 pm	9

13 다음을 듣고, 두 사람의 대화가 <u>어색한</u> 것을 고르시오.

①　　　　②　　　　③　　　　④　　　　⑤

14 대화를 듣고, 대화의 내용과 일치하지 <u>않는</u> 것을 고르시오.

① 분실된 여행 가방은 빨간색이다.
② 여자가 탄 비행기는 Flight 467이다.
③ 여자가 탄 비행기는 LA 출발편이다.
④ 분실된 여행 가방 안에는 선물들이 들어 있다.
⑤ 원래 여자는 여행 가방 두 개를 가지고 있었다.

15 다음을 듣고, 무엇에 대한 광고인지 고르시오.

① 커피숍 개점　　② 도넛 세일　　③ BBQ 가게 개점
④ 세차장 홍보　　⑤ 스포츠 용품 세일

16 대화를 듣고, 기후 변화의 영향을 받은 지역으로 언급되지 <u>않은</u> 곳을 고르시오.

① 미국　　② 호주　　③ 캐나다　　④ 한국　　⑤ 유럽 지역

17 다음을 듣고, 무엇에 대한 설명인지 고르시오.

① golf　　　　② baseball　　　③ soccer
④ hockey　　　⑤ volleyball

18 다음을 듣고, 상황에 맞는 속담을 고르시오.

① Practice makes perfect.
② A big fish in a little pond.
③ Fine clothes make the man.
④ Don't judge a book by its cover.
⑤ When in Rome, do as the Romans do.

19-20 대화를 듣고, 여자의 마지막 말에 대한 남자의 응답으로 가장 적절한 것을 고르시오.

19 Man: _____

① Take it with you.
② Don't eat hot food.
③ Stay home and rest.
④ Only for three days.
⑤ You should take a bath.

20 Man: _____

① Forget it.
② I'm glad you called.
③ Thanks for checking for me.
④ I'll send someone up right now.
⑤ Yes, the weather will be fine today.

1

W   What's the weather forecast for tomorrow?

M   It will be cool and cloudy in the morning, and _____ _____ _____ _____ in the afternoon.

W   Really? I don't believe it! It's so warm today and there's not a cloud in the sky.

M   Yes, but the weather can change so quickly.

W   I hope it doesn't rain. Maybe we should _____ _____ _____ _____.

M   No, I don't want to. I've already finished packing.

W   Then, let's _____ _____ _____ _____.

2

W   _____ _____ _____ _____.

M   I think it's because you stay up late every night and you don't eat enough.

W   You're right. I should take a rest.

M   It's not good to spend so much time indoors. _____ _____ get out and exercise.

3

M   Do you have any plans for Saturday?

W   This Saturday? I'll be pretty busy. Why?

M   I thought we could _____ _____ _____ in the afternoon.

W   That would be nice, but I don't think I can.

M   How come?

W   Well, I'm playing tennis at 11:30. I'll be finished at one, but I _____ _____ _____ at 1:30.

M   What kind of appointment?

W   I want to _____ _____ _____. It might take two hours or more.

M   Then let's go to the movies next time.

4

M   I can't believe it! _____ _____ _____ _____!

W   That's OK. There's a spare tire in the trunk.

M   I know, but it takes _____ _____ _____ _____ to change it.

W   I'll be late for my appointment.

M   Then why don't you go on by yourself? Take the bus or subway, and I'll pick you up later.

W   I think there is no bus stop or subway station around here.

M   Then take a taxi. You won't be late.

W   OK. I'll _____ _____ _____ and wait for you after my appointment.

5

M   I'm starving. Can I get something to eat?

W   How about a grilled cheese sandwich?

M   Perfect. How do you make it?

W   It's easy. First, _____ _____ _____ with two slices of bread and a slice of cheese. Next, fry both sides of the bread in a pan.

M   Have you got a pan?

W   Yes, it's switched on and _____ _____.

M   Do you need help?

W   You could bring _____ _____ _____ _____.

M   OK. I will do it.

6

M May I help you?

W Yes. I need a cell phone.

M What kind are you _____ _____?

W I haven't decided yet. Can you recommend one for me?

M OK. How about this black one? It has _____ _____ _____.

W I really don't like big cell phones.

M Then how about this one? It's a smaller model by the same brand.

W The other brand seems to _____ _____ _____. I like that phone over there.

M This one, ma'am?

W Yes. I love the simple design. How much is it?

M It's $500. You've made a good choice.

7

W What's that sign? There's a number, 30.

M That's _____ _____ _____ _____.

W What's the one with a bike?

M It means you can ride a bicycle.

W How about that one?

M Well, it's for people _____ _____. Can you guess?

W Does it mean you can't turn right here?

M That's correct.

W Now, _____ _____ _____ _____?

M That's easy! It says "Ess – Tee – Oh – Pee."

8

M I ordered soup. This is a salad!

W And this is salmon, not tuna.

M _____ _____ _____ _____!

W Wow. It's frozen in the middle! Try it.

M This is unbelievable!

W Look! There's lipstick on your glass, too.

M Where's the manager? I will _____ _____ _____ _____.

9

W Did you _____ _____ _____?

M Yes, of course. I made all the bread, too.

W What time do you work?

M I start at three in the morning and work until noon.

W _____ _____ _____ _____ _____?

M I stand all the time. I work with big mixing machines and ovens and lots of flour.

W Do you like your job?

M Yes. I love the smell of _____ _____.

10

M What would you like _____ _____?

W How much is the sandwich?

M It's three dollars.

W How about the breakfast set?

M It's four dollars.

W Then I'll have _____ _____ and _____ _____ _____.

M Will that be all?

W Yes, thank you.

11

W Do you have any plans for tomorrow?

M Yes, it's Harry's birthday. He's _____ _____ _____ at his house.

W Oh. What time?

M The invitation says to come around 5 pm.

W Have you got a present for him?

M I'll get one later. I have so much to do tomorrow. I have to _____ _____ _____ , water the plants in the garden, and help Dad clean the garage. After that, I'll go and buy something for Harry.

W I suggest you get him a book he _____ _____ _____.

12

M Do you want to see a movie tonight?

W _____ _____.

M What kind of movie do you want?

W I love thrillers. Are there _____ _____ _____ _____?

M There's one at 6 pm and one at 8 pm.

W _____ _____ _____ is better.

M Then shall we meet at 5 in front of theater 7?

W Yes. See you then.

13

① M Are you _____ _____ _____?

  W I'll have a latte, no sugar please.

② M Would you mind closing the door?

  W _____ _____ _____.

③ M How often do you shop for groceries?

  W Usually twice a month.

④ M Where can I find a bathroom?

  W I'm grateful for your service.

⑤ M _____ _____ _____ _____ your music teacher?

  W She's very good at singing.

14

M Do you need any help, ma'am?

W Yes. I've got one of my bags, but I'm afraid _____ _____ _____ _____.

M What flight were you on, ma'am?

W It was from L.A. I forgot the number.

M That's OK. Can you describe the bag, please?

W It's a red suitcase. It's _____ _____ _____, and has a green tag on the handle.

M What's inside?

W _____ _____ for my family.

M I see. Please fill out this form. Be sure to write a phone number. We will call you when your suitcase shows up.

15

M ABC Store is _____ _____ _____ _____ this weekend with discounts up to 75 percent off _____ _____ _____.
To celebrate the start of the sale, we'll be serving free coffee and donuts to all customers in store Saturday morning. So _____ _____ _____ to ABC Store on 1st Street, between Big Joe's BBQ and the All-Star Car Wash.

16

W What are you reading?

M It's _____ _____ _____ _____
_____.

W What does the article say?

M It says last year was the hottest year ever.

W Where? In the USA?

M No, in Europe. And Australia had _____
_____ _____ _____ _____,
Canada recorded its hottest-ever day, and
Korea had its warmest-ever winter.

W I'm glad many nations are _____
_____ now.

17

W This is a ball sport played on a big outdoor
field. Two teams of nine players each take
turns at _____ _____ _____. The
defense team stands in special positions out
on the field. The offense team sits on a bench
and sends out one player at a time. To get
scores, the player must _____ _____
_____ _____ and face very fast balls
thrown by a player from the other team. If
the batter hits the ball right out of the field,
it's called a "_____ _____."

18

M I'm the manager of a tailor shop. We
make beautiful shirts and suits. One day, I
_____ _____ _____ _____ in the
store. His clothes were cheap-looking, and

he wasn't wearing a luxury-brand watch or
luxury-brand shoes. I thought he _____
_____ _____ _____ _____. But I
was wrong. He spent thousands of dollars on
suits and shirts. _____ _____ _____
_____, he's one of the richest men in the
country.

19

M What can I do for you today?

W I have a really sore throat.

M I see. _____ _____ _____ _____.
Open your mouth, please. Oh, your throat is
swollen.

W It hurts a lot. I can't even swallow food.

M Don't worry. I'll _____ _____
_____ _____ for something to help
with the pain.

W How long do I have to _____ _____
_____ for?

M _____

20

M Good evening, ma'am. May I help you?

W Yes. I'm in room 1224. I _____ _____
today.

M Right. Mrs. Jones. What can I do for you?

W There's a problem with the heating.

M I'm sorry. What seems to be the problem?

W _____ _____ _____ _____ at all.
My room is freezing.

M _____

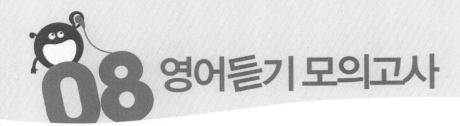

08 영어듣기 모의고사

정답 및 해설 p29

Take Notes

1 대화를 듣고, 남자의 사촌을 고르시오.

①   ②   ③   ④   ⑤

2 대화를 듣고, 남자가 전화를 건 목적을 고르시오.

① 사과하기 위해서   ② 초대하기 위해서

③ 약속을 변경하기 위해서   ④ 생일을 축하하기 위해서

⑤ 도움을 요청하기 위해서

3 대화를 듣고, 여자가 주문한 것을 고르시오.

①   ②   ③

④   ⑤

4 대화를 듣고, 남자의 심정으로 가장 적절한 것을 고르시오.

① proud   ② worried   ③ angry

④ bored   ⑤ disappointed

5 대화를 듣고, 남자가 오늘 갔던 장소를 고르시오.

① Museum   ② Food Hall

③ Ski Resort   ④ Amusement Park

⑤ Movie Theater

6 대화를 듣고, 남자가 평소에 이용하는 교통수단을 고르시오.

①    ②    ③

④    ⑤

7 다음을 듣고, 두 사람의 대화가 <u>어색한</u> 것을 고르시오.

①   ②   ③   ④   ⑤

8 대화를 듣고, 남자의 계획으로 적절한 것을 고르시오.

① 저축   ② 취업   ③ 여행
④ 봉사 활동   ⑤ 아르바이트

9 대화를 듣고, 여자가 직장을 옮기려는 이유를 고르시오.

① 동료가 싫어서   ② 월급이 너무 적어서
③ 팀원 관리가 힘들어서   ④ 고객을 다루기가 힘들어서
⑤ 다른 일을 하고 싶어서

10 대화를 듣고, 남자가 지불해야 할 금액을 고르시오.

① $20   ② $40   ③ $60   ④ $80   ⑤ $100

⑪ 대화를 듣고, 두 사람이 대화하는 장소를 고르시오.

① 공원　　② 약국　　③ 호텔　　④ 병원　　⑤ 슈퍼마켓

⑫ 다음을 듣고, 프로그램에 관해 언급되지 <u>않은</u> 것을 고르시오.

① 운영 장소　　　② 이용 요금　　　③ 이용 요일
④ 개설 내용　　　⑤ 운영 시간

⑬ 대화를 듣고, 내용과 일치하지 <u>않는</u> 것을 고르시오.

①	②	③	④	⑤
도착지	요금	좌석등급	출발일	좌석위치
Japan	$320	Economy	Friday	Window

⑭ 다음을 듣고, 그림의 상황에 가장 잘 어울리는 대화를 고르시오.

①　　　　　②　　　　　③　　　　　④　　　　　⑤

⑮ 대화를 듣고, 여자가 대화 직후에 할 일로 가장 적절한 것을 고르시오.

① 휴식을 취한다.　　② 약을 먹는다.　　③ 병원에 간다.
④ 약국에 간다.　　　⑤ 운동을 한다.

16 대화를 듣고, 캠핑을 가기로 한 날짜를 고르시오.

① August 1   ② August 5   ③ August 10

④ August 13   ⑤ August 15

17 다음을 듣고, 상품 가입을 취소할 때 눌러야 할 번호를 고르시오.

① 1   ② 2   ③ 3   ④ 4   ⑤ 5

18 다음을 듣고, 무엇에 대한 설명인지 고르시오.

① 냉면   ② 잡채   ③ 우동   ④ 라면   ⑤ 콩국수

19-20 대화를 듣고, 여자의 마지막 말에 대한 남자의 응답으로 가장 적절한 것을 고르시오.

19 Man: _____

① Anytime.

② I wish I could.

③ I appreciate it.

④ It's my pleasure.

⑤ I'm sorry but I can't.

20 Man: _____

① At the library.

② Of course, you do.

③ I like writing essays.

④ That's a good idea.

⑤ I don't know where to go.

1

W   Is your cousin coming this weekend?

M   Yes, can you _____ _____ _____ at the train station tomorrow?

W   How will I recognize him? What does he look like?

M   He's _____ _____ _____ _____. He has short curly hair.

W   How old is he?

M   He's seventeen. He _____ _____ than his age.

2

[Telephone rings.]

W   Hello.

M   Hi. This is Jamie. _____ _____ _____ _____ Amelia, please?

W   Speaking.

M   Hey! Mom said I can have friends over for my birthday tonight. We'll order pizza and watch movies. _____ _____ _____?

W   That would be great!

3

M   Are you ready to order?

W   I'm not sure. _____ _____ _____ _____.

M   How about a sandwich?

W   I had a sandwich for breakfast.

M   Then how about a salad or _____ _____ _____ _____?

W   I don't feel like salad or pizza, either.

M   Well, I'm getting fish and chips. We can share.

W   That's okay. I'll be fine with _____ _____ _____ _____.

4

W   What did you do over the weekend?

M   I volunteered at a child care center, _____ _____.

W   What do you do there?

M   I teach the kids sports and try to be a big brother to them. They're orphans. _____ _____ _____ _____ a great sense of self-worth and achievement.

5

W   Did you _____ _____ _____ _____ today?

M   Yes, it was fun.

W   What did you do?

M   My big sister and I _____ _____ _____ _____ _____. There was a big pirate ship, a drop-ride, and a really scary roller coaster.

W   What else did you do?

M   Well, we ate hotdogs, cotton candy, and popcorn. I _____ _____ _____ and felt sick on the way home!

6

M How do I get to the State Library from here?

W Take line four and transfer at City Hall.

M _____ _____ do I transfer to?

W Line seven. Then it's two stops to State Library Station.

M How much is the fare?

W I'm not sure. Are you visiting here?

M No, I live here. But I _____ _____ _____.

W OK. Well, the ticket machine is over there.

M Thanks.

7

① M Come inside and make yourself at home!

　W Sorry, but I can't make it.

② M _____ _____ _____ _____, or can you do it alone?

　W I think I can do it by myself.

③ M When does the movie start?

　W It says 9 pm here.

④ M _____ _____ _____ with you?

　W I don't want to talk about it.

⑤ M What can I do for you?

　W I'm just looking, _____ _____ _____ _____.

8

M Finally, I've made a decision.

W What about?

M I'm going to _____ _____ _____ _____ _____ _____.

W How can you afford to do that?

M I saved up thousands of dollars working in my part-time job. I want to see the world before I start college. It's time to do it.

W I wish _____ _____ _____ _____.

9

M I see you were a manager at the Container Store. _____ _____ _____ _____ a little more about that?

W Yes. I managed the operations of the store and was responsible for a staff of 100.

M What was the hardest thing about the job?

W Probably _____ _____ _____.

M It says here you started the job almost two years ago.

W Yes. I was there for 22 months.

M And why did you leave?

W I just _____ _____ _____ _____ _____.

10

M I need to _____ _____ _____. Help me choose some nice ones.

W Sure. Let me see. These are very nice.

M Which ones do you prefer?

W I like these. You'll look great in them.

M But they're 80 dollars.

W No, look. They're _____ _____ off.

M A $20 discount? That's good. I'll get them.

11

W I just came from the clinic upstairs. The doctor gave me this prescription.

M OK. It will take about 20 minutes to _____ _____ _____.

W I see. You have a lot of people waiting.

M Here's a healthy vitamin drink for you _____ _____ _____.

12

W Your attention, please! The school is starting an exciting health and fitness program _____ _____ _____. It is free of charge to all students. If you want to have fun, lose weight, and get fit, then _____ _____. Classes will include yoga, ping-pong, and much more. Morning classes are from 7 to 8 and afternoon classes from 5 to 6. This is a great chance to _____ _____. Sign up now!

13

[Telephone rings.]

W CMA Airlines. How may I help you?

M I'd like to _____ _____ _____ _____ to Japan.

W When is it for?

M I want to leave Friday morning and return anytime Wednesday.

W I'm sorry, but there's nothing on Friday.

M Really? I have to be in Japan on Friday.

W Well, you can take _____ _____ _____ _____ _____.

M I suppose I have to.

W Is that economy class, sir?

M Yes. And I'd like _____ _____ _____, if possible.

W Certainly. That ticket will be $320 with taxes.

M OK. Thanks.

14

① W May I help you?

   M I'd like to buy _____ _____ _____ _____.

② W What are you doing?

   M I'm cleaning the room.

③ W Can I see your ticket, please?

   M Sorry, but can I buy it now?

④ W Thank you, Dad. They're beautiful.

   M _____ _____ _____ _____ _____. Mom said you love flowers.

⑤ W How have you been?

   M I'm doing very well.

15

M Are you OK, Sunny?

W I _____ _____ _____ and a bad cough.

M Can I get you some medicine?

W I took some already, but I think I'm getting worse.

M You need to _____ _____ _____.

W But I have to go to my piano class.

M Your health comes first. I'll call your piano teacher.

W Thanks. Then I'll _____ _____ _____.

16

W   Harry, _____ _____ _____
_____ _____ for camping with our
friends.

M   OK, Emily. What about August 5th?

W   This week? I don't think we have time to
_____ _____ _____ _____. What
about August 10th?

M   Let me see. I have to visit my grandma with
my family on that day. I will stay there for a
day.

W   OK, then _____ _____ _____
_____?

M   Great! Let's do it!

17

W   Thank you for calling GCV Cable. If you
would like to subscribe to our service,
please press 1. _____ _____ _____
_____ information, please press 2. To
upgrade your cable package, please press 3.
_____ _____ _____ _____,
please press 4. To speak with a customer
service staff member, please press 5.

18

M   This can be eaten all year round, but it's
especially _____ _____ _____ in
Korea. It's a bowl of icy-cold clear soup with
very thin noodles and slices of onion, radish,
pear, cucumber, and boiled egg. You can add
mustard and vinegar at the table. What is this
_____ _____ _____?

19

M   Can I _____ _____ _____ _____?

W   Sure. What is it?

M   My uncle and aunt are coming to dinner. Can
you help me prepare the meal?

W   _____ _____ _____ _____.

M   _____

20

W   Where are you going?

M   I'm going to the library to start looking
for books _____ _____ _____
_____.

W   Have you decided on a topic yet?

M   No, what about you?

W   My topic is human rights. _____ _____
_____ _____ something like that, too?

M   _____

정답 및 해설 p33

1 대화를 듣고, 반 소식지의 표지로 가장 알맞은 것을 고르시오.

Take Notes

①

②

③

④

⑤

2 대화를 듣고, 일요일 오후의 날씨를 고르시오.

① windy ② cloudy ③ snowy ④ rainy ⑤ sunny

3 대화를 듣고, 대화가 이루어지고 있는 장소를 고르시오.

① 학교 ② 백화점 ③ 버스 ④ 서점 ⑤ 여행사

4 다음을 듣고, 남자의 심경을 가장 잘 나타낸 것을 고르시오.

① happy ② relaxed ③ proud
④ anxious ⑤ lonely

5 대화를 듣고, 남자가 전화를 건 목적으로 가장 알맞은 것을 고르시오.

① 보일러 구입 안내를 받으려고
② 보일러 정기 검진을 요청하려고
③ 보일러 사용법을 문의하려고
④ 보일러 요금을 문의하려고
⑤ 보일러 고장에 대해 도움을 청하려고

72

6 다음을 듣고, 그림의 상황에 가장 어울리는 대화를 고르시오.

①   ②   ③   ④   ⑤

7 대화를 듣고, 남자가 미국을 떠나는 날짜를 고르시오.

① June 1   ② June 14   ③ June 20
④ June 21   ⑤ June 22

8 다음을 듣고, 여자가 설명하는 것으로 가장 알맞은 것을 고르시오.

① 접시   ② 도마   ③ 칼   ④ 가위   ⑤ 젓가락

9 대화를 듣고, 남자가 환불을 받을 수 없는 이유를 고르시오.

① 가격표가 없기 때문에
② 영수증이 없기 때문에
③ 상품을 이미 사용했기 때문에
④ 환불 가능 기간이 지났기 때문에
⑤ 환불이 안 되는 상품이기 때문에

10 대화를 듣고, 대화를 마친 후 남자가 할 일을 고르시오.

① 뮤지컬 연습   ② 리허설 관람   ③ 음반 구입
④ 뮤지컬반 가입   ⑤ 뮤지컬 표 구입

11 다음을 듣고, 표의 내용과 일치하지 <u>않는</u> 것을 고르시오.

Take Notes

Victoria & Albert Museum

Days	Hours
Monday, Wednesday & Friday	10 am - 5 pm
Tuesday & Thursday	9 am - 5 pm
Saturday	10 am - 8 pm
Sunday	10 am - 5 pm

①   ②   ③   ④   ⑤

12 대화를 듣고, 두 사람의 관계로 가장 알맞은 것을 고르시오.

① 교사 - 학생   ② 의사 - 환자   ③ 아내 - 남편
④ 교사 - 학부모   ⑤ 상담가 - 학생

13 대화를 듣고, 여자가 토요일에 할 일이 <u>아닌</u> 것을 고르시오.

① 집안일   ② 치과 방문   ③ 숙제 하기
④ 봉사 활동   ⑤ 보드 게임 하기

14 다음을 듣고, 두 사람의 대화가 <u>어색한</u> 것을 고르시오.

①   ②   ③   ④   ⑤

15 대화를 듣고, 여자가 선택한 점심 메뉴를 고르시오.

① tacos   ② noodles   ③ meatballs
④ sandwiches   ⑤ nachos

16 대화를 듣고, 자원 절약 방법으로 언급되지 <u>않은</u> 것을 고르시오.

Take Notes

① 자전거 이용하기　② 계단 이용하기　③ 종이 재활용하기
④ 걸어 다니기　　　⑤ 재활용품 구입하기

17 대화를 듣고, 여자가 주문할 신발의 가격을 고르시오.

① $15　② $20　③ $25　④ $50　⑤ $100

18 다음을 듣고, 재호가 여자에게 할 말로 가장 알맞은 것을 고르시오.

Jaeho: _____

① Yes, I'll pay now.
② You look wonderful.
③ I'd like a receipt, please.
④ Can I get a refund?
⑤ I'm sorry. Can I buy them next time?

19-20 대화를 듣고, 여자의 마지막 말에 대한 남자의 응답으로 가장 적절한 것을 고르시오.

19 Man: _____

① Thank you, but I don't smoke.
② Yes, there's a swimming pool.
③ How long will you stay here?
④ Breakfast will be served from 7 to 9.
⑤ Yes, I need a wake-up call at 6 am.

20 Man: _____

① It's too far from the office.
② You didn't order it from us.
③ Yes, I think that will be fine.
④ No, I think it's time for you to go.
⑤ Just sign right here and we're all done.

1

M OK, let's do the cover design for _____ _____ _____.

W The title is the easy part. Let's put it at the top.

M How about putting it in the middle? The picture can be in the background.

W I think it's better to _____ _____ _____ _____ _____ _____.

M OK. Then what kind of picture do you want?

W We can use the best picture among our class art work.

M I think we should use a picture of carnations for celebrating Teacher's Day.

W A basket of carnations? Let's do that!

2

W Are you going camping over the weekend?

M No. I heard _____ _____ _____ _____ _____.

W Really?

M Yeah, there's heavy rain coming Friday night.

W I'm going to drive home to see my cousins. I hate _____ _____ _____ _____.

M When are you coming back?

W Sunday afternoon.

M Well, the rain is supposed to clear up on Sunday morning. It will still be cold, but at least _____ _____ _____ _____.

3

W Hey! Long time, no see. Aren't you going to Singapore?

M Yes, I'm leaving next week. Are you _____ _____ _____ _____?

W No, I'm going to the department store. I need a present for my friend's birthday. Where are you going?

M I want to buy a guidebook for Singapore. There's a good bookstore at Central Station.

W Well, I have to _____ _____ _____ _____ _____. You can have my seat.

M Thanks. Look out for the motorbike coming up!

4

M _____ _____ _____ to get two free tickets to the movie. It was too good to pass up the chance, so I asked my friend to come with me. The movie starts at five, and _____ _____ _____ _____ at 4:30 in front of the theater. It's nearly five now, and my friend still isn't here. He called me before and said he's on his way, but _____ _____ he's not going to make it.

5

[Telephone rings.]

W Customer Service, how can I help you?

M The boiler _____ _____.

W Is the power light on?

M Yes. But _____ _____ when I press the button for hot water.

W Try unplugging the power completely and waiting for one minute. Then plug it in again. I'll hold _____ _____ _____ _____.

M OK. I'll be back in a minute.

6

① M Are you ready to order now?

　W I'll have the soup of the day, please.

② M Can I try on this jacket?

　W Yes, the fitting rooms are over there.

③ M Is this the way to the supermarket?

　W No, the supermarket is that way.

④ M Do you need a shopping bag?

　W No, _____ _____ _____ _____.

⑤ M Are you checking out now?

　W Yes, _____ _____ _____ _____

　　_____ _____ for room service?

7

W When did you arrive in the States?

M Last week, _____ _____ _____

　_____ _____.

W How do you like Georgia?

M It is beautiful, and the people are very polite.

W How long are you staying?

M Well, I was thinking of _____ _____

　_____ _____. But my cousin's birthday

　is on June 20th. So, I won't leave until then.

W So, you're leaving on June 20th?

M No, actually, I will leave _____ _____

　_____.

8

W You can find this _____ _____

　_____. It can be various sizes from small

　to large. One part is for holding and the other

part is _____ _____. It can be very

sharp. So, be careful when you use this. You

can _____ _____ _____ of potatoes

or cucumbers with this.

9

M Hi. I want to _____ _____ _____

　for this jacket.

W Do you have the receipt?

M Sure. Here it is.

W I'm sorry. This jacket _____ _____

　_____ when you bought it. We cannot

　refund items purchased on sale.

M But I haven't worn it. The tag is still on it.

W Sorry, sir, it's company policy. Sale items

　can only be returned _____ _____

　_____.

10

M Where are you going, Sandra?

W _____ _____ _____. You know that

　the school concert is this month.

M Right! You're in the drama club, aren't you?

W Yes, and we're doing a musical for the concert

　this year. I _____ _____ _____

　every day.

M What musical are you doing?

W Do you know *Mamma Mia*?

M Yes! I love that musical. I know all

　the songs! Can I come and watch your

　rehearsals?

W _____ _____ _____. Let's go.

11

① W The museum is _____ _____
   _____ _____ _____.

② W It opens at 10 o'clock in the morning except Tuesday and Thursday.

③ W The museum _____ _____
   _____ _____ _____ every day.

④ W Saturday is the museum's longest day.

⑤ W The museum is open for 7 hours on Sunday.

12

M Thanks for your time to see me about Sam.

W That's alright. I'm worried about him, too.

M Well, _____ _____ _____ _____
   is becoming worse.

W In what way, Mr. Jonson?

M He doesn't listen to his teachers, and he
   _____ _____ _____.

W I'm so sorry. What can we do?

M For a start, let's make an appointment for Sam to see the counselor. OK?

13

M Do you want to play board games with me tomorrow?

W I'm not sure. I might not have time.

M Why? What are your plans?

W Well, I have to do my Saturday morning chores. It's my job to _____ _____
   _____ as well as my bedroom. Then I have an appointment at the dentist at 10. And

I'm meeting Jodie after lunch to work on our history project together.

M Won't you have time after that?

W No. I _____ _____ _____ _____
   _____ _____ from 3 until 5.

M What about Sunday?

W I am fine on Sunday.

14

① W What is your little sister like?
   M She likes fairytales.

② W Why don't you like math?
   M Because I am _____ _____ _____.

③ W Can I get a ride to the supermarket?
   M Sure you can. Get in.

④ W Would you like some more tea?
   M I'm OK, thank you.

⑤ W What can I do to _____ _____
   _____ _____ _____?

   M Eat less and exercise more.

15

M What do you _____ _____ _____
   lunch?

W How about Chinese? The restaurant near City Plaza has delicious noodles.

M The Golden Dragon? It closed last month.

W Really? _____ _____ _____. What else is there?

M There's a Mexican food truck on Main Street. I heard their tacos are really good.

W Great! I'll have two!

M They also have nachos. _____ _____!

16

W What can we do to save _____ _____?

M We can walk or ride bicycles whenever possible.

W Right. And we can _____ _____ _____ instead of the elevator.

M No way! We live on the 16th floor!

W I know. But if you only have to go up or down less than three floors, you should take the stairs.

M Right. Saving energy is good for health, too. We should also _____ _____, right?

W Of course, we should. We should recycle everything we can.

17

W Look! I finally found the shoes I wanted.

M Really? Which shoes are they?

W They're the ones I tried on at the store.

M Oh, right. Weren't they fifty dollars?

W Yeah, but they're _____ _____ _____ on this site!

M Wow. Do they have them in your size?

W Let's see. Yes, they do! Size 240.

M _____ _____ _____ and buy them.

W I'm putting them in my "Shopping Cart" right now.

18

M Jaeho saved up some money to _____ _____ _____ _____ _____ _____ _____. He goes shopping, chooses a pair of jeans, and tries them on. But when he takes them to the counter he realizes _____ _____ _____ _____ _____ _____. The sales clerk scans the price tag and asks him how he wants to pay. What would Jaeho say to her?

Jaeho _____

19

W Good evening, sir.

M Hi. I _____ _____ _____. My name is Jason.

W Just a moment, please. Yes, here we are. You're booked for two nights.

M That's right.

W OK. Your room is 1721. Here's your key. _____ _____ _____ _____ I can help you with?

M _____

20

[Telephone rings.]

W Hello.

M Hi. This is Express Service. I _____ _____ _____ that needs your signature.

W Oh, are you at my apartment building now?

M No, I'll be there between two and three.

W I'm sorry. _____ _____ _____ _____ until six.

M I can deliver it after six.

W _____ _____ _____ _____ after seven? I need time to get home from the office.

M _____

10 영어듣기 모의고사

정답 및 해설 p37

1 대화를 듣고, 여자가 원하는 머리 모양을 고르시오.

Take Notes

①   ②   ③

④   ⑤

2 대화를 듣고, 남자가 방문한 목적을 고르시오.

① 길 묻기   ② 도서 구입   ③ DVD 대여

④ 안부 인사   ⑤ 물건 구경

3 다음을 듣고, 그림의 상황에 가장 잘 어울리는 대화를 고르시오.

①   ②   ③   ④   ⑤

4 대화를 듣고, 남자가 한 마지막 말의 의도를 고르시오.

① 감사   ② 의심   ③ 질책   ④ 조언   ⑤ 동의

5 대화를 듣고, 남자의 직업을 고르시오.

① writer   ② dentist   ③ nurse

④ reporter   ⑤ salesman

6 대화를 듣고, 여자가 높이를 재는 데 이용할 도구를 고르시오.

①

②

③

④

⑤

7 대화를 듣고, 두 사람이 대화를 마친 후 할 일을 고르시오.

① 도서관에 간다.
② 현대미술관에 간다.
③ 서점에 간다.
④ 집에서 숙제를 한다.
⑤ 여자의 동생을 만나러 간다.

8 대화를 듣고, 남자가 어머니를 도우려는 이유를 고르시오.

① 칭찬을 들으려고 ② 새 옷을 사 달라고
③ 필요한 돈을 얻으려고 ④ 숙제를 하지 않으려고
⑤ 엄마를 놀라게 해 주려고

9 대화를 듣고, 여자의 심정을 가장 잘 나타낸 것을 고르시오.

① happy ② curious ③ jealous
④ surprised ⑤ frustrated

10 대화를 듣고, 남자가 지불해야 할 금액을 고르시오.

① $20 ② $40 ③ $50 ④ $60 ⑤ $80

11 대화를 듣고, 두 사람이 대화하는 장소를 고르시오.   Take Notes

① hotel   ② airport   ③ wedding hall
④ subway station   ⑤ travel agency

12 다음을 듣고, 언급되지 <u>않은</u> 것을 고르시오.

① 교사 수   ② 학생 수   ③ 학교 위치
④ 개교 시기   ⑤ 방과 후 수업 수

13 대화를 듣고, 내용과 일치하는 것을 표에서 고르시오.

	출발지	편도/왕복	출발일	좌석 등급
①	Sydney	one-way	Friday	business class
②	Sydney	round-trip	Sunday	first class
③	Washington	round-trip	Friday	business class
④	Washington	one-way	Friday	economy class
⑤	Washington	round-trip	Saturday	economy class

14 다음을 듣고, 무엇에 대한 설명인지 고르시오.

① 기부금 모금   ② 무료 축구 수업
③ 축구 경기 규칙   ④ 해외여행 상품
⑤ 축구 관련 사이트 홍보

15 다음을 듣고, 대화를 마친 후 여자가 가장 먼저 할 일을 고르시오.

① 체온 재기   ② 약 먹이기
③ 학교 방문하기   ④ 병원 예약하기
⑤ 학교에 전화하기

16 다음을 듣고, 두 사람의 대화가 <u>어색한</u> 것을 고르시오.

①   ②   ③   ④   ⑤

Take Notes

17 대화를 듣고, Jenny의 생일 파티가 열리는 날짜를 고르시오.

① April 7   ② April 9   ③ April 17

④ April 19   ⑤ April 20

18 다음을 듣고, Kelly가 남자에게 할 말로 가장 적절한 것을 고르시오.

Kelly: _____

① Is this seat taken?

② Are you taking the exam?

③ Why don't you take my seat?

④ What time did you arrive here?

⑤ How long have you been waiting?

19 대화를 듣고, 남자의 충고를 가장 잘 표현한 속담을 고르시오.

① Haste makes waste.

② Once bitten, twice shy.

③ Don't cry over spilt milk.

④ A stitch in time saves nine.

⑤ Kill two birds with one stone.

20 대화를 듣고, 여자의 마지막 말에 대한 남자의 응답으로 가장 적절한 것을 고르시오.

Man: _____

① I'd like to see it, too.

② I go nearly every weekend.

③ No, it's the same movie we saw.

④ He looks much better today.

⑤ I don't know any of the actors in it.

1

M How would you like _____ _____ _____?

W I'd like it shoulder-length, please.

M Do you want to _____ _____?

W Yes, I think I will this time.

M It looks pretty _____ behind your ears like this.

2

W Good afternoon. What can I do for you?

M Where are your DVDs? I _____ _____ _____ the latest *Avengers* movie.

W Sorry, we don't have DVDs _____ _____. But the shop across the street does.

M OK. _____ _____ _____ _____.
Thank you anyway.

3

① W I would like to _____ _____ this book.

   M May I see your library card?

② W Can you show me another one?

   M Sure. How about this one?

③ W Would you mind _____ _____ _____ _____?

   M Not at all.

④ W How much is a kilo of this cheese?

   M The cheddar is $15 a kilo.

⑤ W Send this package _____ _____, please.

   M Okay. You have to fill out this form.

4

M Oh, no. I _____ _____ _____ at home.

W Really? How could you forget it? Run back home and get it.

M I can't. The exam starts _____ _____ _____. I need a calculator and a pen.

W _____ _____ _____ _____. Here you are. Good luck on the exam.

M Thank you. I owe you!

5

[Telephone rings.]

W Boston Dental Clinic. How may I help you?

M This is Brian Barry speaking. I have an appointment with Dr. Brown tomorrow morning.

W Yes, Mr. Barry.

M I'm sorry, but I _____ _____ _____ _____. I have an interview with a magazine.

W Oh, I heard your new novel was released recently, and _____ _____ _____ among young people.

M Fortunately, it is already in the bestseller lists, so I'm quite busy these days.

W That's great. I hope _____ _____ _____ _____ _____.

84

6

M _____ _____ _____, Jennifer?

W I need to know the height of my bookshelf, but I don't know how to measure it.

M What about using your ruler on the desk?

W It's not _____ _____ to measure the exact height. It's too short.

M Then, what about a thread? It's long enough to measure the height.

W Hmm… I think the thread is too thin. It's difficult to use it. _____ _____ _____ _____?

M Okay. You can use that. I will help you.

7

M What do you want to do today?

W I don't know. Have you got any ideas?

M I'd like to _____ _____ _____ at the Modern Art Museum.

W I went there with my sister last Saturday. It's a great exhibition, but I don't want to go twice. Why don't we go to the library?

M That's a good idea. Before I see the exhibition, it would be better _____ _____ _____ _____ about the artists. Let's go.

8

W The house is so messy!

M I'll _____ _____ _____, Mom. Please take a rest.

W Really? That's funny. You usually run from housework.

M I'm sorry. I want to help you.

W Hmm. _____ _____ _____? Is there something you want to tell me?

M Well… I spent all my allowance on my new jeans, and my friends _____ _____ _____ _____ to the movies tonight.

W OK. I get it. How much do you need?

9

M What's happening?

W Nothing. I want to _____ _____ _____ _____, but it's too cold and rainy again. Is this normal weather for June?

M No, _____ _____. Summer in Jeju is normally beautiful and hot.

W It's not fair! I'm _____ _____ in Jeju and can't even go to the beach!

10

W May I help you?

M I'd like to buy a nice sweater for my wife.

W _____ _____ does she wear?

M Medium.

W How about this green one?

M Good. And _____ _____ _____ scarf would go well with it?

W I think a plain scarf in pink is OK.

M They look good. How much are they?

W Well, the sweater is _____ and the scarf is _____, but there's a 50% discount on winter clothing.

M 50 percent off? Great! I'll take them both.

11

M   Hey, Sara! _____ _____ _____! What are you doing here?

W   Hi, Paul. Good to see you. I'm waiting for my parents. They went to a family wedding in Canada. What are you doing?

M   I'm going to Russia _____ _____. I have an important contract.

W   Really? _____ _____ _____ _____ _____?

M   I have to run, actually. It's boarding now.

W   Hurry, then! _____ _____ _____ to Russia.

M   Thanks. Tell your parents I said hi.

12

W   Hello and welcome to Newport International School. In the fifteen years since Newport opened, _____ _____ _____ the finest school in the state. Since it overlooks the ocean, there's lovely fresh air and _____ _____. This year, we have 560 students and 80 teachers, and excellent after-school classes _____ dance, music, and theater. I hope you all have a wonderful year.

13

[Telephone rings.]

W   Sunshine Airlines. _____ _____ _____ _____ _____?

M   I'd like to book a flight from Washington to Sydney.

W   Would that be one-way or round-trip?

M   _____, please.

W   When would you like to leave?

M   I want to leave _____ _____ and return Sunday night.

W   Economy class or business, sir?

M   Business, please.

14

M   Children in many poor countries _____ _____ _____ because there is nowhere safe to play. "Happy Football Cambodia" is working _____ _____ _____ _____ in Cambodia. We provide free soccer lessons and a safe, caring environment for boys and girls _____ _____ _____ and play soccer. Please visit our website and support us. We need clothes, shoes, soccer balls, and money!

15

W   Come on, Sam! You'll _____ _____ _____ school. Get up and get dressed!

M   But I _____ _____ _____. I've got a sore throat and a headache.

W   Let me feel your head. Oh, you're very hot! I have to take you to the doctor. First, _____ _____ _____ _____ to let your teachers know you won't be in class.

16

① W Your audition is tomorrow, isn't it?

    M Yes. _____ _____ _____.

② W When did your dad get a new car?

    M It's not brand-new. He bought it from his friend last week.

③ W What are you doing tonight?

    M I _____ _____ any plans. Why?

④ W How often do you go to see a movie?

    M I'm moving next week.

⑤ W It's already 9! Won't you be late for your meeting?

    M _____ _____ _____. The meeting is at 10.

17

M Hey, Maggie. What are you doing?

W _____ _____ a surprise party for Jenny's birthday. You're here at just the right time. I need some help making invitations.

M Okay. _____ _____ _____ _____?

W It's the seventh of April, but the party will be two days later.

M April ninth? _____ _____ _____ are you inviting?

W I'm inviting about 20.

18

W Kelly went to the library to study for her final exams. There were so many students that she _____ _____ _____ _____ to sit. She looked all over the study room and eventually found _____ _____ _____. There was a guy sitting in the next seat. Kelly wanted to make sure it was OK for her _____ _____ _____ _____. In this situation, what would Kelly say to the guy?

Kelly _____

19

W Hey, Jim. _____ _____ _____ your homework?

M Which homework? You mean the essay that's _____ _____ _____? I've almost got it done.

W Wow, I envy you. I have just started.

M Really? Today is Sunday.

W I think I have to stay up all night.

M Just _____ _____ _____ and do it right! Or you'll have to start again from the beginning.

20

M How did you like the movie?

W _____ _____ _____, except for the beginning.

M I thought it was great from start to finish.

W The actors were _____.

M I agree, especially the actor who was the bad policeman.

W _____ _____ do you go to the movies?

M

1 대화를 듣고, 여자가 구입할 손수건을 고르시오.   **Take Notes**

① ② ③

④ ⑤

2 대화를 듣고, 남자가 여자에게 부탁한 일로 가장 적절한 것을 고르시오.

① 복사하기　　② 보고서 보여 주기　　③ 숙제 대신 하기
④ 원고 검토하기　　⑤ 보고서 개요 짜기

3 대화를 듣고, 남자가 구입할 외투를 고르시오.

① ② ③

④ ⑤

4 대화를 듣고, 남자의 심정으로 가장 적절한 것을 고르시오.

① angry　　② scared　　③ bored
④ happy　　⑤ satisfied

5 대화를 듣고, 여자의 마지막 말에 담긴 의도로 가장 적절한 것을 고르시오.

① 문의　　② 감사　　③ 제안　　④ 동의　　⑤ 거절

6 다음 그림의 상황에 가장 적절한 대화를 고르시오.

Take Notes

①   ②   ③   ④   ⑤

7 대화를 듣고, 남자의 직업으로 가장 적절한 것을 고르시오.

① actor   ② reporter   ③ firefighter
④ shopkeeper   ⑤ police officer

8 대화를 듣고, 두 사람이 대화하고 있는 장소로 가장 적절한 곳을 고르시오.

① 약국   ② 병원   ③ 식당   ④ 사우나   ⑤ 네일숍

9 다음을 듣고, 두 사람의 대화가 어색한 것을 고르시오.

①   ②   ③   ④   ⑤

10 다음을 듣고, 무엇에 관한 설명인지 고르시오.

① 오존층 파괴   ② 해수면 상승   ③ 온실 효과
④ 스모그   ⑤ 쓰나미

11 대화를 듣고, 남자가 식당에 가는 목적으로 가장 적절한 것을 고르시오.

Take Notes

① 점심을 먹기 위해　　　② 물건을 찾기 위해
③ 친구를 만나기 위해　　④ 축하 파티를 하기 위해
⑤ 아르바이트를 하기 위해

12 대화를 듣고, 남자가 대화 직후에 할 일로 가장 적절한 것을 고르시오.

① 음식 데우기　　② 약국에 가기　　③ 설거지하기
④ 소고기 사 오기　　⑤ 식사 주문하기

13 대화를 듣고, 두 사람이 만날 지점을 고르시오.

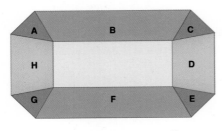

① A　　　　② C　　　　③ E　　　　④ F　　　　⑤ G

14 대화를 듣고, 두 사람이 캠핑을 갈 날짜를 고르시오.

① May 5　　② May 6　　③ May 7
④ May 8　　⑤ May 9

15 대화를 듣고, 상황을 가장 잘 표현한 속담을 고르시오.

① Better late than never.
② More haste, less speed.
③ The early bird gets the worm.
④ Birds of a feather flock together.
⑤ When in Rome do as the Romans do.

16 대화를 듣고, 여자가 지불할 금액을 고르시오.

① $30　　② $50　　③ $54　　④ $60　　⑤ $66

17 다음을 듣고, Black Food에 관해 언급되지 <u>않은</u> 것을 고르시오.

① 맛　　② 효능　　③ 종류　　④ 구입처　　⑤ 요리법

18 대화를 듣고, 여자가 할 일로 가장 적절한 것을 고르시오.

① 차 만들기　　② 체온 재기　　③ 약 사러 가기
④ 병원 예약하기　　⑤ 식사 준비하기

19 다음 상황 설명을 듣고, Wendy가 농구 선수에게 할 말로 가장 적절한 것을 고르시오.

Wendy: _____

① Excuse me. Are these seats taken?

② Can you take a picture with me, please?

③ Congratulations! That was a great game.

④ The players are in the locker rooms now.

⑤ I usually go to basketball games with my dad.

20 대화를 듣고, 여자의 마지막 말에 대한 남자의 응답으로 가장 적절한 것을 고르시오.

Man: _____

① Really? My ticket was $900.

② What did you like the most?

③ Is that the best time to visit?

④ Thanks. I'll keep that in mind.

⑤ No. They went to Paris instead.

1

M Do you want to _____ _____ _____ for Ms. Kwan, your math teacher?

W Yes, Dad. How about one of these pretty handkerchiefs?

M _____ _____ _____ _____. I like the one with flowers.

W Me, too. But I prefer the ones with dots.

M Big dots or tiny dots?

W I don't know, Dad. Which do you prefer?

M Let's go for _____ _____ _____.

W Okay. I will get it.

2

M I have to _____ _____ _____ for homework. Can you help me?

W Yes, how can I help?

M _____ _____ _____ how I should organize it.

W So, do you want me to organize your report?

M No, I just want to see some good examples. Can you show me yours?

W OK. I can show you mine if you like. I'll _____ _____ _____ for you.

M That would be great.

3

W May I help you?

M Yes, I want a jacket. It has to be lightweight and _____ _____ _____.

W How about this jacket with a hood?

M Well, that looks kind of long. I want a shorter one. And I don't want anything with fur on it.

W OK. How about a vest?

M It might not be warm enough. I prefer a jacket _____ _____.

W Then, _____ _____ _____. It's really light and warm.

M OK, I will get this.

4

M Did you hear that?

W I heard _____ _____ _____ _____ downstairs. What time is it?

M It's just after 6 pm.

W Mom said she _____ _____ _____ until 9 tonight.

M *[whispering]* What should we do?

W Hide in the bathroom! We can _____ _____ _____ and call Mom!

5

W Fred, _____ _____ _____ _____ today.

M Yes, I am. I got an e-mail from a friend in L.A. I met her in the summer camp last year.

W Wow. Is she American?

M Yes, she is. We talked a lot _____ _____ _____. She loves Korea.

W Why don't you _____ _____ _____ _____ about Korea?

6

① W How's the water? Isn't it too cold to swim?

  M No, it's perfect! Jump in and have a swim!

② W It's _____ _____ outside.

  M Really? I think we had better stay home.

③ W Look! The plant looks _____ _____.

  M Let's water it!

④ W Have you finished your homework?

  M Sorry, Mom. I will do it _____ _____.

⑤ W Can I help you?

  M Yes, I'd like to buy these flowers.

7

M Can you hear me now, Lena?

W Yes, Alan. We can hear you loud and clear.

M As you can see behind me, Greenville Department Store is on fire.

W Is there _____ _____?

M I don't know yet. The police and fire departments just arrived.

W Can you tell us how the fires started?

M One of employees _____ _____ _____ at 10 pm.

W Okay, thanks, Alan. _____ _____ _____.

8

W Hi. It's nice to see you again.

M Yes, it has been a while.

W I don't have many male customers. You are _____ _____.

M Yes, I am usually _____ _____ _____ in here.

W How about getting a fun color polish or some _____ _____ _____ today?

M No, thanks. Please do it the same as usual.

9

① M Did you decide on a topic for your essay?

  W _____ _____. Did you?

② M Where have you been?

  W I went to the library to study.

③ M Could I have a little more, please?

  W Of course. Have _____ _____ _____ you like.

④ M Is there anywhere to sit?

  W There's an empty table over there.

⑤ M _____ _____ _____ _____ to the school dance?

  W I think short hair looks good.

10

W The gases in the Earth's atmosphere are called "greenhouse gases." They _____ _____ _____ _____ into space. Just like the cover of a greenhouse, the gases _____ _____ _____. It's a natural process, but it's _____ _____. Why? Because people keep making more greenhouse gases. The more gases we make, the warmer Earth gets.

11

W   Hi, Jeff! Where are you going?

M   I am going to the Thai restaurant that _____ _____.

W   Are you _____ _____ _____?

M   No. I ate there last night. But I forgot to take my elephant doll gift. I'm going back to get it.

W   Was it a gift for the restaurant's opening?

M   Yes. They gave one to _____ _____. Elephants are a symbol of Thailand.

12

W   I'm sorry, honey. I don't have enough energy to make dinner.

M   _____ _____. I'll do it.

W   I was very busy with a new project today.

M   Just sit back and relax. Oh, there's no beef in the fridge. I'll _____ _____ _____ _____ _____ and get some.

W   We can have dinner without beef.

M   No. I want to _____ _____ _____ for you. I'll be back soon.

13

[Cell phone rings.]

W   Hello?

M   _____ _____ _____? Did you arrive at the stadium?

W   Yes. I am in Section E.

M   Can you come over here? I am in Section A.

W   I am afraid I can't. Section A is _____ _____ _____ _____.

M   Then, let's meet _____ _____. How about Section G?

W   Okay. I will see you there in ten minutes.

14

M   Hey, what day is Children's Day this year?

W   It's on Thursday, May 5th. That's exactly two weeks from today.

M   Do you want to _____ _____ at the lake? Mom will drive us.

W   I'd love to go camping, but _____ _____ _____ _____ _____ _____ on the 5th.

M   Then how about Saturday?

W   You mean May 7th?

M   Yeah, we can _____ _____ _____ at the lake and we'll be back on Sunday morning.

W   Great!

15

M   Jennifer, are you okay? You look worried.

W   I was thinking about my brother, Charlie.

M   Is there _____ _____ with him?

W   I'm concerned about his friends. They don't look like good students at all.

M   Did you _____ _____ _____ _____ _____?

W   I did, but he didn't even listen to me. He is _____ _____ _____ his friends.

16

M May I help you?

W Yes, I'm looking for a mini-speaker. _____ _____ _____ one with a popular brand?

M Sure. They _____ _____ $30 to $200. How much do you want to spend?

W Around $50.

M Okay. Do you have a membership card?

W Yes. Why?

M This speaker is excellent. It's $60, but members get 10% off.

W Really? That's good. I'll take that speaker. _____ _____ _____.

17

M Black foods are plant foods that are dark blue, black, or purple-colored. They include black beans, black rice, seaweed, and blueberries. _____ _____ _____ _____ _____ today. They are health superstars! They're good for your skin, eyes, and blood, and they _____ _____. They are also _____ _____. Buy black foods online at www.foodforhealth.com!

18

M I can't stop coughing. It's really bad. I think I _____ _____ _____ _____.

W Really? Let me check your temperature.

M I don't think I have a fever. But I _____ _____ _____ _____.

W Then, how about taking pills for coughing?

M Sorry, but I don't want to take any medicine.

W Then, drinking hot tea with honey and lemon helps. I _____ _____ _____ _____ for you.

M Thanks.

19

W Wendy loves basketball. Today, Wendy's dad took her to see her favorite team play at the gym. Before the game, Wendy's favorite player _____ _____. She smiles at him. _____ _____ _____! She can't believe it. Wendy really wants to _____ _____ _____ with him. In this situation, what would Wendy most likely say to him?

Wendy

20

M Guess what! I'm going to Rome!

W Oh, _____ _____ _____.

M My uncle studies there, so he invited me.

W My parents went there last year. They said it was amazing.

M Really? I'm so excited that I can't wait!

W By the way, you must be _____ _____ at outdoor tourist attractions.

M Why is that?

W Thieves are everywhere. So _____ _____ _____ in a safe place.

M

12 영어듣기 모의고사

정답 및 해설 p44

1 대화를 듣고, 남자가 구입할 카드를 고르시오.

Take Notes

①    ②    ③

④    ⑤

2 대화를 듣고, 여자가 남자에게 전화한 목적으로 가장 적절한 것을 고르시오.

① 신간 소개   ② 잡지 홍보   ③ 회사 구직 문의
④ 저자 인터뷰 요청   ⑤ 북 투어 일정 문의

3 다음 그림의 상황에 가장 적절한 대화를 고르시오.

①   ②   ③   ④   ⑤

4 대화를 듣고, 남자의 직업으로 가장 적절한 것을 고르시오.

① lawyer   ② travel agent   ③ hotel manager
④ wedding planner   ⑤ restaurant owner

5 대화를 듣고, 여자의 마지막 말에 담긴 의도로 가장 적절한 것을 고르시오.

① 요청   ② 감사   ③ 충고   ④ 동의   ⑤ 거절

6 대화를 듣고, 두 사람이 구입할 물건을 고르시오.

①  ②   ③

④   ⑤

7 대화를 듣고, 남자의 심정으로 가장 적절한 것을 고르시오.

① bored ② angry ③ curious

④ satisfied ⑤ frightened

8 대화를 듣고, 남자가 여자에게 부탁한 일로 가장 적절한 것을 고르시오.

① 방 청소하기 ② 빨래하기

③ 모닝콜 해 주기 ④ 숙박 예약하기

⑤ 아침 식사 배달해 주기

9 다음을 듣고, 두 사람의 대화가 <u>어색한</u> 것을 고르시오.

① ② ③ ④ ⑤

10 대화를 듣고, 여자가 할 일로 가장 적절한 것을 고르시오.

① 춤 연습하기 ② 대회 참가하기

③ 음악 다운로드하기 ④ 의상 고르기

⑤ 음악 추천하기

11. 대화를 듣고, 두 사람이 대화하고 있는 장소로 가장 적절한 곳을 고르시오.

Take Notes

① theater   ② kitchen   ③ bakery

④ restaurant   ⑤ pharmacy

12. 다음을 듣고, 한글에 관해 언급되지 <u>않은</u> 것을 고르시오.

① 만든 사람   ② 발명 시기

③ 공식 문자가 된 시기   ④ 다른 문자들과의 차이점

⑤ 세계 문화유산에 지정된 이유

13. 다음 표를 보면서 대화를 듣고, 내용과 일치하지 <u>않는</u> 것을 고르시오.

Chinese Conversation Club	
① Place	Language Lab
② Time	Wed, Fri 3 pm – 4 pm
③ For whom	7th graders
④ Fee	$10
⑤ Textbook	Basic Chinese

14. 대화를 듣고, 남자가 여자와 만나기로 한 날짜를 고르시오.

① June 29   ② June 30   ③ July 1

④ July 2   ⑤ July 3

15. 대화를 듣고, 상황을 가장 잘 표현한 속담을 고르시오.

① 달면 삼키고 쓰면 뱉는다.

② 하룻강아지 범 무서운 줄 모른다.

③ 하늘은 스스로 돕는 자를 돕는다.

④ 호미로 막을 것을 가래로 막는다.

⑤ 돌다리도 두들겨 보고 건너라.

16 대화를 듣고, 남자가 지불할 금액을 고르시오.

① $90　　② $100　　③ $270　　④ $300　　⑤ $330

17 다음을 듣고, 무엇에 관한 설명인지 고르시오.

① 바지　　② 모자　　③ 안경　　④ 유니폼　　⑤ 안전모

18 대화를 듣고, 여자가 할 일로 가장 적절한 것을 고르시오.

① 컴퓨터 업그레이드하기　　② 수리센터에 전화하기
③ 인터넷 검색하기　　④ 모니터를 직접 수리하기
⑤ 모니터 환불하기

19 다음 상황 설명을 듣고, Elsa가 Alvin에게 할 말로 가장 적절한 것을 고르시오.

Elsa: _____

① I don't think you should do that.
② Can you recommend a good place?
③ I'll say hi to my grandmother for you.
④ Can you look after Ted while I'm away?
⑤ I think there's something wrong with Ted.

20 대화를 듣고, 남자의 마지막 말에 대한 여자의 응답으로 가장 적절한 것을 고르시오.

Woman: _____

① Actually that is not so good.
② You're right. It's a long way to go.
③ That's why I decided to go.
④ Great. Good luck to you!
⑤ Right. This is a good place to travel.

1

M   Mary! Can you help me choose a card? There are so many cards here.

W   If I were you, I'd take the one with _____ _____ _____.

M   I used that card last year for my teacher.

W   Then, how about this one with a carnation _____ _____ _____ _____?

M   That looks beautiful, but don't you think it's _____ _____?

W   Hmm. Look! There is a card with a carnation in the heart.

M   Yeah, that's the one I want. Thanks!

2

[Telephone rings.]

M   Prescott Books, this is John.

W   Hi, John. This is Margaret Choi from Metro Magazine.

M   Hi, Margaret. Did you _____ _____ _____ _____?

W   Yes, that's why I called. Is the author _____ _____ _____ _____?

M   Of course. She arrives for her book tour next week.

W   Great. _____ _____ _____ _____?

M   How about 10 am on Tuesday?

3

①   M   Good afternoon, can I help you?

W   Yes, I'm looking for this in white.

②   M   You should return it to the store.

W   I think I need to get a refund.

③   M   It's a really nice T-shirt.

W   Yes, but it's _____ _____ for me.

④   M   It feels _____ _____, Mom.

W   Your tooth? Let me see. I'll pull it gently.

⑤   M   Excuse me. Where are your fitting rooms?

W   Men's _____ _____ are upstairs, sir.

4

M   When are you going to _____ _____?

W   May 19th.

M   May is the peak season, you know. We charge 20% extra in May.

W   _____ _____.

M   Do you want a church ceremony or an outdoor ceremony?

W   We want it at St. Mary's Church, and the reception at the Plaza Hotel.

M   Alright. _____ _____ _____?

5

W   _____ _____ _____ _____ for breakfast?

M   I'm okay. I'll eat something later.

W   _____ _____ have a banana and some yogurt.

M   Why? I'm not hungry.

W   You should never go to school on an _____ _____.

6

M Let's buy a bouquet of flowers for Grandma.

W She might not have a vase to put them in.

M Then, how about _____ _____ _____ _____ _____?

W Good idea. Grandma can _____ _____ _____ from the hospital.

M I like this daisy plant. The little daisies are so beautiful.

W It's nice. But Grandma loves roses. Let's _____ _____ _____ _____.

M Okay. Grandma would love that.

7

W _____ _____ with you? You don't look very well.

M I'm fine. I just don't have anything to do.

W Have you done your homework?

M Yes. It was easy.

W Then, why don't you _____ _____ _____ _____ or watch TV?

M There's nobody to play with and _____ _____ _____.

8

W Good morning, sir. How are you _____ _____ _____?

M Fine, thank you.

W Was your laundry delivered this morning?

M Yes. What time will housekeeping _____ _____ today?

W Between 11 and 4.

M Good. I'll be back around 7 tonight.

W Is there anything else _____ _____ _____ _____ _____?

M Yes, please. I need a morning call for 5 am.

W Certainly, sir.

9

① M _____ _____ _____ my jumper?

　 W It's on the sofa where you left it.

② M Where would you like to put the sofa?

　 W I think it should go _____ _____.

③ M How much is the fare to New York?

　 W _____ _____ _____ 20 minutes by bus.

④ M I've been waiting for you for an hour.

　 W I'm sorry. The traffic was terrible.

⑤ M Why were you so late this morning?

　 W I woke up late. Sorry.

10

W The dancing contest is on Friday. _____ _____ _____ _____?

M I have to practice my steps a lot more, but that's okay.

W _____ _____ do you have to do?

M Well, I have to select a costume today, and I need to download music files.

W I've got time. I can download them for you.

M Really? Thanks! I'll give you _____ _____ _____ _____ that I need.

11

W   Good morning! I would like five bagels and a loaf of whole-wheat bread.

M   Would you like _____ _____?

W   Do you sell homemade cookies?

M   Of course, we do. But you must order them one day _____ _____.

W   My son loves cookies, so _____ _____ _____ _____.

M   Okay. What kind of cookies do you want?

W   I want some peanut butter and chocolate chip cookies.

12

W   Hangul _____ _____ _____ King Sejong in 1443 and became Korea's official alphabet three years later. King Sejong based it on the sounds of Korean and the mouth shapes that form _____ _____. Hangul is unique among the world's alphabets in that we know _____ _____ _____ and when it was created. It became a UNESCO World Heritage Cultural Property in 1997.

13

W   _____ _____ _____ _____ the Chinese Conversation Club.

M   You should. _____ _____, and 7th grade students are welcome.

W   It's every Wednesday in the Language Lab, right?

M   And every Friday. We meet from 3 pm until 4 pm.

W   Do I need a textbook?

M   Yes, you'll need _____ _____ _____ "Basic Chinese." You can buy it at the school bookstore.

W   OK, thanks.

14

M   I want to make a cake for my mom's birthday.

W   _____ _____ _____ _____ and I'll help you! When is her birthday?

M   July the 3rd.

W   That's next Monday, isn't it?

M   Yes. Is it okay if I _____ _____ on Sunday morning?

W   No, but Sunday afternoon is okay.

M   Then _____ _____ _____ _____ _____.

15

M   I've got a really bad toothache.

W   Then, you should see a dentist _____ _____.

M   But it will _____ _____ _____. And I'm scared of dentists.

W   If you don't go now, it could cost you a lot more later on.

M   Maybe the pain will _____ _____ _____ _____.

W   No, it's likely to get much worse unless you see a dentist now.

16

W   Welcome to National Car Rental.

M   Hi. How much is it _____ _____ an SUV?

W   Our SUVs are $90 _____ _____.

M   I want one _____ _____ _____. That's $270, right?

W   Yes. Would you like GPS navigation? It's $10 per day.

M   Yes, please.

17

W   These are things that people wear over their eyes. They have two lenses in a frame that rests on the nose and the ears. They can be _____ _____ _____ and taken off. Some people wear them _____ _____. But most people wear them _____ _____ _____ see clearly or protect their eyes.

18

M   Jane, what's the problem?

W   Max, do you know _____ _____ _____ computer monitors?

M   I am afraid I don't.

W   Then, I'll take it to _____ _____ _____.

M   Now? Won't they be closed? It's nearly 6 pm.

W   I'll call and _____ _____ _____ _____. I need to get it fixed.

19

M   Elsa is _____ _____ _____ her grandma in the country. She _____ _____ _____ her dog, Ted, because she can't bring him on the bus. Elsa's best friend, Alvin, asks Elsa if he can do anything for her _____ _____ _____. Alvin likes Ted and Ted likes Alvin. In this situation, what would Elsa most likely say to Alvin?

Elsa _____

20

W   What do you want to study at university?

M   I want to _____ _____ _____.

W   What branch of history?

M   _____ _____ _____ modern Korean history.

W   Where can you do that as a major?

M   _____ _____ _____ _____ offer it. UCLA is my choice.

W   _____

13 영어듣기 모의고사

1 대화를 듣고, 여자의 가방으로 알맞은 것을 고르시오.   **Take Notes**

①   ②    ③

④    ⑤

2 다음 그림의 상황에 가장 적절한 대화를 고르시오.

①   ②   ③   ④   ⑤

3 대화를 듣고, 두 사람이 대화하고 있는 장소로 가장 적절한 곳을 고르시오.

① 호텔   ② 공항   ③ 식당
④ 캠핑장   ⑤ 기차역

4 대화를 듣고, 여자의 마지막 말에 담긴 의도로 가장 적절한 것을 고르시오.

① 비난   ② 거절   ③ 동의   ④ 후회   ⑤ 감사

5 대화를 듣고, 남자가 지불해야 할 금액을 고르시오.

① $3   ② $5   ③ $7   ④ $9   ⑤ $10

6 대화를 듣고, 여자가 사진을 저장할 도구를 고르시오.

① ② ③

④ ⑤

7 대화를 듣고, 여자의 심정으로 가장 적절한 것을 고르시오.

① satisfied   ② happy   ③ proud
④ envious   ⑤ thankful

8 다음을 듣고, 두 사람의 대화가 어색한 것을 고르시오.

①   ②   ③   ④   ⑤

9 대화를 듣고, 남자가 방문한 목적으로 가장 적절한 것을 고르시오.

① 표를 예매하려고   ② 전화기를 사려고
③ 수리된 전화기를 찾으려고   ④ 서비스 비용을 청구하려고
⑤ 고장 난 전화기를 수리하려고

10 다음을 듣고, Sally에 관해 언급되지 않은 것을 고르시오.

① 나이   ② 머리 모양   ③ 옷차림
④ 키   ⑤ 아버지 성함

Take Notes

11. 대화를 듣고, 남자의 직업으로 가장 적절한 것을 고르시오.

① librarian
② journalist
③ sales clerk
④ school principal
⑤ DVD store manager

12. 대화를 듣고, 남자가 할 일로 가장 적절한 것을 고르시오.

① 사진 찍기
② 사진 전송하기
③ 카메라 교환하기
④ 카메라 환불하기
⑤ 카메라 분실 신고하기

13. 다음 표를 보면서 대화를 듣고, 내용과 일치하지 <u>않는</u> 것을 고르시오.

NBA Game		
①	Date	February 20th
②	Place	Staples Center
③	Teams	Lakers vs. Celtics
④	Score	110:97
⑤	MVP	Chris Paul

14. 다음을 듣고, 무엇에 관한 설명인지 고르시오.

① 컵
② 욕조
③ 꽃병
④ 바구니
⑤ 항아리

15. 대화를 듣고, 여자의 충고를 가장 잘 표현한 속담을 고르시오.

① 모르는 게 약이다.
② 돌다리도 두드려 보고 건너라.
③ 시작이 반이다.
④ 달면 삼키고 쓰면 뱉는다.
⑤ 구르는 돌에는 이끼가 끼지 않는다.

16 대화를 듣고, 여자가 동물 병원에 갈 날짜를 고르시오.

① March 9   ② March 10   ③ March 11

④ March 12   ⑤ March 15

17 대화를 듣고, 여자가 남자에게 전화한 이유로 가장 적절한 것을 고르시오.

① 집에 불을 꺼 달라고   ② 새 형광등을 사다 달라고

③ 저녁 재료를 사다 달라고   ④ 형광등 교체를 도와 달라고

⑤ 전기 기술자를 불러 달라고

18 대화를 듣고, 남자가 할 일로 가장 적절한 것을 고르시오.

① 청소하기   ② 간식 사 오기   ③ 영화 보기

④ 팝콘 만들기   ⑤ 식사 준비하기

19 다음 상황 설명을 듣고, Tina가 Dan에게 할 말로 가장 적절한 것을 고르시오.

Tina: _____

① How much does it cost?

② Are you going to New York again?

③ Which city is the most interesting?

④ How long have you been in New York?

⑤ Can you tell me what you like best about New York?

20 대화를 듣고, 여자의 마지막 말에 대한 남자의 응답으로 가장 적절한 것을 고르시오.

Man: _____

① It doesn't sound good.

② Let's try a different key.

③ I started when I was seven.

④ Anybody can learn to play.

⑤ I love the way Bob Dylan plays it.

1

M Let me give you a hand with your bags.

W Thank you. I'm waiting for one more.

M What does it look like?

W It's _____ _____ _____.

M Is it that one, with the luggage tag on it?

W No, my suitcase has wheels and a big handle.

M There's a big striped suitcase _____ _____ _____ _____. Is that yours?

W Yes. It's heavy! _____ _____!

2

① M How would you like it done?

W Medium-rare, please.

② M Do you mind if I sit here?

W Sorry. This seat is _____ _____.

③ M Would you like it _____ _____ _____?

W Hot, please, and I'd like hazelnut syrup.

④ M I'd like to _____ _____ _____ to my parents overseas.

W By express mail or regular mail?

⑤ M How can I help you, ma'am?

W Do you have this coat in a larger size?

3

W Hi. We have a reservation _____ _____ _____ _____ Hahn.

M Let's see. Yes, here we are. Bobby Hahn, family of 5?

W That's us. Sorry we're late.

M No problem. I'll show you to your site.

W The site has running water and electricity, right?

M Yes, it does. And a fire place. Do you need help _____ _____?

W Thanks, but our teenage kids want to put the tent up _____ _____ _____.

4

M So, how did _____ _____ _____ _____?

W Great! I start next week.

M I knew you could do it.

W It's all because of you. _____ _____ _____.

M _____ _____ _____. All I did was to recommend you to Mr. Brown.

W Mr. Brown trusts you. Without you, I wouldn't have the job!

5

W _____ _____ _____ _____?

M I'll have _____ _____ _____ cheese pizza and a large Coke, please.

W That's $3 for the pizza and $2 for the Coke.

M Here's $5.

W Oh, I'm sorry. I _____ _____ _____ _____ about the special lunch set. If you order pizza and coke together, the Coke is free.

M Great, thanks.

6

W My computer is full. I think I need another device to save these photographs.

M _____ _____ _____ _____ in CDs?

W But I have to buy new CDs.

M Then, I will give you my USB driver. I don't use it anymore.

W Thanks, but it is not comfortable to see the photographs.

M Why don't you save them in your smartphone? You can see the photographs _____ _____ _____.

W That's a good idea. I have to _____ _____ _____ _____.

7

W What score did you get in English?

M 95 points. It's my best-ever score.

W What? I only got 80 points.

M _____ _____ _____! What happened? Didn't you study for the exam?

W Yes, _____ _____ _____. I can't believe you beat me.

M _____ _____ _____. It's the first time you got a lower score than me.

8

① W Whose watch is this?

　　M I think it _____ _____ Gina.

② W How are you feeling today?

　　M I feel much better, thanks for asking.

③ W What do you want to be when you grow up?

　　M I'd like to be a hair stylist.

④ W Where do you _____ _____?

　　M I was born in France.

⑤ W Are you Italian? Or are you Greek?

　　M Yes, I know the language _____ _____.

9

M Is this the V-Mobile Phone Service Center?

W Yes, sir. You need to _____ _____ _____ _____.

M Which button do I press?

W 1 for bills, 2 for purchases, 3 for service and repair.

M I can't believe I dropped my phone and broke it. It's _____!

W _____ _____. We'll see if we can fix it. Press button number 3.

10

W This is the Bobo Junior Football Club captain speaking. Coaches, stop the football game. This is an announcement of _____ _____ _____. Ken has lost his daughter, Sally. Sally is six, has short brown hair, and is wearing a yellow jumper and black pants. _____ _____ finds Sally, please come to the club office _____ _____ _____ _____.

11

M Can I help you?

W Yes. I'm _____ _____ _____ about the Joseon Dynasty.

M That sounds interesting.

W Do you have any of the books on this list?

M _____ _____ _____. We might have DVDs on the subject, too.

W _____ _____ _____ _____. How many books and DVDs can I borrow?

M You can borrow 10 books for 3 weeks and 3 DVDs for 1 week.

12

M I _____ _____ _____ _____! I just bought it from the K-Camera Shop.

W It looks cool. Is it _____ _____ _____?

M Of course. Let's take a picture of us. Ready? *[camera shutter click]*

W Look, there's a black line through the picture. Check the camera lens.

M _____ _____! I'll take it back right away. They'll give me a new one.

13

W Did you see the latest NBA game at Staples Center?

M _____ _____ _____ the Lakers and the Celtics?

W Yes. I watched it last night.

M Last night? But it was on February 20th.

W _____ _____ _____ _____. Of course, the Lakers won.

M Yes, 110-97. Staples Center is their home.

W _____ _____ _____ that Chris Paul didn't win MVP.

M I agree. He played a great game.

14

M This is a container for liquids. The most common size holds 200 milliliters, but it can be larger or smaller. It usually has a handle so that _____ _____ _____ _____ _____. But it does not have to have a handle. In fact, in East Asian tradition, this does not have a handle and is quite small. We drink _____ _____ _____ _____ from this, especially _____ _____ _____.

15

W Did you make a New Year's resolution?

M Yes. I'm going to learn a second language.

W What language? I think Spanish would be really useful and interesting.

M Spanish is good, but _____ _____ _____ _____ _____.

W I can't wait to see you speak Korean!

M But I've just started. It is _____ _____ _____ _____ another language.

W The hardest part is _____ _____. Once you get started, you've done the hardest part.

16

W Honey! I think our cat has to _____ _____ _____ _____.

M Really? Will you take her to the vet today?

W No, the vet is _____ _____ until March 12th.

M Today's the 9th, right? How about booking for Saturday?

W We're volunteering on Saturday.

M Sorry, I forgot! How about Monday then? The 15th?

W _____ _____ _____ _____.

17

[Cell Phone rings.]

M Hello.

W Hey, Nick. Where are you now?

M I'm _____ _____ _____ _____. Oh, I forgot to buy a fluorescent light for you.

W Don't worry, I found _____ _____ _____.

M Great. So does the light work now?

W No. _____ _____ _____ _____ to change it. I need you to do it for me.

M Okay. I won't be long.

18

W Did you _____ _____ _____ _____?

M Yes. It's a crime thriller. Are you ready to watch it?

W Do you want me to make some popcorn first?

M No, that's okay. I bought some snacks.

W But before we see the movie, we need to _____ _____ _____ _____ on the sofa.

M Okay. I'll _____ _____ _____ _____ and clean it up.

19

M Tina and her family are going to New York _____ _____ _____ in spring. Her friend, Dan, lived in New York for two years. He studied acting there and worked as a waiter. He _____ _____ _____ _____ to eat and things to do and see. Tina wants him _____ _____ _____ _____. In this situation, what would Tina say to Dan?

Tina _____

20

W What's your _____ _____?

M My favorite is the harmonica.

W Harmonica? I love the harmonica, too. It sounds great.

M My dad taught me _____ _____ _____. I can play pretty well.

W Really? _____ _____ have you played?

M _____

14 영어듣기 모의고사

정답 및 해설 p52

1 대화를 듣고, 두 사람이 찍게 될 사진을 고르시오.

Take Notes

①  ②  ③

④  ⑤

2 대화를 듣고, 여자가 선택한 의자를 고르시오.

①  ② ③

④  ⑤

3 대화를 듣고, 남자의 직업으로 가장 적절한 것을 고르시오.

① actor ② architect ③ engineer
④ book editor ⑤ photographer

4 대화를 듣고, 여자의 마지막 말에 담긴 의도로 가장 적절한 것을 고르시오.

① 사과 ② 감사 ③ 동의 ④ 거절 ⑤ 걱정

5 대화를 듣고, 남자가 여자에게 전화한 목적으로 가장 적절한 것을 고르시오.

① 도움을 요청하려고 ② 숙제를 알려주려고
③ 주소를 확인하려고 ④ 약속을 취소하려고
⑤ 친구의 안부를 물으려고

6 다음 그림의 상황에 가장 적절한 대화를 고르시오.

①   ②   ③   ④   ⑤

7 대화를 듣고, 남자가 지불할 금액을 고르시오.

① $45   ② $50   ③ $55   ④ $68   ⑤ $80

8 대화를 듣고, 남자가 할 일로 가장 적절한 것을 고르시오.

① 다시 잠자러 가기
② 경비실에 전화하기
③ 위층에 가서 항의하기
④ 위층 이웃에게 전화하기
⑤ 아이들에게 조용히 하라고 말하기

9 대화를 듣고, 남자의 심정으로 가장 적절한 것을 고르시오.

① curious   ② satisfied   ③ excited
④ regretful   ⑤ embarrassed

10 대화를 듣고, 두 사람이 대화하고 있는 장소로 가장 적절한 곳을 고르시오.

① bus stop   ② train station   ③ concert hall
④ hotel lobby   ⑤ clothing store

⑪ 다음을 듣고, 두 사람의 대화가 <u>어색한</u> 것을 고르시오.

Take Notes

①   ②   ③   ④   ⑤

⑫ 다음을 듣고, 대회에 관해 언급되지 <u>않은</u> 것을 고르시오.

① 대회 상품   ② 마감 기한   ③ 참가 비용

④ 참가 자격   ⑤ 대회의 종류

⑬ 다음 표를 보면서 대화를 듣고, 두 사람이 보기로 한 영화를 고르시오.

Central Cinema		
Time	Theater 2	Theater 3 (3D)
4:00 pm	① Rapunzel	③ Xmas Story
6:30 pm	② Rapunzel	④ Monster Trucks
8:00 pm	-	⑤ Monster Trucks

⑭ 다음을 듣고, 무엇에 관한 설명인지 고르시오.

① 칼   ② 한복   ③ 왕관

④ 반지   ⑤ 지팡이

⑮ 대화를 듣고, 여자가 남자에게 부탁한 일로 가장 적절한 것을 고르시오.

① 같이 야구하기

② 같이 야구장 가기

③ 야구 경기 표 사주기

④ 야구의 역사 알려주기

⑤ 경기장 가는 길 알려주기

16 대화를 듣고, 두 사람이 회의를 할 날짜를 고르시오.

① March 29   ② March 30   ③ March 31

④ April 4   ⑤ April 5

Take Notes

17 다음 상황 설명을 듣고, Daniel이 Jenny에게 할 말로 가장 적절한 것을 고르시오.

Daniel: _____

① I forgot about it.   ② Can I borrow it again?

③ Where did you buy it?   ④ How was the German test?

⑤ What time does the exam start?

18 대화를 듣고, 두 사람이 할 일로 가장 적절한 것을 고르시오.

① 케이블카 타기   ② 신발 갈아 신기   ③ 버스 타기

④ 택시 타기   ⑤ 식사하기

19 대화를 듣고, 상황을 가장 잘 표현한 속담을 고르시오.

① Haste makes waste.

② Time waits for no man.

③ Out of sight, out of mind.

④ Do as you would be done by.

⑤ A friend in need is a friend indeed.

20 대화를 듣고, 남자의 마지막 말에 대한 여자의 응답으로 가장 적절한 것을 고르시오.

Woman: _____

① I haven't been there yet.

② Order whatever you like.

③ Yes, that's my favorite dish.

④ No, we don't.

⑤ They have too much homework.

1

M The sunset on the lake looks so beautiful. I'll take a picture and upload it to my blog.

W Do you want me in the picture?

M Of course. I want _____ _____ _____ _____ in it. I'll use the self-timer.

W _____ _____ _____ _____? How about next to the tree on the left?

M _____ _____ we sit together on that big rock, instead?

W Good idea! That will look cool.

M OK. I just set the self-timer. Let's go.

2

M Which chair do you like best? I like _____ _____ _____ _____.

W I _____ _____ _____ _____.

M How about armrests? Do you want armrests?

W Yes, I do.

M Okay. Flowers and armrests. How about a footrest?

W Which chairs have a footrest?

M The ones with a handle on the lower left side.

W Oh, I see. I don't need a footrest. The chair with flowers is _____ _____ _____.

3

W Our guest today is Arnold Adams. Welcome to our radio program, Mr. Adams.

M Please, call me Arnold.

W Well, Arnold, congratulations on your

_____ _____ _____.

M Thanks, Liz.

W It's a great collection of your work. Tell me about the black-and-white pictures.

M I took all of them last year. They're _____ _____ _____ from my hometown.

W Do you use _____ _____ _____?

M No. I still use film.

4

W Do you want _____ _____ _____ at the library after school?

M I can't today. I've got basketball practice.

W No problem. See you tomorrow.

M Oh, Mary! _____ _____ _____ your history textbook?

W I would _____ _____ _____ _____, but I need it. I've got a history test this Friday.

5

[Telephone rings.]

W Hello?

M Hi. It's Ben from Allie's class. Is Allie OK?

W She _____ _____ _____ _____. Thanks.

M _____ _____ _____ _____ _____ for a minute?

W I'm sorry, but she is sleeping now.

M Please tell her that all of her classmates want her _____ _____ _____ _____.

W Thank you.

6

① W Are you _____ _____ _____?

  M Yes, I'll have a strawberry yogurt, please.

② W Did you finish your homework yesterday?

  M Oh, I _____ _____ it.

③ W How may I help you?

  M _____ _____ _____ this for a different one?

④ W _____ _____ do you go out to dinner?

  M Once a month.

⑤ W This is so sweet. It's my _____ _____.

  M Me, too. It's so good!

7

W Can I help you?

M Yes. I like these sneakers. _____ _____ _____ _____?

W They're $80.

M Oh, there's _____ _____?

W No, sorry.

M How about these boots? The price tag says $50.

W Those boots are 10% off.

M That's a $5 discount, right? _____ _____ _____.

8

W I can't _____ _____ _____.

M It's the neighbors upstairs again!

W It sounds like the kids are _____ _____ _____ _____ _____.

M It's 11 pm. I'll _____ _____ _____ _____.

W Are you sure? I can go up and talk to the neighbors.

M No, it's too late. What's the office number?

9

M Did you see the free movie this morning?

W Yes, it _____ _____. Where were you?

M I couldn't go. I had a terrible stomachache.

W That's too bad. You told me about the free movie! You were so excited about it.

M I know. I _____ _____ _____ _____ _____ so much pizza and chicken last night.

10

M Can I help you?

W Oh, thank you. _____ _____ _____ _____.

M I thought so.

W I'm _____ _____ a bus that goes to the Regal Hotel. I heard that number 300 goes there, but it didn't come.

M No, number 200 goes there. I'm also going to the Regal Hotel. We can _____ _____.

W Thanks.

Dictation

11

① W Where are you going?

M I'm on my way home.

② W Don't you remember me?

M Of course. I remember you.

③ W It has been _____ _____ _____, hasn't it?

M Yes, it's good to see you again.

④ W What have you been up to?

M _____ _____, how about you?

⑤ W I'm sorry, what was your name again?

M _____ _____. Don't mention it.

12

W Students who want to enter the Metro Newspaper Short Story Contest for Schools _____ _____. Entries close July 27th. That's two weeks from today. As you know, the contest is _____ _____ _____ _____, and stories may be on any topic. The limit is 1,000 words. First prize is a $1,000 gift certificate from MacMillan's Books. _____ _____ _____!

13

W _____ _____ _____ _____ go see a movie today? I'd like to see *Rapunzel*.

M _____ _____ _____ _____ _____. What else is on?

W *Monster Trucks* and *Xmas Story*.

M Are they in 3D?

W Yes, they are. Let's see *Monster Trucks*, okay? It's on at six-thirty and eight.

M Let's go to _____ _____ _____.

14

M This is _____ _____ _____ royalty and power. Kings, queens, and emperors may wear it. It is shaped like a circle and often _____ _____ precious metal, such as gold, and decorated with precious stones, such as diamonds. It is worn _____ _____ _____ only on special occasions.

15

W Hey, Alex. Do you like baseball?

M I love it. _____ _____ _____ _____?

W I have two tickets to a game this Saturday.

M Oh? Which game?

W It's at Westgate Stadium.

M Really? It's the Bears versus the Giants!

W Actually, I was looking for someone to come with me. _____ _____ _____ _____ _____?

M Sure, I'd love to!

W Great! I don't know anything about baseball. You'll _____ _____ _____ _____.

16

M We need to _____ _____ _____ for a meeting.

W What's the date today? Tuesday, March 29th right?

M Yes. And I'm busy until Friday afternoon this week.

W Friday the 1st? I have _____ _____ _____ on Friday.

M Okay. We can't meet then.

W _____ _____ _____? That will be April the 4th.

M Perfect. Monday is OK.

17

W Daniel borrowed Jenny's German dictionary last week. He had it in a German language exam. Unfortunately, he _____ _____ _____ in the exam hall, and now _____ _____. Daniel tells Jenny that he lost it and will _____ _____ _____ _____ _____. He needs to know which bookstore sells the dictionary. In this situation, what would Daniel say to Jenny?

Daniel _____

18

W Do you want to go up to Namsan Tower?

M Good idea. It's a beautiful sunny day, and it's _____ _____ _____ _____.

W But I can't walk far in my high heels. Can we _____ _____ _____?

M We can take a taxi or a bus, but I think we should _____ _____ _____ _____ up there.

W What a great idea! Why didn't I think of that?

19

W Kevin, the waiter wasn't nice to us because you were rude to him when you ordered.

M He's a waiter. It's his job to _____ _____.

W _____ _____ _____. Think about how you'd feel if you were him.

M Okay, I get it.

W You wouldn't like it, would you?

M Yeah, I'm sorry. I'll _____ _____ _____ _____.

W Thanks. It doesn't cost anything to be polite.

20

M What do you feel like for dinner?

W Why don't we _____ _____ _____?

M Okay, but _____ _____ _____ _____.

W We can take the kids to their favorite restaurant.

M Actually, that's a good idea. The barbecue restaurant?

W Yes. It'll be nice.

M _____ _____ _____ _____ _____?

W

15 영어듣기 모의고사

1 다음을 듣고, 지시에 따라 알맞게 그린 그림을 고르시오.

Take Notes

① 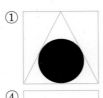 ②  ③

④ ⑤

2 다음을 듣고, 호놀룰루의 토요일 아침 날씨를 고르시오.

① snowy ② windy ③ foggy ④ rainy ⑤ cloudy

3 대화를 듣고, 여자가 가고자 하는 곳을 고르시오.

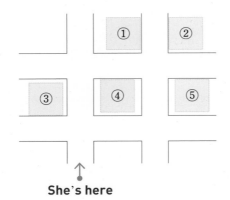

She's here

4 대화를 듣고, 여자의 심경으로 가장 적절한 것을 고르시오.

① glad ② scared ③ serious
④ nervous ⑤ annoyed

5 대화를 듣고, 여자가 지불해야 할 금액을 고르시오.

① $5 ② $20 ③ $45 ④ $50 ⑤ $55

6 대화를 듣고, 두 사람의 관계로 가장 적절한 것을 고르시오.

① teacher - student　　② coach - player

③ police officer - driver　　④ doctor - patient

⑤ police officer - witness

7 다음을 듣고, 두 사람의 대화가 <u>어색한</u> 것을 고르시오.

①　　②　　③　　④　　⑤

8 대화를 듣고, 남자의 마지막 말에 담긴 의도로 가장 적절한 것을 고르시오.

① 비난　　② 격려　　③ 동의　　④ 요청　　⑤ 거절

9 대화를 듣고, 여자가 현재 겪고 있는 문제를 고르시오.

① 새로운 직업 구하기　　② 룸메이트 구하기

③ 이사할 집 구하기　　④ 면접 준비하기

⑤ 학자금 마련하기

10 대화를 듣고, 대화의 내용과 일치하지 <u>않는</u> 것을 고르시오.

① 여자는 한국 영화를 좋아한다.

② 남자는 판타지 영화를 좋아한다.

③ 남자는 "The Faraway Tree"를 3D로 보았다.

④ 여자는 "The Faraway Tree"를 본 적이 있다.

⑤ 여자는 3D 영화를 좋아한다.

Take Notes

⑪ 대화를 듣고, 두 사람이 여행을 갈 때 가져가지 <u>않을</u> 것을 고르시오.

① 담요   ② 음식   ③ 따뜻한 옷

④ 선글라스   ⑤ 디지털 카메라

⑫ 대화를 듣고, 두 사람이 만날 시각을 고르시오.

① 5:00   ② 5:30   ③ 6:00   ④ 6:30   ⑤ 7:00

⑬ 다음 표를 보면서 대화를 듣고, 내용과 일치하지 <u>않는</u> 것을 고르시오.

	Hospital Reservation Card	
①	Patient Name	Paul Young
②	Date and Time	January 28th, 3 pm
③	Doctor's Name	Dr. Lee
④	Office Room Number	403
⑤	Building	Dental Surgery

⑭ 다음을 듣고, 무엇에 대한 설명인지 고르시오.

① ferry   ② airport

③ subway   ④ highway

⑤ skyscraper

⑮ 대화를 듣고, 상황을 가장 잘 표현한 속담을 고르시오.

① 까마귀 날자 배 떨어진다.
② 바늘 도둑이 소도둑 된다.
③ 쥐구멍에도 볕 들 날 있다.
④ 가는 말이 고와야 오는 말이 곱다.
⑤ 일찍 일어나는 새가 벌레를 잡아먹는다.

16 다음을 듣고, 서울을 떠나 네 번째로 방문할 장소를 고르시오.

① 독도　　② 강릉　　③ 전주　　④ 대전　　⑤ 부산

17 대화를 듣고, 대화 직후 남자가 할 일을 고르시오.

① 병원 가기　　② 약 받아오기　　③ 차 태워주기
④ 친구 만나기　　⑤ 동생 마중 가기

18 다음을 듣고, 이어지는 질문에 알맞은 답을 고르시오.

① Ask yourself.　　② Ask for help.
③ Accept the problem.　　④ Don't make problems.
⑤ Look into your mind.

19-20 대화를 듣고, 여자의 마지막 말에 대한 남자의 응답으로 가장 적절한 것을 고르시오.

19 Man: _____

① Once or twice.

② He told me not to.

③ Not for me, thanks.

④ I don't mind if you do.

⑤ It's okay for some people.

20 Man: _____

① Yes. That's what I heard.

② Really? It is very expensive.

③ Okay. How about after lunch?

④ That's when I met your parents.

⑤ The weather will be fine on Sunday.

1

W   First, _____ _____ _____. Then, draw a circle inside the square. The circle should touch the square on _____ _____ _____. Next, draw a triangle inside the circle. The three points of the triangle should _____ _____ _____. Finally, color the triangle black.

2

M   Here's the weekend _____ _____ for Honolulu. Today, Friday, is clear and sunny, but the afternoon will bring fog from the ocean. Clouds will form overnight. This will _____ _____ cool temperatures and light rain on Saturday morning. Ocean breezes will increase to _____ _____ Saturday afternoon.

3

W   Excuse me. How can I get to the National museum?

M   It's about ten minutes' walk from here. _____ _____ _____ _____ and turn right. Then, go straight one block and turn left. It's on your right.

W   Could you say that again, please? Go straight two blocks and _____ _____. Then…

M   Go straight one block and _____ _____. You can't miss it.

W   Thank you.

4

W   Excuse me. _____ _____ _____ _____?

M   No. You and your friends can sit here.

W   Wait a second. Is your name Scott?

M   Yes, but… how do you know?

W   Scott! It's me, Lily Kent! We were classmates in the fifth grade.

M   Lily! You have _____ _____ so much! Good to see you!

W   You, too. How amazing. _____ _____ _____ I met you here.

5

W   Hi, do you have those rain boots in size 230?

M   Which ones, the long boots or the short boots?

W   The long ones. How much are they?

M   They are $45.

W   OK. Oh, this umbrella is _____ _____!

M   Well, if you buy _____ _____ _____ _____ this week you can get an umbrella for just $5. It's a summer event.

W   So that's $50 all together? _____ _____ _____ _____.

M   Thanks. Those umbrellas usually cost $20.

6

W Can I see your license, please?

M Yes, ma'am. Just a moment. It's _____ _____ in the car.

W You should _____ _____ _____ _____ _____, sir.

M I'm sorry. *[pause]* Here it is.

W You were driving 40 km/h in a school zone, sir. The limit is 20 km.

M I didn't know that. I'm so sorry!

W I'm afraid I have to _____ _____ _____ _____. The fine is $150.

7

① M What do you like to do in your free time?

W I like to _____ _____.

② M _____ _____ _____ _____ today?

W I'm very well, thanks.

③ M Which do you like better, chicken or fish?

W I like chicken better.

④ M _____ _____ the salt and pepper, please.

W Here you are.

⑤ M Can you give me a hand moving the sofa?

W I'll _____ _____ _____ _____ _____, okay?

8

M Look at the blue sea! The water is so clean.

W Yeah, it's beautiful, but I'm getting scared.

M Let's _____ _____ _____ _____!

W No. I'm _____ _____ _____ _____.

M Don't look down, and _____ _____ _____ _____. Once you jump, you can enjoy it.

W Whew…

M Hey! You can do it. I'll count.

9

M Hi, Gemma! Did you find a new roommate?

W Not yet. I'm still looking for one.

M That _____ _____ _____.

W Yeah. My biggest problem right now is paying my rent. If I don't find a new roommate soon, I'll be _____ _____ _____!

M _____ _____ _____ for you.

W That would be great.

10

M _____ _____ _____ movie?

W I like many movies, especially Korean movies. What's your favorite?

M I like action movies and fantasy movies.

W Have you seen *The Faraway Tree* yet?

M Yes! I saw it in 3D _____ _____ _____ it came out.

W I saw it last week but not in 3D.

M Why not? 3D movies are _____!

W They give me a headache.

11

M   Jane, did you finish packing for our trip?

W   I've almost finished. I packed blankets and some food. I also checked my digital camera.

M   _____ _____ _____ warm clothes, too? It will be cold at night.

W   Sure. I even packed my winter jacket.

M   Did you _____ _____ _____? I can't find them anywhere.

W   I don't think you have to bring them. _____ _____ _____ _____ during our trip.

12

W   Are you going to the piano recital tonight? It starts at seven.

M   Yes. I'm going with Mom and Dad.

W   I really want to go. But Mom's working tonight, so she can't give me a ride.

M   We can _____ _____ _____ _____.

W   Really? That would be great!

M   Shall I go to your house _____ _____ _____ _____ it starts?

W   OK. _____ _____ _____.

13

[Telephone rings.]

W   St. Vincent's Hospital.

M   Hello. This is Paul Young. _____ _____ _____ _____ on January 28th.

W   _____ _____ _____. I'll find you on the computer.

M   It's for 3 pm and with Doctor Lee.

W   Yes, here we are.

M   _____ _____ _____ _____ _____ Dr. Lee's office is?

W   Yes, it is in the Dental Surgery Building, room 304.

M   Thank you very much.

14

M   This is used to _____ _____ _____ _____ _____ in a big city. The first one opened in London in 1863. It is also called "underground," "tube," or "metro." It is mostly built underground but some of the sections can be above ground. _____ _____ of this is to move lots of people quickly and safely _____ _____ _____.

15

W   You look _____ _____.

M   I knew it would happen someday!

W   What's up?

M   Today, three girls _____ _____ _____! Can you believe it?

W   Wow. Tell me the story.

M   Until today, every girl I asked had a partner already. I asked almost 10 girls in the past two weeks. And they all said "No." But now I _____ _____ _____ _____ _____ _____.

W   What a good day!

16

W　My friend, Susan, and I are going on a cross-country trip. There are many places we want to visit, but we _____ _____ only five places we will go to. We're going for two weeks and start out from Seoul. We'll stay in Daejeon first, and then we'll spend _____ _____ _____ _____ in Jeonju. After Jeonju, we'll go to Busan. _____ _____ _____ on the mainland will be Gangneung, and then we'll go to Dokdo by boat. We're looking forward to our trip!

17

M　Mom! What are you doing here?

W　Hi, Johnny! I just came from the clinic. I got a prescription for my allergies.

M　I hope the medicine _____ _____ _____.

W　Me, too. But I think I can't get it today.

M　Why? The pharmacy is just over there.

W　_____ _____ _____ to pick your sister up from kindergarten. _____ _____ _____ and get it for me?

M　Of course! Just give me money to pay for it.

18

M　Here are some tips when you have a problem. First, _____ _____. Is there really a problem? Very often, we make problems in our own mind. So, look into your mind. Second, _____ _____ _____ and

don't make the problem bigger than it is. Last, ask for help. You can ask people for advice. This is _____ _____ _____ when you face a problem. Don't forget that your parents and your friends are on your side.

Q　What is the best solution to solve a problem?

19

W　Do you worry about anything?

M　Yes, I worry about my father.

W　Why? What's wrong with him?

M　_____ _____ that he smokes. He smokes a pack a day.

W　Does he want to quit smoking?

M　Yes, of course. He knows how bad smoking is _____ _____ _____.

W　Has he ever _____ _____ _____?

M　_____

20

W　Did you know that we're _____ _____ _____ _____ _____ on Saturday?

M　You and your family? No, _____ _____ _____. Where are you moving to?

W　The address is 27 Victoria Street. Why don't you _____ _____ on Sunday?

M　_____

영어듣기 모의고사

정답 및 해설 p59

Take Notes

1 대화를 듣고, 여자가 이야기하는 교통수단을 고르시오.

①
②
③

④
⑤

2 대화를 듣고, Oscar가 전화를 건 목적을 고르시오.

① 예약을 확인하려고
② 체크아웃을 하려고
③ 숙박 일수를 변경하려고
④ 시설에 관해 문의하려고
⑤ 체크인 시간을 앞당기려고

3 대화를 듣고, 여자가 구입할 과일을 고르시오.

①
②
③

④
⑤

4 대화를 듣고, 여자가 먹을 샌드위치에 들어갈 재료가 <u>아닌</u> 것을 고르시오.

① onion
② beef
③ mustard
④ lettuce
⑤ mayonnaise

5 대화를 듣고, 여자가 한 마지막 말의 의도를 고르시오.

① 거절
② 위로
③ 비난
④ 칭찬
⑤ 축하

6 대화를 듣고, 여자의 심정으로 가장 알맞은 것을 고르시오.

① worried　　② excited　　③ relaxed

④ disappointed　　⑤ regretful

7 다음을 듣고, 두 사람의 대화가 <u>어색한</u> 것을 고르시오.

①　　②　　③　　④　　⑤

8 대화를 듣고, 여자가 남자에게 부탁한 일로 가장 적절한 것을 고르시오.

① 약 사 오기　　② 옷 가져오기

③ 학교에 전화하기　　④ 자전거 수리하기

⑤ 병원에 데려다 주기

9 대화를 듣고, FTA의 영향으로 언급되지 <u>않은</u> 것을 고르시오.

① 무역이 활성화된다.
② 일자리가 많아진다.
③ 상품 가격이 오른다.
④ 자동차 수출이 늘어난다.
⑤ 농부들이 피해를 입을 수 있다.

10 대화를 듣고, 등록이 마감되는 요일을 고르시오.

① 화요일　　② 수요일　　③ 목요일

④ 금요일　　⑤ 토요일

11 대화를 듣고, 두 사람이 대화하는 장소를 고르시오.

① office   ② supermarket   ③ coffee shop
④ dry cleaner's   ⑤ clothing store

12 대화를 듣고, 여자가 호소하는 증상으로 언급되지 <u>않은</u> 것을 고르시오.

① 두통   ② 복통   ③ 불면증
④ 목 통증   ⑤ 어깨 통증

13 다음 표를 보면서 대화를 듣고, 내용과 일치하지 <u>않는</u> 것을 고르시오.

Café Name	① Madam Gree
Location	② on King St.
Type	③ Tarot Card Café
Hours	④ 2 pm - 10 pm
Working Days	⑤ Wednesday, Sunday

14 다음을 듣고, 무엇에 관한 안내 방송인지 고르시오.

① 소화기 사용법   ② 화재 시 대피 요령
③ 화재 시 인명 구조 방법   ④ 화재 발생의 다양한 원인
⑤ 연기 감지기 설치 및 관리의 필요성

15 대화를 듣고, 두 사람이 자녀들에 대해 걱정하는 이유를 고르시오.

① 게임을 많이 해서   ② 채소를 먹지 않아서
③ 책을 너무 안 읽어서   ④ 집안에만 있어서
⑤ 건강이 너무 안 좋아져서

16 다음을 듣고, 무엇에 대한 설명인지 고르시오.

① socks   ② skirt   ③ jeans   ④ skates   ⑤ rain boots

Take Notes

17 대화를 듣고, 이번 주말에 남자가 할 일로 바르게 짝지어진 것을 고르시오.

① 등산 – 캠핑   ② 운동 – 캠핑
③ 캠핑 – 영어 숙제   ④ 등산 – 영어 숙제
⑤ 영어 숙제 – 대청소

18 대화를 듣고, 상황을 가장 잘 표현한 속담을 고르시오.

① Walls have ears.
② Bad news travels fast.
③ All that glitters is not gold.
④ Birds of a feather flock together.
⑤ When in Rome, do as the Romans do.

19-20 대화를 듣고, 여자의 마지막 말에 대한 남자의 응답으로 가장 적절한 것을 고르시오.

19 Man: _____

① Here it is.
② It's five dollars.
③ I'm a stranger here.
④ It takes around fifteen minutes.
⑤ The hotel is next to the bus stop.

20 Man: _____

① I started when I was 10.
② I don't mind if you read it.
③ You can write anything you like.
④ Your memory improves if you keep one.
⑤ It helps ease your mind when you're worried.

1

W   Guess what I'm drawing. It's something _____ _____ _____.

M   Let's see. Can I ride it on land, in the air, or across oceans and rivers?

W   You can only ride it _____ _____. It would sink in water. And it can't fly.

M   Does it have wheels?

W   Yes, two wheels and a seat.

M   I know what it is! We _____ _____ _____ _____ every day!

2

[Telephone rings.]

W   Spring Valley Resort.

M   Hi. This is Oscar Choi. I _____ _____ _____ tomorrow.

W   Yes, Mr. Choi. How may I help you?

M   Can I check in _____ _____ 3 pm?

W   _____ _____ check-in is noon, and there's a $30 fee.

3

M   Hi, Ms. Collins! What can I do for you today?

W   I'm going to _____ _____ _____. What fruit do you recommend?

M   How about peaches or lemons? You can't _____ _____ _____ _____.

W   Well, I bought them last week.

M   What about apples and cherries? They are really good!

W   How much are they?

M   Apples are $7 a kilo, and cherries are $9.

W   Then, I will take _____ _____ _____. Thanks.

4

M   I'm making a sandwich. Do you want one, too?

W   Yes, please. What kind are you making?

M   Roast beef with lettuce, sliced onion, mustard, and mayonnaise.

W   _____ _____. Is the onion cooked?

M   No. It's fresh.

W   Oh. I'm _____ _____ fresh onion.

M   That's too bad. I love fresh onion! I'll _____ _____ _____ of yours, then.

W   Thanks for doing that.

5

M   How did you do on the math test?

W   I think I _____ _____ _____. It was easy! How about you?

M   I don't know. I think _____ _____ _____ _____.

W   What makes you think that?

M   I didn't read the instructions properly. And I think the time was _____ _____ _____ _____ to find answers.

W   Don't worry about it. I'm sure you did well.

6

W Where's the sunscreen? Did I _____ _____ in the hotel room?

M No, you didn't. It's in my bag. If you need it, just tell me.

W Thanks. I love being here at the beach. It makes _____ _____ _____ _____.

M What worries do you usually have?

W I can't think of any now. _____ _____ _____?

7

① M Do you want to come over to my house today?

　 W Yeah! I'll ask Mom _____ _____ _____.

② M Do you look like your dad or your mom?

　 W I like _____ _____ _____.

③ M It's raining hard. I'm going to get wet.

　 W Don't worry. I'll share my umbrella with you.

④ M _____ _____ _____ _____ Sarah is?

　 W No, I haven't seen her today.

⑤ M What are you going to do tomorrow?

　 W I'm going to see a movie with Ann.

8

[Telephone rings.]

W Hello, Rick. It's Christine.

M Hi, what's up?

W While I was riding my bike to school, _____ _____ _____ _____ _____.

M Are you okay? Did you _____ _____?

W I just have some scratches on my arm. But my T-shirt was torn when I fell down. I need to change my T-shirt.

M Okay, _____ _____ _____ _____.

9

W What do you think about the FTA?

M I'm not sure. I guess it will increase _____ _____.

W That's true. The FTA should _____ _____ _____ and improve industrial skills, too.

M What about imports?

W Well, a lot of goods _____ _____ _____ _____, especially rice.

M Really? Then, cheap imports could harm our rice farmers.

10

M Did you _____ _____ for a volunteer program?

W Yes. I signed up for "Meals on Wheels."

M Is that the program where you _____ _____ _____ hot meals to old people who live alone?

W Yes. You should sign up for the program, too. _____ _____ on Friday.

M I think it will be cool. I'll go and sign up now.

W It starts next Tuesday and runs every Tuesday and Thursday at lunchtime.

11

W   Good morning, Mr. Brown.

M   Hi, Ms. Allen, how may I help you?

W   I'd like to have this blouse cleaned. It has
_____ _____ on the sleeve.

M   Oh, I see. It will be ready on Friday morning.

W   _____ _____ _____ _____ by
Tuesday? I need it on Wednesday.

M   Okay, I'll _____ _____ _____ yours
first.

12

M   It's been six months since the car accident.
How are you feeling now?

W   I still _____ _____ _____.

M   How about your neck and shoulders?

W   The pain is _____ _____. But I still
can't move my head to the side.

M   How are you sleeping?

W   Not very well, I'm afraid.

M   Well, I'll give you _____ _____
_____ for your pain.

13

M   I went to a tarot card cafe. It was fun.

W   _____ _____ _____ _____!

M   The name of the cafe is "Madam Gree."
I found it on King Street, next to Han's
Chicken.

W   What cards did you pick?

M   The moon card was first. She said it means
my dreams will _____ _____.

W   Really? That's interesting. I want to go there
and ask her about my future life.

M   Here's her card. _____ _____ _____
Wednesday to Sunday, 2 pm till 10 pm. But
don't be serious. It's just for fun, you know.

14

M   Good morning. I'm Jerald Smith from the
Springfield Fire Department. Do you know
more than 3,000 people died in their homes
last year? In most cases, a smoke alarm
didn't _____ _____. A sounding
smoke alarm gives you _____ _____
to get out of your house safely. Install your
house smoke alarms and _____ _____
_____. It is a simple way to keep you and
your family safe.

15

M   Where are the kids?

W   They're in Jessie's bedroom, playing video
games.

M   Have they been outside to play today?

W   No. It's pretty cold outside, so I _____
_____ _____ _____.

M   Honey, we talked about this. The kids
spend too much time indoors. It's _____
_____ _____ _____ _____.

W   Right. I'll tell them to finish their game and
_____ _____.

16

W These are pieces of clothing which cover the foot, ankle, and lower part of the leg. They can be thick and thin, plain or patterned. They are usually _____ _____ cotton, wool, or nylon. In summer, they absorb your foot sweat. In winter, they help to _____ _____ _____ _____ _____. When you go outside, you shouldn't wear them alone. You should wear them together _____ _____ _____.

17

W I am going to go camping this weekend with my friends. Would you like to go with us?

M I would love to, but I can't.

W Why not? Do you have _____ _____ _____?

M I'll be busy this weekend. I promised to _____ _____ _____ with my dad on Saturday.

W How about Sunday? Sunday is free, right?

M Sorry, I have to do my English homework on Sunday. Maybe we can go camping together _____ _____.

18

W Hello, Mark! Welcome to India!

M Thank you for _____ _____. I am glad to see you again.

W Let's eat dinner first. I made some curry and rice for you.

M Hmm… smells good. Thank you very much. By the way, where is the spoon?

W We usually eat rice with our hands.

M Really? We never eat rice with our hands _____ _____ _____.

W You are in India now. _____ _____ _____ _____!

19

M May I help you?

W I'm looking for the Victoria Hotel.

M Oh, it's _____ _____ _____.

W Really? It's my first visit in this town. How can I _____ _____?

M Well, you can take a subway or a taxi.

W _____ _____ _____ _____ to go to the hotel by taxi?

M _____

20

M Do you _____ _____ _____?

W I used to keep a diary for years, but I don't do it anymore. I don't have time to.

M What about your old diaries? Do you still have them?

W Of course. They're precious memories.

M That's why I keep mine. It's _____ _____ _____.

W _____ _____ _____ _____ keeping yours?

M _____

1 대화를 듣고, 두 사람이 이야기하고 있는 표지판을 고르시오.

Take Notes

①  ② ③

④  ⑤

2 대화를 듣고, 대화의 내용에서 언급되지 않은 도구를 고르시오.

①  ②  ③

④  ⑤

3 대화를 듣고, 여자가 아침으로 먹을 음식을 고르시오.

① 우유와 시리얼   ② 오렌지 주스   ③ 참치 샌드위치
④ 바나나   ⑤ 밥과 국

4 대화를 듣고, 남자의 마지막 말의 의도로 가장 알맞은 것을 고르시오.

① 격려   ② 충고   ③ 위로   ④ 거절   ⑤ 동의

5 대화를 듣고, 여자의 직업으로 가장 적절한 것을 고르시오.

① 승무원   ② 식당 종업원   ③ 버스 기사
④ 티켓 판매원   ⑤ 이민국 직원

6 대화를 듣고, 여자의 심경으로 가장 알맞은 것을 고르시오.

① pleased   ② jealous   ③ relaxed
④ angry   ⑤ proud

Take Notes

7 다음을 듣고, 두 사람의 대화가 어색한 것을 고르시오.

①   ②   ③   ④   ⑤

8 대화를 듣고, 대화 후 여자가 할 일로 가장 적절한 것을 고르시오.

① 선물 열어 보기   ② 공책 사러 가기
③ 소포 부치기   ④ 감사 카드 쓰기
⑤ 스웨터 입어 보기

9 대화를 듣고, 여자가 지불해야 할 금액을 고르시오.

① $2   ② $10   ③ $20   ④ $26   ⑤ $30

10 대화를 듣고, 대화의 내용과 일치하지 않는 것을 고르시오.

① 여자는 Mark Twain의 소설을 읽고 있다.
② 허클베리 핀에는 옛날식 영어 표현이 많이 쓰였다.
③ 여자는 소설을 읽으며 사전을 사용하고 있다.
④ 허클베리 핀은 미국에서 처음 출간되었다.
⑤ 허클베리 핀이 처음 출간된 것은 1884년이다.

Take Notes

11 대화를 듣고, 두 사람이 대화하는 장소를 고르시오.

① 병원 ② 은행 ③ 미술관
④ 서비스 센터 ⑤ 휴대 전화 판매점

12 다음을 듣고, 다음 학기 수업 등록에 대해서 언급되지 <u>않은</u> 것을 고르시오.

① 수업 과목 ② 수업 기간 ③ 등록 마감일
④ 수업 정원 ⑤ 수업료

13 다음 표를 보면서 대화를 듣고, 내용과 일치하지 <u>않는</u> 것을 고르시오.

Title	① Avengers
Time	② 3:30
Rated	③ 15 and over
Seat No.	④ G7
Ticket Price	⑤ $8

14 대화를 듣고, 남자가 아침 식사를 거른 이유를 고르시오.

① 시간이 없어서 ② 의사가 먹지 말라고 해서
③ 먹고 싶지 않아서 ④ 다이어트 중이라서
⑤ 건강상의 문제가 있어서

15 다음을 듣고, 무엇에 대한 내용인지 고르시오.

① 영업시간 변경 ② 임시 폐업 안내
③ 쇼핑 정보 안내 ④ 내부 점포 이전
⑤ 특별 세일 기간

16 대화를 듣고, 겨울 학기의 수업 시작 시간을 고르시오.

① 8:30 am   ② 9:00 am   ③ 9:20 am

④ 9:30 am   ⑤ 10:00 am

17 대화를 듣고, 남자가 오늘 할 일을 고르시오.

① 편지 쓰기   ② 선물 사기   ③ 샤워하기

④ 숙제하기   ⑤ 방 청소하기

18 다음을 듣고, 상황을 가장 잘 표현한 속담을 고르시오.

① Like father, like son.

② Practice makes perfect.

③ Honesty is the best policy.

④ It's no use crying over spilt milk.

⑤ A picture is worth a thousand words.

19-20 대화를 듣고, 여자의 마지막 말에 대한 남자의 응답으로 가장 적절한 것을 고르시오.

19 Man: _____

① Because he loves her.

② The wedding date is set.

③ I think they invited 200.

④ Do you like her?

⑤ In her hometown, Toronto.

20 Man: _____

① Because you're only 15.

② The tickets were $9 each.

③ I'll have popcorn and a Coke.

④ She said it's extremely violent.

⑤ We can see it some other time.

Dictation

1

W   This museum is great! We can see many historical artworks.

M   It sure is. But please _____ _____ _____ they are very precious. So _____ _____ _____.

W   I know. Look! There is another hall. Let's go there.

M   Wait. Can't you see that sign? It says "_____ _____ _____." It means we can't go in there.

W   Oh, I didn't see that. Thanks for the tip.

2

M   Mom, _____ _____ _____ my sketchbook and water colors?

W   Aren't they in your school bag?

M   Oh, I found them. I need my paint brushes, too.

W   _____ _____ in your desk drawer.

M   Let's see. *[pause]* Yes. I found them, too.

W   _____ _____ _____ _____ _____ to take? What about your artist's pencil?

M   I've got my artist's pencil in my locker at school. Thanks, Mom!

3

M   Honey, come and have breakfast.

W   That's okay, Dad. I'm not very hungry.

M   You have to eat something _____ _____ _____ _____.

W   I'll have orange juice on my way.

M   A drink is not enough for a growing teenage girl. _____ _____ have a banana.

W   Okay, Dad. Mom bought some breakfast cereal yesterday. I'll have it with milk.

M   Good. _____ _____ is bad for you.

4

W   Dad, I have to _____ _____ _____.

M   Go ahead, sweetie.

W   _____ _____ _____ _____ _____ with Lucy and Tina at Lake Mountain next weekend.

M   Just three girls? _____ _____ _____. I trust you and your friends, but you're too young. Sorry.

5

M   What do you like best about your job?

W   Let's see. I like meeting people and _____ _____ _____ _____.

M   And what don't you like?

W   Rude and angry passengers, and especially passengers who get drunk.

M   Aren't you _____ _____ _____ _____?

W   No. Flying is actually _____ _____ _____ driving.

6

M Hi, Miranda! Have you ever been to Tim's Noodles?

W Yes, I went there yesterday.

M _____ _____ _____ having dinner with my parents there. How was it?

W _____ _____ _____.

M What happened?

W I didn't like the food, and I found two hairs in it. What's _____ _____, the manager didn't apologize.

7

① M Would you like some more cake?

  W No, thank you. _____ _____.

② M Watch out for broken glass on the ground.

  W Thanks for _____ _____!

③ M What does your father do?

  W He's a truck driver.

④ M _____ _____ _____ today?

  W It's the eleventh of August.

⑤ M _____ _____ will you stay here?

  W It takes about an hour.

8

M Look, Sissy! _____ _____ _____ in the mailbox for you! It's from Scotland.

W Wow! It's a birthday present from Grandma.

M Open it!

W Oh! It's so cute! It's a hand-knitted sweater.

M I think it will _____ _____ _____.

W Wait a minute. I will _____ _____ _____ now.

9

M Hi. Can I help you?

W Yes, please. _____ _____ are the strawberry donuts?

M They're 2 dollars each.

W OK. _____ _____ _____, please. Oh! Those sandwiches look good, too.

M They're 10 dollars each. How many would you like to have?

W Three strawberry donuts and _____ _____, please.

10

M Oh, you are reading "Huckleberry Finn," by Mark Twain. Is it good?

W Yes. But some of the language is difficult.

M _____ _____ _____ _____?

W There are so many old-fashioned words in it. I have to use a dictionary _____ _____ _____.

M When was it written?

W Let's see. _____ _____ _____ _____ in the UK in 1884, then in America in 1885.

M That's interesting.

11

M Hello, how may I help you?

W Hi. I dropped my smart phone yesterday, and the display screen is cracked.

M Okay. May I _____ _____ _____ _____ _____?

W Sure. Here you are.

M Well… you're right. The screen is broken.

W How long will it take to fix it, and _____ _____ _____ _____ _____?

M It takes only ten minutes, and the repair cost is $50. Please _____ _____ _____ and wait until I call your name.

W Okay.

12

M Next semester's classes are open for registration. Classes are open to 9th grade students including science experiments, French cooking, and knitting. _____ _____ for registration is next Friday, and _____ _____ _____ _____ _____ 15 students. _____ _____ for the semester is $250.

13

M Hi, I'd like to _____ _____ _____ _____ for *Avengers* at two-thirty.

W Okay, can I see your student ID? This movie _____ _____ _____ 15 and over, so you should be older than 15 to watch this movie.

M Oh, here it is. I'm 17.

W Good. We have only _____ _____ _____. Do you mind sitting in the back row?

M No problem.

W Okay. Your seat number is G7. That will be $8.

M Here you are.

14

M I'm so hungry! I didn't have breakfast this morning.

W Here, you can have my banana muffin.

M Thanks, but _____ _____ _____ _____.

W Why not? Are you _____ _____ _____?

M No, I have an appointment for _____ _____ _____. The doctor told me not to eat for 12 hours beforehand.

W Oh. What time is your checkup?

M 1 pm. I can't wait until it's done.

15

M Good afternoon, shoppers. Welcome to City Plaza Shopping Mall. Please note that City Plaza's _____ _____ _____ _____ next week because of its remodeling process. The remodeling work will take approximately three months. During this time, _____ _____ _____ _____ at noon and close at 7 pm every day. _____ _____ _____ any inconvenience. Thank you.

16

M What time is it, Mom?

W It's eight-thirty. I'll _____ _____ _____ _____ to school on my way to work.

M This week we _____ _____ _____ _____ _____. We don't start at 9 am now.

W That's right. I forgot! School starts at 10 am now, doesn't it?

M Yes, it does. So you don't need to give me a ride. I'll _____ _____ _____ around nine-twenty.

17

W When are you going to America?

M _____ _____ _____. I got my ticket yesterday.

W Great. And where will you be staying?

M I'll be staying with my aunt Marie in L.A. And I'm going to write a letter to her today.

W You can _____ _____ _____.

M Actually, _____ _____ _____ _____ a real letter with a birthday card. It's her birthday next week.

W That's really nice of you.

18

M I _____ _____ _____ _____ _____ until I had enough to buy a new game. Then, I put my money in my pocket and rode my bike to the electronics market. But when I was ready to pay for the game,

I realized _____ _____ _____ _____. It was a stupid mistake to carry money in my back pocket. I was really upset, but Mom said that being upset won't bring my money back. It is _____ _____ _____.

19

W Would you like to go camping this weekend?

M I'm sorry, but I can't.

W Oh, why not?

M My Uncle Jack is _____ _____.

W I like your Uncle Jack! He's funny. Who is _____ _____ _____?

M You met her at my birthday party, remember? Her name's Karen.

W Oh, that's right. _____ _____ _____ getting married?

M _____

20

M I couldn't get tickets to *Hard Ball*, so I got tickets to the other movie.

W But *Hard Ball* isn't _____ _____, is it?

M No, it's not. But the ticket seller told me we can't go in.

W Why not?

M She said _____ _____ _____ _____ _____ _____ to see it.

W I didn't know that. _____ _____ young students see it?

M _____

18 영어듣기 모의고사

1 대화를 듣고, 남자의 애완동물을 고르시오.

Take Notes

①    ②   ③

④    ⑤

2 대화를 듣고, 여자가 전화를 건 목적을 고르시오.

① 파티에 초대하려고   ② 숙제를 도와 달라고

③ 이메일 주소를 확인하려고   ④ 리스트 작업을 도와 달라고

⑤ 이메일로 파일을 전송해 달라고

3 다음을 듣고, 그림의 상황에 가장 잘 어울리는 대화를 고르시오.

①   ②   ③   ④   ⑤

4 대화를 듣고, 남자가 한 마지막 말의 의도를 고르시오.

① 동의   ② 감사   ③ 충고   ④ 격려   ⑤ 위로

5 대화를 듣고, 남자의 직업으로 가장 적절한 것을 고르시오.

① animal doctor   ② reporter   ③ bank teller

④ teacher   ⑤ police officer

6 대화를 듣고, 여자가 지난 휴가 때 이용한 교통수단을 고르시오.

①   ②  ③

④  ⑤

7 다음을 듣고, 두 사람의 대화가 <u>어색한</u> 것을 고르시오.

①   ②   ③   ④   ⑤

8 대화를 듣고, 남자의 심정으로 가장 적절한 것을 고르시오.

① happy   ② proud   ③ regretful
④ nervous   ⑤ embarrassed

9 대화를 듣고, 여자가 대화 직후에 할 일로 가장 적절한 것을 고르시오.

① 영화 보기   ② 저녁 먹기
③ 음식 준비하기   ④ 약속 취소하기
⑤ 할머니 마중 나가기

10 다음을 듣고, 남자의 동생이 가장 좋아하는 캐릭터를 고르시오.

① 스파이더맨   ② 배트맨   ③ 아이언맨
④ 슈퍼맨   ⑤ 헐크

Take Notes

⑪ 대화를 듣고, 두 사람이 대화하는 장소를 고르시오.

① 학교   ② 식당   ③ 수족관

④ 수산시장   ⑤ 동물병원

⑫ 대화를 듣고, 남자가 지난 월요일에 본 전시를 고르시오.

① Nam June   ② Undersea Creatures

③ Natural History   ④ Modern Korean Art

⑤ Human Body Revealed

⑬ 대화를 듣고, 여자가 구매한 표의 내용과 일치하지 <u>않는</u> 것을 고르시오.

①	②	③	④	⑤
제목	요금	장소	관람 예정일	좌석위치
The Musical Wicked	$120 per person	Seoul Art Center	February 14th	VIP

⑭ 다음을 듣고, 무엇에 대한 설명인지 고르시오.

① 팥빙수   ② 수정과   ③ 한과   ④ 식혜   ⑤ 오미자차

⑮ 대화를 듣고, 여자가 응원하는 팀을 바꾼 이유를 고르시오.

① 감독이 바뀌어서

② 팀 성적이 좋지 않아서

③ 응원했던 팀이 해체되어서

④ 좋아하는 선수가 팀을 바꿔서

⑤ 응원했던 팀의 경기장 시설이 안 좋아서

16 대화를 듣고, 남자가 지불해야 할 금액을 고르시오.

① $5　　② $10　　③ $15　　④ $20　　⑤ $25

17 다음을 듣고, 안내 방송에서 언급되지 않은 것을 고르시오.

① 이용 요금　　② 환승 정보　　③ 도착역 이름
④ 경유 역 정보　　⑤ 역 근처 주요 시설

18 대화를 듣고, 상황을 가장 잘 표현한 속담을 고르시오.

① 무소식이 희소식이다.
② 까마귀 날자 배 떨어진다.
③ 돌다리도 두들겨 보고 건너라.
④ 노력은 결과를 배신하지 않는다.
⑤ 가는 말이 고와야 오는 말이 곱다.

19-20 대화를 듣고, 남자의 마지막 말에 대한 여자의 응답으로 가장 적절한 것을 고르시오.

19 Woman: _____

① Yes, in English.
② No, it's a library book.
③ I don't read very often.
④ They're great. I love them!
⑤ How did you know about the murders?

20 Woman: _____

① You can ride a bike.
② It's on their website.
③ I can't drive anyway.
④ We should stay indoors.
⑤ City taxes can pay for it.

1

M Here's a picture of my pet, Mr. Biggles!

W Oh, I love his little black eyes!

M I'm _____ _____ _____ _____ in the picture.

W Really? Don't _____ _____ hurt you?

M No, _____ _____ _____ _____ and brush gently over the spikes.

W His nose is really cute! He looks very happy.

2

[Telephone rings.]

M Hey, Maggie. _____ _____?

W I'm calling to check your e-mail address. You know I'm _____ _____ _____ _____ _____ of our class.

M Don't you already have it?

W I just have to check that it's _____ _____ _____. I'm calling everyone now.

M Oh. It's still June@me.com.

W Great. Now I have only one more e-mail to check.

M Good job, Maggie. See you at school!

3

① W Can I see your passport, please?

   M Sure, here it is.

② W _____ _____ are tickets?

   M $10 for adults and $3 for children.

③ W I would like to open a savings account.

M Okay. May I have your name and address?

④ W Go straight two blocks and turn left.

   M _____ _____ _____ _____! Thanks.

⑤ W _____ _____ _____ _____ to buy that toy car for my brother.

   M Really? How much more do you need?

4

W Dad, we need to talk about the International Student Exchange program.

M I said you _____ _____ _____ it this year. You're still too young.

W Actually, Dad, I won't apply now. It will be better if _____ _____ _____ _____ _____, I think.

M I'm glad you _____ _____ _____. I feel the same way.

5

M Good afternoon. What can I do for you?

W Hi. I found this wallet on my way to school. I didn't know what I should do, so _____ _____ _____ _____.

M Good job! Can you tell me _____ _____ _____ _____ _____ _____?

W It was this morning, about eight o'clock, in front of Petsafe Animal Hospital.

M Okay. Oh, there is an ID card in it, so _____ _____ _____ _____ _____.

W Great! I hope you find its owner soon.

148

6

M Guess where I'm going for the summer vacation!

W Let's see. Are you flying there?

M I think there is _____ _____ _____ _____.

W Are you going by ferry?

M No.

W I have no idea. Give me a hint.

M OK. I'll go to the village _____ _____ _____ _____ _____ _____ _____ _____.

W Ah-ha! You're going to Hae-nam! _____ _____ _____ _____ _____ last summer!

M I know you did. That's why I'm going there!

7

① W Tom seems to be _____ _____.

　 M Yes. He is going to watch a baseball game tomorrow.

② W What color will you paint your boat?

　 M I'd like to paint it green.

③ W Have you ever seen a snake?

　 M Yes. There are lots of snakes _____ _____ _____ _____.

④ W _____ _____ _____ _____ _____, pizza or pasta?

　 M I want pasta with cheese.

⑤ W _____ _____ _____ _____ for Spain?

　 M Last Saturday. I had a good time there.

8

W Are you ready for the entrance exam?

M I _____ _____ _____ what I should do.

W Why? _____ _____ _____?

M Actually, I couldn't sleep at all last night. _____ _____ _____ _____ about the exam.

9

W I'm going to see a movie with Sue tonight, Dad.

M Does your mother know?

W _____ _____ _____.

M Yes, she will. Grandmother is _____ _____ tonight.

W So I can't go?

M Your grandma _____ _____ _____ if you don't have dinner with us.

W Okay. I'll call Sue and cancel.

M Thanks, sweetie.

10

M My little brother, Matt, is _____ _____ super heroes like Batman, Superman, Iron Man, the Hulk, and Spiderman. He sleeps in Batman pajamas with his Batman doll. He watches Spiderman and Iron Man movies _____ _____ _____ _____.

He _____ _____ he's the Hulk and Superman. But I think the hero he loves the most is the one he sleeps with.

11

W Dad, it smells bad here! And it's _____ _____ _____ _____!

M You'll _____ _____ _____ _____. It smells like the ocean. And everything is fresh!

W What are you going to buy?

M Your mother wants oysters _____ _____ _____. I'm going to buy a nice big fish to roast!

12

W _____ _____ _____ "the Human Body Revealed" exhibition?

M Yes, you should see it, too! _____ _____ _____.

W I went to the "Nam June" art exhibition on the weekend.

M I'd like to see that, too. And the "Undersea Creatures" exhibition.

W _____ _____ is showing "the Human Body Revealed?"

M The History Museum. I went there last Monday.

13

W I finally got tickets to *The Musical Wicked* on February 14th. You know, it was very hard to get tickets on Valentine's Day.

M Great! It's our parents' anniversary. Mom and Dad will love it. How much were they?

W $120 altogether. I bought VIP seats, so they are _____ _____ _____ we expected.

M That's okay. I'll _____ _____. Here's $60.

W Thanks. _____ _____ _____ _____ to Seoul Art Center on February 14th?

M Sure, I can.

14

M This is a traditional Korean _____ _____. These days, it's sold in supermarkets and vending machines year-round. It's _____ _____ _____ and is white and _____ _____. It goes well with traditional Korean snacks. What is this famous Korean drink?

15

M What's your favorite baseball team?

W I always loved the Reds. But _____ _____ _____ this season.

M Oh, really? Is it because the Reds lost many of their games last season?

W No. Guess again.

M Okay. _____ _____ did you change to?

W I changed to the Tigers.

M I got it! Jack Jones went to the Tigers this season.

W You are right! He's _____ _____ _____.

16

M   Excuse me, how much is this cream cheese?

W $5 for a small container, $15 for a large one. The large is five times bigger.

M   Really? The large one seems _____ _____.

W   Yes. _____ _____ _____ _____ to buy the large one.

M   But I only have ten dollars. I'll take _____ _____ _____.

17

W   This station is Baker Street. _____ _____ for the Bakerloo and Metropolitan lines. _____ _____ for National History Museum. This is a Circle Line train via King's Cross, St. Pancras, and Liverpool Street stations. Please _____ _____ _____ when you leave the train.

18

M   Jane, do you remember Shane who moved to Japan last year?

W   Sure, I do. _____ _____ _____ so much.

M   Have you heard any news about him? . I haven't heard anything from him _____ _____ _____.

W   No, I think no one has ever heard from him.

M   I wonder if he is OK.

W   Well, maybe it could mean _____ _____ _____ _____ _____. I'm sure he is fine.

19

M   What are you reading?

W   It's a new book, called *The Seonyudo Murders*.

M   Oh. _____ _____ _____ author?

W   It's by my favorite Korean writer, Inho Lee.

M   I haven't _____ _____ _____.

W   _____ _____ _____ detective novels set in Seoul. I've read all of his novels.

M   Wow. What are they like?

W   _____

20

M   The traffic and smog are terrible today.

W   Yeah. We should wear dust masks _____ _____ _____ _____.

M   I wish more people would walk or ride bikes _____ _____ using cars and motorcycles.

W   Well, the City Council is doing something to help. They're building lots of bike paths, and car-free zones.

M   That's great news. _____ _____ _____ _____?

W   _____

19 영어듣기 모의고사

정답 및 해설 p70

1 대화를 듣고, 여자가 묘사하고 있는 요가의 자세로 가장 알맞은 것을 고르시오.

Take Notes

①   ②    ③

④   ⑤

2 대화를 듣고, 화요일의 날씨를 고르시오.

① sunny   ② windy   ③ snowy
④ rainy   ⑤ cloudy

3 대화를 듣고, 대화가 이루어지고 있는 장소를 고르시오.

① museum   ② bank   ③ parking lot   ④ hospital   ⑤ airport

4 다음을 듣고, 남자의 심경을 가장 잘 나타낸 것을 고르시오.

① angry   ② bored   ③ pleased   ④ curious   ⑤ embarrassed

5 대화를 듣고, 남자가 전화를 건 목적으로 가장 알맞은 것을 고르시오.

① 교환 문의를 하려고
② 페인트를 주문하려고
③ 카탈로그를 신청하려고
④ 구입한 페인트를 환불하려고
⑤ 페인트에 대해 조언을 구하려고

6 다음을 듣고, 여자가 설명하는 것으로 가장 알맞은 것을 고르시오.

Take Notes

① 거울　　② 수건　　③ 드라이기　　④ 휴지　　⑤ 비누

7 대화를 듣고, 남자가 멕시코로 떠나는 날짜를 고르시오.

① August 1st　　② August 15th　　③ August 16th
④ August 31st　　⑤ September 1st

8 대화를 듣고, 두 사람이 주문할 물건의 가격을 고르시오.

① $75　　② $90　　③ $100　　④ $150　　⑤ $200

9 다음을 듣고, 표의 내용과 일치하지 않는 것을 고르시오.

Seoul Robot Museum

Age	Admission Fee
Under 5	No Admission Fee
5~7	$3
8~18	$5
19~65	$6
Over 65	$3

①　　　②　　　③　　　④　　　⑤

10 대화를 듣고, 여자의 가족이 여행을 취소한 이유를 고르시오.

① 할 일이 많이 생겼기 때문에
② 휴가 일정이 변경되었기 때문에
③ 여행 장소가 변경되었기 때문에
④ 더 저렴한 항공편이 나왔기 때문에
⑤ 날씨가 안 좋을 것으로 예상되기 때문에

11 대화를 듣고, 대화를 마친 후 남자가 할 일을 고르시오.

① 장보기   ② 요리하기

③ 식당 예약하기   ④ 햄버거 사 오기

⑤ 인터넷으로 식당 찾기

Take Notes

12 대화를 듣고, 두 사람의 관계로 가장 알맞은 것을 고르시오.

① 변호사 - 증인   ② 점원 - 고객   ③ 경찰관 - 피해자

④ 상담사 - 환자   ⑤ 경찰관 - 증인

13 대화를 듣고, 등산할 때의 주의 사항으로 표지판에 언급되지 <u>않은</u> 것을 고르시오.

① 취사 금지   ② 금연

③ 낙서 금지   ④ 뱀 주의

⑤ 동물에게 먹이 주기 금지

14 다음을 듣고, 그림의 상황에 가장 어울리는 대화를 고르시오.

①   ②   ③   ④   ⑤

15 대화를 듣고, 여자가 에너지 절약을 위해 하는 일을 고르시오.

① 재활용하기   ② 샤워 짧게 하기

③ 대중교통 이용하기   ④ 일회용품 쓰지 않기

⑤ 가전제품 플러그 뽑기

16 다음을 듣고, 두 사람의 대화가 <u>어색한</u> 것을 고르시오.

①   ②   ③   ④   ⑤

Take Notes

17 대화를 듣고, 여자가 해 보지 <u>않은</u> 봉사 활동을 고르시오.

① 공원 청소   ② 요양원 봉사   ③ 고아원 봉사
④ 한글 교육 봉사   ⑤ 외국인 관광객 안내

18 다음을 듣고, Louise가 종업원에게 할 말로 가장 알맞은 것을 고르시오.

Louise: _____

① It's really delicious!
② I'll have what she's having.
③ Is there cheese in the pasta?
④ It's not what I ordered, sorry.
⑤ What a wonderful birthday surprise!

19-20 대화를 듣고, 남자의 마지막 말에 대한 여자의 응답으로 가장 적절한 것을 고르시오.

19 Woman: _____

① No, I don't, sorry.
② It's a really nice gift.
③ You'll find them in the kitchen.
④ I think it starts at seven o'clock.
⑤ Yes, that ribbon goes well with the paper.

20 Woman: _____

① We'll go tomorrow, OK?
② No, it looks unhealthy to me.
③ Yes, I like that puppy the best.
④ Because dogs are too expensive.
⑤ Volunteers care for unwanted animals.

1

W Everyone! Lie down, please.

M Face down or face up?

W _____ _____ on your back. Keep your arms straight by your sides.

M Like this?

W Yes, Greg, that's good. _____ _____ _____ _____ _____ and point your toes up. Now, raise your legs slowly.

M _____ _____ should I raise them?

W Raise them until the angle between your legs and the ground is about 60 degrees.

2

W Are you doing anything special during the spring break?

M Yeah, I want to learn _____ _____ _____ a skateboard.

W I heard a lot of rain is coming this week.

M But it's such a sunny Monday. Are you sure?

W Well, it was on the news. _____ _____ _____ _____, too.

M And then?

W There's a storm coming Wednesday. It will be rainy for _____ _____ _____ _____ _____.

3

M Excuse me, ma'am. Is this your car?

W Yes. Is there any problem?

M You parked in a spot for _____ _____.

W Oh, really? I didn't know that.

M You should remember the yellow zone is for the disabled.

W Oh, I couldn't see that yellow zone because _____ _____ _____ _____ _____.

M Okay, but a disabled man had to park in another place because you parked here. Also, it's _____ _____ _____.

W I'm really sorry. I won't do it again.

4

M I went to see *The Seventh Son*. I was so excited. It's _____ _____ my favorite fantasy novel! The movie started and the man behind me _____ _____ and kicking the back of my seat. He also made so much noise eating popcorn! _____ _____ _____ _____.

5

[Telephone rings.]

W Art School Supplies. How may I help you?

M Yes. I want to _____ _____ _____.

W OK. Do you have the catalogue for ordering?

M No, I don't. Can I just tell you colors?

W Sure. I will _____ _____ _____.

M I need white, blue, and green. _____ _____ _____ _____ _____ this Friday.

6

W Nearly every public restroom has this. It's usually on the wall _____ _____ _____. But you can find this in many other places. _____ _____, people may keep this in a pocket, a purse or a bedroom. Especially, hair salons always have a lot of these. This is for people to see exactly _____ _____ _____ _____.

7

W Are you going to Mexico to study Spanish?

M Yes! My school starts September 1st. _____ _____ _____.

W When are you leaving?

M I fly with Mom about _____ _____ _____ the school session starts.

W Then, it's August 15th, right?

M No, we'll leave _____ _____ _____.

8

W Honey! There are bookshelves for sale on the shopping channel right now.

M _____ _____ _____ _____, don't we?

W Yes. These ones look really nice. They're $75 each or three for $200.

M _____ _____ _____ _____?

W 100 centimeters tall, 90 wide, and 40 deep.

M We don't have _____ _____ _____ _____. Just order two.

W OK. I'll call the number now.

9

① W The museum offers _____ _____ for children under five.

② W The admission fee for people over 65 is $3.

③ W _____ _____ _____ _____ is for people between 19 and 65.

④ W Eighteen-year-old visitors pay $2 more than seven-year-old visitors.

⑤ W A ticket for an eight-year-old costs _____ _____ _____ a ticket for a seventy-year-old.

10

M Are you and your family going to the Philippines for vacation?

W No. Mom _____ _____ _____.

M Oh? Why?

W Didn't you hear about the typhoon?

M That was a month ago.

W Not that one. There's _____ _____ _____ on the government's travel website.

M For another typhoon?

W Yes. So it's _____ _____ to go there.

11

M Are you hungry, Gia? _____ _____!

W I am a bit hungry. Do you want me to cook something?

M No! I decided to _____ _____ tonight. What do you feel like?

W I'm not sure.

M Do you know the burger restaurant called "Smokey's?"

W I haven't tried it, but I heard it's excellent.

M It is! I'll go there and bring us back something good.

W Great. _____ _____ _____ _____ _____.

12

W My wallet is gone!

M Please _____ _____. I'm here to help.

W I was in the shopping center. Suddenly a woman pushed me. My wallet was in my pocket before she pushed me.

M Can you _____ _____ _____?

W She had short black hair and a red jacket. I just thought _____ _____ _____.

M Unfortunately, we get many reports like yours.

13

W Did you see the sign at the start of the hiking trail? It said cooking is _____ _____.

M I know. It's kind of _____ _____, right?

W Yeah, it also said hikers should not make any marks on trees or rocks.

M Did it say anything about the wildlife?

W Yes, it said to _____ _____ snakes and not to feed any animals.

M I'm scared of snakes. We'd better be careful.

14

① M Look outside! It's snowing heavily.

   W Do you want to go out and play?

② M _____ _____ _____ _____ _____?

   W Yes, white suits you very well.

③ M Is this your baseball?

   W Yes, why don't we _____ _____?

④ M What else does the snowman need?

   W _____ _____ _____ on sticks for his arms.

⑤ M How may I help you?

   W Can I have a reservation for a twin room?

15

M What do you do _____ _____ _____?

W I try hard not to use disposable things. I always carry my own shopping bag. How about you?

M I try to take short showers to save water and energy.

W That's good. Anything else?

M My family _____ _____ and always unplugs electronics. We always try to _____ _____ _____.

W Oh, I should do that, too.

16

① W What would you like _____ _____?

　　 M Can I have ice cream, please?

② W How do you know her?

　　 M She looks _____ _____.

③ W Why don't you learn Chinese?

　　 M _____ _____ _____ _____

　　 learning languages.

④ W Can you help me _____ _____

　　 _____, please?

　　 M Sure. Where is it going?

⑤ W I can't decide _____ _____

　　 _____.

　　 M I recommend the fish and chips.

17

M Have you ever done volunteer work?

W Yes. Right now, I volunteer with the friends at Public Parks.

M What kind of work do you do?

W _____ _____ _____ _____ in the parks.

M That's great. _____ _____ _____ _____ as a foreign tourists' guide.

W I did that two years ago! It was OK, but I liked working at the nursing home better.

M How about working with children?

W A few years ago, I helped _____ _____ _____ _____ at an orphanage.

M Wow! You've really done a lot!

18

M Louise and her friends are at a restaurant for Louise's birthday. Louise wants to order a pasta dish, but she's worried that _____ _____ _____ _____ in it. She's _____ _____ _____. It _____ _____ _____. So, when the waiter comes to take her order, what is Louise likely to say to the waiter?

Louise _____

19

M Hey, Julia. Can you help me wrap Todd's birthday present? The party starts in an hour.

W Sure. I'll get you gift-wrapping paper.

M Oh, _____ _____ _____ _____?

W Yes. I always save nice paper from _____ _____ _____ _____.

M That's great. _____ _____ the scissors and the tape?

W _____

20

M Mom, look at the puppies in the window! Can we buy one?

W No, sweetie. _____ _____ _____ _____ _____ from the city rescue shelter?

M What's _____ _____ _____?

W It's the place where people take care of poor abandoned puppies. We can take one of them home.

M _____ _____ _____ there now?

W _____

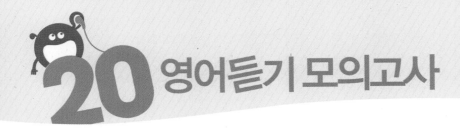

20 영어듣기 모의고사

정답 및 해설 p74

1 대화를 듣고, 남자의 선생님을 고르시오.

Take Notes

①
②
③

④
⑤

2 대화를 듣고, 남자가 여자의 집을 방문한 목적으로 가장 적절한 것을 고르시오.

① 여자를 체포하려고
② 119 신고가 들어와서
③ 범죄를 수사하기 위해
④ 여자의 집을 수색하려고
⑤ 범죄에 대해 경각심을 일깨우려고

3 대화를 듣고, 다음 그림의 상황에 가장 적절한 대화를 고르시오.

①   ②   ③   ④   ⑤

4 대화를 듣고, 남자의 직업으로 가장 적절한 것을 고르시오.

① cleaner
② plumber
③ hotel guest
④ delivery man
⑤ interior decorator

5 대화를 듣고, 여자의 마지막 말에 담긴 의도로 가장 적절한 것을 고르시오

① 요청
② 동의
③ 칭찬
④ 제안
⑤ 비난

6 대화를 듣고, 남자가 계산에 이용할 도구를 고르시오.

Take Notes

①

②

③

④

⑤

7 다음을 듣고, 두 사람의 대화가 <u>어색한</u> 것을 고르시오.

①   ②   ③   ④   ⑤

8 대화를 듣고, 여자의 심정으로 가장 적절한 것을 고르시오.

① scared   ② upset   ③ pleased
④ relieved   ⑤ satisfied

9 대화를 듣고, 여자가 대화 직후에 할 일로 가장 적절한 것을 고르시오.

① 쿠키 만들기   ② 쿠키 시식하기
③ 쿠키 포장하기   ④ 쿠키 재료 사 오기
⑤ 생일 축하 카드 쓰기

10 대화를 듣고, 여자가 시민 회관에 가려는 이유를 고르시오.

① to volunteer   ② to take a class
③ to register for a class   ④ to get a part-time job
⑤ to donate some books

11 대화를 듣고, 여자가 지불해야 할 금액을 고르시오.

Take Notes

① $30 ② $90 ③ $100 ④ $270 ⑤ $300

12 대화를 듣고, 두 사람이 대화하고 있는 장소로 가장 적절한 곳을 고르시오.

① stadium ② restaurant ③ bus stop
④ music store ⑤ movie theater

13 다음을 듣고, 언급되지 않은 것을 고르시오.

① 비행 고도 ② 출발지 ③ 비행시간
④ 도착지 ⑤ 도착 시각

14 다음 표를 보면서 대화를 듣고, 여자가 보게 될 영화를 표에서 고르시오.

	제목	장르	상영 시간
①	Frozen	Animation	13:30
②	Iron Man 2	Action	13:30
③	The Hobbit	Fantasy	14:00
④	The Hobbit	Fantasy	15:00
⑤	Frozen	Animation	15:00

15 대화를 듣고, 남자가 여자에게 부탁한 일로 가장 적절한 것을 고르시오.

① 표 예매하기
② 간식 사 오기
③ 영화 함께 보기
④ 주말 계획 짜기
⑤ 콘서트장에서 대신 줄 서기

16 대화를 듣고, 요리 학교의 졸업식이 열리는 날짜를 고르시오.

Take Notes

① May 2　　② May 10　　③ May 11

④ May 16　　⑤ May 25

17 다음을 듣고, 무엇에 관한 설명인지 고르시오.

① 오믈렛　　② 소시지　　③ 샌드위치

④ 볶음밥　　⑤ 김밥

18 대화를 듣고, 두 사람이 할 일로 가장 적절한 것을 고르시오.

① 유권자 등록하기　　② 선거 슬로건 만들기

③ 선거 포스터 만들기　　④ 디자인 아이디어 회의하기

⑤ 포스터를 만들 재료 사러 가기

19 다음 상황 설명을 듣고, Mary가 점원에게 할 말로 가장 적절한 것을 고르시오.

Mary: _____

① I'd like a refund, please.

② That design is gorgeous.

③ It's for my Mom's birthday.

④ Do you accept credit cards?

⑤ Is there a discount for cash?

20 대화를 듣고, 여자의 마지막 말에 대한 남자의 응답으로 가장 적절한 것을 고르시오.

Man: _____

① Thanks. Here's your change.

② Me, too! It's my favorite flavor.

③ To reduce plastic waste, of course.

④ It's the most popular brand, isn't it?

⑤ But Grandma doesn't like ice cream.

1

M Did you meet my new English teacher? She is really nice.

W What's her name? _____ _____ _____ _____?

M She is Mary Johnson, from England.

W The woman who has _____ _____ _____ and wears glasses?

M Well, my teacher has long straight hair, but she _____ _____ _____.

W Aha! Now I remember her.

2

[Doorbell rings.]

M It's the police, ma'am. Can we ask a few questions, please?

W What's the matter, officer?

M Ma'am, did you see or hear _____ _____ last night?

W I did. I heard _____ _____ _____ at about 1 am. So I looked out my window.

M Please _____ _____ _____ _____ _____. I'm investigating a crime.

3

① W How do you like this gown?

   M I think you will look beautiful in it.

② W Can you cut the tag off my T-shirt?

   M Sure. Hold still while I cut it off for you.

③ W How would you like your hair done?

   M _____ _____ _____, please, the same as usual.

④ W _____ _____ _____ _____, don't you think?

   M Yes, let's cut the meeting short.

⑤ W How often do I have to take the medicine?

   M _____ _____ _____ _____, after meals.

4

W Come on in. The bathroom is this way.

M Sorry about my muddy shoes.

W That's okay.

M Let me _____ _____ _____ _____ first. Then I'll tell you how long it will take to fix it.

W The water pipe burst two days ago.

M Don't worry. The temperature has been minus 10 degrees for days! I'll _____ _____ _____ _____ pipes this week.

W You must be very busy.

5

W What are you doing on the computer?

M I'm looking for a present for Mom's birthday.

W But it's tomorrow. It's _____ _____ _____ _____ _____.

M I'm just looking for ideas.

W I suggest _____ _____ _____ for her instead of buying anything.

M Okay. But what?

W _____ _____ _____ _____ _____? She would love to have a break from housework.

6

M Can I borrow your calculator?

W I don't know where it is. There's a calculator on the computer.

M It takes too long to start up. I just want to do a quick calculation.

W Just do it on _____ _____ _____ _____.

M I can't. I don't know _____ _____ _____ _____ a discount rate.

W _____ _____ _____ use your cell phone? Doesn't it have a calculator?

M Oh, I forgot! Of course it does! Thanks.

7

① W Why don't we go to the art gallery?

  M _____ _____ _____ _____ painting.

② W If you were rich, would you buy a sports car?

  M No. I would _____ _____ _____.

③ W The job was pretty hard, wasn't it?

  M Yes. It was _____ _____ _____ I expected.

④ W Who eats more, you or your brother?

  M I eat the most. I even eat more than Dad!

⑤ W You look happy today. Is there any special reason?

  M Yes. _____ _____ _____ _____ in a science contest.

8

M How is your team project going? You said it was fun to work with your teammates.

W It was _____ _____ _____. Now, I can't wait until we finish it.

M When is _____ _____ _____?

W This Friday, but my teammates never help! They always _____ _____. I'm doing all the work myself. It's not fair.

9

W The cookies we made are so yummy!

M Hey, _____ _____ _____ _____ _____ for Susan's birthday party tonight.

W Great idea! We can wrap them _____ _____ _____ _____ _____.

M Oh! We used up all the butter and chocolate chips. We need to _____ _____ _____.

W OK. I'll go to the grocery store.

10

W I'm going to the community center now.

M Okay, Mom. Enjoy your class!

W _____ _____ _____ last week.

M Then, why are you going there?

W The community center needs _____ _____ _____.

M Really? I didn't know you were getting a job.

W My interview is at three. _____ _____!

11

W   Wow, you look like you're _____ _____.

M   Thank you. I'm going to the gym these days.

W   Really? I want to _____ _____ _____.

M   If you want to join, you'd better _____ _____ _____ _____ _____. It is much cheaper.

W   I'll join for three months. I'm going to Canada in June.

M   A three-month membership is $100. If you sign up through me, you will get 10% off.

W   Great! I'll join today.

12

W   Hey, Jacob! Sorry I'm late.

M   That's okay. I was listening to music. What do you want to see?

W   Well… there are a lot of people here. Look at the people _____ _____ _____ _____ _____.

M   I think _____ _____ _____ _____ thirty minutes to get tickets.

W   Yeah. Why don't we just have dinner? We'd better _____ _____ _____ _____ _____.

M   That's a good idea.

13

W   Hello, ladies and gentlemen. This is your captain speaking. _____ _____ _____ _____ _____ aboard Flight 123 for New York. We will fly at an altitude of 30,000 feet, and our air speed will be 600 miles per hour. _____ _____ _____ _____ six hours from the time we left San Francisco Airport. In a few minutes, the cabin crew will be serving you a snack and beverage. I hope you _____ _____ _____. Thank you.

14

W   I want to see *Frozen*!

M   But your brothers want to see an action movie or *The Hobbit*.

W   How about you, Dad?

M   _____ _____ _____ _____ an action movie.

W   It's 2:10 already, so we can't see *Iron Man 2*.

M   *Frozen* and *The Hobbit* both start at 3.

W   Mom also said _____ _____ _____ _____.

M   OK. Wait here, and I'll _____ _____ _____.

15

M   Do you have any plans for the weekend?

W   Yes. I'm _____ _____ _____ _____ on Sunday.

M   Sounds great! What concert are you going to?

W   Jason Muraz. I've been _____ _____ _____ for his concert.

M   I really want to go to the concert. Can you get my ticket, too? I will _____ _____ _____.

W   No problem.

16

M _____ _____ _____ _____ _____. I'll graduate from cooking school in May!

W When do you get your exam results?

M Tomorrow, May 2nd. _____ _____ _____ _____ for my course work.

W So you'll definitely graduate. _____ _____ _____ _____? Can I come?

M Of course! It's scheduled for the 16th, at 11 am. Just come to the Culinary Institute's Main Hall.

W Great. See you later!

17

M This is _____ _____ _____ _____ and a healthful, tasty snack. It can even be _____ _____ _____ _____, especially if you have it with some soup and pickles. Basically, it's steamed rice and various fillings rolled up like a sausage in seaweed paper and _____ _____ _____. Popular fillings include carrots, ham, and egg.

18

M What are you doing?

W I'm registering to _____ _____ student president in the election.

M Fantastic! Let's start making posters for your campaign!

W Really? That's so cool that you want to help me. _____ _____ _____. Whatever you design will be fine.

M I already _____ _____ _____ _____ _____. Let's get started!

19

W Mary bought a lovely coffee cup for her mother's birthday. But when Mary got home, _____ _____ _____ _____ in the cup. She went back to the shop _____ _____ _____ and looked around, but there were no more cups with the same design. She didn't like any other designs, so she decided to _____ _____ _____ _____. In this situation, what would Mary say to the shop assistant?

Mary _____

20

M Mom! _____ _____ _____ _____ _____ to buy some ice cream, please?

W OK. But _____ _____ you buy an ice cream for everyone.

M Including you and Grandma and Grandpa?

W Yes. Here's $20. _____ _____ _____ _____!

M Oh. I should take a shopping bag, too.

W Why?

M

1 대화를 듣고, 남자가 사려고 하는 스티커 판을 고르시오.

①  ②  ③ ④  ⑤

2 대화를 듣고, 남자가 음반 가게를 방문한 목적으로 가장 적절한 것을 고르시오.

① 상품 교환   ② 환불 요청   ③ 제품 구매
④ 앨범 홍보   ⑤ 사은품 문의

3 다음 그림의 상황에 가장 적절한 대화를 고르시오.

①   ②   ③   ④   ⑤

4 대화를 듣고, 두 사람이 구입할 케이크를 고르시오.

① ② ③ ④ ⑤

5 대화를 듣고, 남자의 직업으로 가장 적절한 것을 고르시오.

① athlete   ② designer   ③ sales clerk
④ shoemaker   ⑤ art teacher

6 대화를 듣고, 여자의 심정으로 가장 적절한 것을 고르시오.

① bored   ② satisfied   ③ regretful

④ excited   ⑤ thankful

7 다음을 듣고, 두 사람의 대화가 <u>어색한</u> 것을 고르시오.

①   ②   ③   ④   ⑤

8 대화를 듣고, 남자가 여자에게 부탁한 일로 가장 적절한 것을 고르시오.

① 원고 교정하기   ② 주제 추천하기   ③ 함께 발표하기

④ 정보 수집하기   ⑤ 보고서 작성하기

9 대화를 듣고, 여자의 마지막 말에 담긴 의도로 가장 적절한 것을 고르시오.

① 확인   ② 거절   ③ 동의   ④ 후회   ⑤ 감사

10 대화를 듣고, 남자가 지불할 금액을 고르시오.

① $25   ② $30   ③ $35   ④ $45   ⑤ $50

11 대화를 듣고, 두 사람이 대화하고 있는 장소로 가장 적절한 곳을 고르시오.

① hair salon   ② flower shop   ③ concert hall

④ wedding hall   ⑤ clothing store

12 다음을 듣고, Max Sports Center에 관해 언급되지 않은 것을 고르시오.

① 개관 연도   ② 이용 가능 시간   ③ 프로그램 이용 요금

④ 회원 가입 방법   ⑤ 인기 프로그램

13 다음 표를 보면서 대화를 듣고, 내용과 일치하지 않는 것을 고르시오.

2012 DNP Soccer Final Match		
①	Date	3/20/2012
②	Place	Windsor Stadium
③	Teams	Duke Stars vs. State Bears
④	Score	3:2
⑤	MVP	Jim Smith

14 다음을 듣고, 무엇에 관한 설명인지 고르시오.

① 커튼   ② 천막   ③ 파리채   ④ 사다리   ⑤ 방충망

15 대화를 듣고, 남자가 할 일로 가장 적절한 것을 고르시오.

① 휴대 전화 빌리기   ② 휴대 전화 구입하기   ③ 중고 휴대 전화 판매하기

④ 서비스 센터 방문하기   ⑤ 분실물 센터에 전화하기

16 대화를 듣고, 여자가 과제를 제출할 날짜를 고르시오.

① May 4　　② May 5　　③ May 6　　④ May 7　　⑤ May 8

17 다음 상황 설명을 듣고, Sumi가 점원에게 할 말로 가장 적절한 것을 고르시오.

Sumi: _____

① I'll pay with this credit card.

② What time does the mall close?

③ Would you wrap this necklace for me?

④ Could you tell me where I can buy a card?

⑤ I'm looking for my mom's birthday present.

18 대화를 듣고, 여자가 할 일로 가장 적절한 것을 고르시오.

① 컴퓨터 재부팅하기　　② 인터넷 선 연결하기　　③ 홈페이지 주소 알려주기

④ 웹사이트 다시 접속하기　　⑤ 컴퓨터 바이러스 검사하기

19 대화를 듣고, 상황을 가장 잘 표현한 속담을 고르시오.

① Like father, like son.

② Still waters run deep.

③ Honesty is the best policy.

④ Blood is thicker than water.

⑤ Many hands make light work.

20 대화를 듣고, 여자의 마지막 말에 대한 남자의 응답으로 가장 적절한 것을 고르시오.

Man: _____

① Great! That sounds like the card that I want.

② Okay. I'll bring my library card right away.

③ Really? Have you already bought the DVDs?

④ Of course. You'll probably like this library.

⑤ Yes. I want to return these books.

1 대화를 듣고, 두 사람이 선택할 마네킹 의상을 고르시오.

①   ②   ③   ④   ⑤

2 대화를 듣고, 여자가 남자에게 전화한 목적으로 가장 적절한 것을 고르시오.

① 인터뷰 요청 ② 약속 시간 변경 ③ 과제 내용 확인
④ 미술관 위치 문의 ⑤ 할머니 마중 부탁

3 다음 그림의 상황에 가장 적절한 대화를 고르시오.

①　　　　　②　　　　　③　　　　　④　　　　　⑤

4 대화를 듣고, 남자가 구입할 의자를 고르시오.

①   ②   ③   ④   ⑤

5 대화를 듣고, 남자의 직업으로 가장 적절한 것을 고르시오.

① teacher ② reporter ③ police officer
④ shop manager ⑤ tour guide

6 대화를 듣고, 여자의 심정으로 가장 적절한 것을 고르시오.

① bored　　　　② jealous　　　　③ regretful

④ thankful　　　⑤ proud

7 다음을 듣고, 두 사람의 대화가 <u>어색한</u> 것을 고르시오.

①　　　　　②　　　　　③　　　　　④　　　　　⑤

8 대화를 듣고, 남자가 여자에게 부탁한 일로 가장 적절한 것을 고르시오.

① 테니스 가르쳐주기　　② 헬스클럽 추천하기　　③ 체육 시설 예약하기

④ 운동 코치 소개하기　　⑤ 건강 비결 알려주기

9 대화를 듣고, 남자의 마지막 말에 담긴 의도로 가장 적절한 것을 고르시오.

① 충고　　② 거절　　③ 제안　　④ 요청　　⑤ 감사

10 대화를 듣고, 남자가 지불해야 할 금액을 고르시오.

① $7　　② $8　　③ $9　　④ $10　　⑤ $11

11 대화를 듣고, 두 사람이 대화하고 있는 장소로 가장 적절한 곳을 고르시오.

① laundry　　　　② hair salon　　　　③ art gallery
④ photo studio　　　⑤ clothing shop

12 다음을 듣고, Summer Reading Club에 관해 언급되지 <u>않은</u> 것을 고르시오.

① 모임 시간　　② 활동 내용　　③ 참가비　　④ 참가 대상　　⑤ 연락처

13 다음 관람 구역 배치도를 보면서 대화를 듣고, 남자가 예약할 좌석의 구역을 고르시오.

Seating Section		
	S t a g e	
1st floor	① A	② B
		③ C
2nd floor	④ D	⑤ E

14 다음을 듣고, 무엇에 관한 설명인지 고르시오.

① 동상　　② 눈사람　　③ 울타리　　④ 새 둥지　　⑤ 허수아비

15 대화를 듣고, 여자가 할 일로 가장 적절한 것을 고르시오.

① 버스에서 내리기　　② 지하철 노선 알아보기　　③ 버스기사에게 물어보기
④ 여행 약속 취소하기　　⑤ 도시 지도 검색하기

16 대화를 듣고, 동아리 회의를 하기로 한 날짜를 고르시오.

① May 15 　　② May 16 　　③ May 17 　　④ May 19 　　⑤ May 24

17 다음 상황 설명을 듣고, 엄마가 아들에게 할 말로 가장 적절한 것을 고르시오.

Mother: _____

① Have you ever played soccer before?

② My goodness! Where have you been?

③ Cheer up! You can beat them next time.

④ How many times did you win the game?

⑤ I'm sorry to have kept you waiting for me.

18 대화를 듣고, 남자가 할 일로 가장 적절한 것을 고르시오.

① 설거지하기 　　　　② 쓰레기 치우기 　　　　③ 옷장 정리하기

④ 방 청소하기 　　　　⑤ 식사 준비하기

19 대화를 듣고, 상황을 가장 잘 표현한 속담을 고르시오.

① 달면 삼키고 쓰면 뱉는다.

② 노력은 결과를 배신하지 않는다.

③ 가는 말이 고와야 오는 말이 곱다.

④ 돌다리도 두들겨 보고 건너라.

⑤ 바늘 도둑이 소도둑 된다.

20 대화를 듣고, 남자의 마지막 말에 대한 여자의 응답으로 가장 적절한 것을 고르시오.

Woman: _____

① I don't think you have to visit her again.

② My grandmother said she's never flown abroad.

③ Well, it'll take her a long time to get over the flu.

④ She has been in the hospital just for two days.

⑤ My grandmother passed away eight years ago.

이것이 THIS IS 시리즈다!

THIS IS GRAMMAR 시리즈

▷ 중·고등 내신에 꼭 등장하는 어법 포인트 분석 및 총정리

강남인강
강의교재

THIS IS READING 시리즈

▷ 다양한 소재의 지문으로 내신 및 수능 완벽 대비

강남인강
강의교재

THIS IS VOCABULARY 시리즈

▷ 주제별로 분류한 교육부 권장 어휘

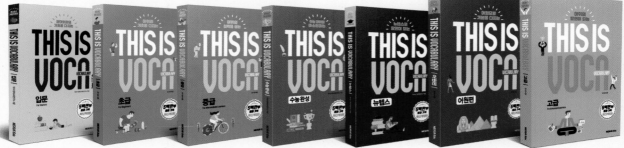

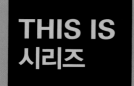

NEXUS Edu

LEVEL CHART

초1	초2	초3	초4	초5	초6	중1	중2	중3	고1	고2	고3

VOCA

- 초등필수 영단어 1-2 · 3-4 · 5-6학년용 (초1~초3)
- The VOCA + (플러스) 1~7 (초5~중3)
- THIS IS VOCABULARY 입문 · 초급 · 중급 (초3~중1)
- THIS IS VOCA 고급 · 어원 · 수능 완성 · 뉴텝스 (중2~고3)
- WORD FOCUS 중등 종합 5000 · 고등 필수 5000 · 고등 종합 9500 (중1~고2)

Grammar

- 초등필수 영문법 + 쓰기 1~2 (초3)
- OK Grammar 1~4 (초3)
- This Is Grammar Starter 1~3 (초3)
- This Is Grammar 초급~고급 (각 2권: 총 6권) (초4~고1)
- Grammar 공감 1~3 (중1~고1)
- Grammar 101 1~3 (중1~고1)
- Grammar Bridge 1~3 (NEW EDITION) (중1~고1)
- The Grammar Starter, 1~3 (중1~고1)
- 한 권으로 끝내는 필수 구문 1000제 (중1~고1)
- 구사일생 (구문독해 Basic) 1~2 (중2~고1)
- 구문독해 204 1~2 (개정판) (중3~고1)
- 고난도 구문독해 500 (고1~고2)
- 그래머 캡처 1~2 (중3~고1)
- [특급 단기 특강] 어법어휘 모의고사 (중3~고1)

LISTENING

영어듣기 모의고사 [20회＋2회]

Answers

넥서스영어교육연구소 지음

새 교과서 반영
중등 듣기 시리즈
공부감각

Level 3

NEXUS Edu

LISTENING

영어듣기 모의고사 [20회＋2회]

Answers

Level 3

NEXUS Edu

01 회 영어듣기 모의고사 p.8~11

01 ③	02 ①	03 ②	04 ④	05 ②
06 ③	07 ③	08 ②	09 ⑤	10 ③
11 ②	12 ③	13 ⑤	14 ③	15 ⑤
16 ①	17 ①	18 ⑤	19 ④	20 ⑤

1 ③

해석

남 여기서 뭐 해?

여 나는 밸런타인데이 선물에 쓸 선물 상자를 사고 싶어.

남 음, 여기에 하트 모양 상자들이 있네.

여 그것들은 내 선물에는 너무 작아.

남 그럼 작은 하트 모양이 많이 있는 이 네모난 상자는 어때?

여 모양은 적당해. 그런데 나는 상자 위에 리본이 있으면 좋겠어.

남 큰 리본과 작은 하트가 있는 이거?

여 응, 그걸로 사야겠어.

해설

여자는 작은 하트 무늬가 새겨져 있고, 큰 리본이 달린 정사각형 선물 박스를 구입할 것이다.

어휘

gift box 선물 상자 / heart-shaped 하트 모양의 / square 정사각형 모양의 / right 알맞은 / shape 모양

2 ①

해석

여 무엇을 도와 드릴까요?

남 네, 제가 어제 여기에서 이 책을 샀는데요. 친구에게 주려고 샀는데 이미 가지고 있더라고요.

여 영수증 있으세요?

남 여기요.

여 다른 책으로 교환하는 것은 어떠세요?

남 아니요, 괜찮아요. 친구에게는 다른 선물을 사줄 거예요.

해설

남자는 환불을 하기 위해 서점을 방문했다.

어휘

refund 환불 / get a refund 환불 받다 / exchange 교환하다

3 ②

해석

남 무엇을 도와 드릴까요?

여 손자에게 줄 의자를 찾고 있어요.

남 알겠습니다. 공부하는 데 쓸 건가요? 이 바퀴가 달린 탁상 의자가 정말 좋아요.

여 아, 안돼요. 그는 아직 학교에 들어가지도 않았답니다.

남 그럼, 이 작은 의자는 어떠세요?

여 괜찮기는 한데 등 받침이 없네요. 손자는 겨우 세 살이에요.

남 그럼, 이게 좋겠네요. 이건 책상이 필요 없거든요.

여 좋아요. 그것으로 할게요. 손자가 밥도 안전하게 먹을 수 있겠네요.

해설

두 사람의 대화에 따르면 여자가 구입할 의자에는 식탁용 테이블이 달려 있을 것이다.

어휘

grandson 손자 / wheel 바퀴 / yet 아직 / meal 식사 / safely 안전하게

4 ④

해석

남 와! 정말 멋진 재킷이다!

여 그렇지 않니? 이건 유명한 디자이너가 만든 거야. 75퍼센트 할인 받아서 샀어.

남 정말? 어디서 샀는데?

여 백화점에서 샀어.

남 이렇게 멋진 재킷을 사다니 넌 참 운도 좋다.

여 맞아. 이 재킷은 품질도 아주 좋아.

해설

여자는 싼 가격으로 질도 좋은 재킷을 구입하게 되어서 아주 만족하고 있다.

어휘

famous 유명한 / department store 백화점 / quality 품질

5 ②

해석

남 뭐가 문제인가요, 부인?

여 제 딸이 없어졌어요! 이제 겨우 다섯 살이에요!

남 진정하세요. 어디에서 따님을 잃어버리셨나요?

여 우리는 모퉁이에 있는 슈퍼에 있었어요. 딸이 그냥 사라져 버렸어요.

남 따님의 생김새를 저에게 설명해 주세요.

여 머리가 길고 갈색이에요. 그녀는 청바지와 분홍색 티셔츠를 입고 있어요.

남 제가 모든 경찰관들에게 메시지를 보내고 있어요.

여 아, 제발 우리 아이를 찾아 주세요!

해설

딸을 잃어버린 여자가 남자에게 와서 딸을 찾아줄 것을 부탁하고 있으므로 남자의 직업이 경찰관임을 알 수 있다.

어휘

calm down 진정하다 / simply 그냥 / disappear 사라지다 / describe 묘사하다, 설명하다

6 ③

해석

① 여 이 국수 진짜 맛있다!

　 남 네가 맛있다니 기뻐.

2

② 여 탁자 치우는 걸 좀 도와줄래?
　남 물론이지. 설거지도 도와줄게.
③ 여 여기요. 포크 하나 더 가져다주시겠어요?
　남 물론이죠. 바로 가져다 드리겠습니다.
④ 여 엄마. 점심 메뉴가 뭐예요? 저 배고파요.
　남 벌써 배고파? 김밥을 만들어 줄게.
⑤ 여 저기요. 저는 스테이크를 주문하지 않았어요.
　남 오, 죄송해요. 주문을 확인할게요.

해설
식당에서 포크를 떨어뜨려서 다른 걸로 달라고 하는 상황임을 알 수 있다.

어휘
noodles 국수 / clear 치우다 / bring 가져오다 / another 또 하나의 / order 주문하다, 주문

7 ③

해설
① 남 오늘 밤에 영화 보러 가는 거 어때?
　여 안 돼. 숙제가 너무 많아.
② 남 프랑스 음식점을 추천해 주겠니?
　여 이 근처에는 없어.
③ 남 왜 저 주차 구역은 노란색으로 칠해져 있을까?
　여 오. 나는 누가 그랬는지 알아.
④ 남 7시 30분 공연으로 두 장 주세요.
　여 죄송하지만 7시 30분 공연은 매진되었습니다.
⑤ 남 여기에서 그 도서관에 어떻게 가야 하죠?
　여 길 이쪽에서 아무 버스나 타세요.

해설
주차 구역이 왜 노란색인지 이유를 물었는데, 누가 그랬는지 안다고 대답하는 것은 어색하다.

어휘
recommend 추천하다 / parking space 주차 구역 / sold out 매진된, 다 팔린 / catch 잡다

8 ②

해설
여 안녕, 요즘 널 거의 못 봤어.
남 응, 공개 연설 대회를 준비하려고 노력하고 있거든.
여 네 연설은 뭐에 관한 거야?
남 지구 온난화에 관한 거야.
여 연설문은 썼어?
남 응, 그런데 영어는 내 모국어가 아니잖아. 그래서 나랑 같이 검토를 해줄 누군가가 필요해. 네가 도와줄 수 있니?
여 그럴게.

해설
남자는 영어로 쓴 연설문을 검토해 줄 사람이 필요한 상황에서 여자에게 이를 부탁하고 있다.

어휘
hardly 거의 ~않다 / these days 요즘 / prepare 준비하다 / public speaking (공개) 연설 / speech 연설 / native language 모국어 / go over 검토하다

9 ⑤

해설
남 내 과학 과제가 별로인 것 같아요.
여 바보 같은 소리 마! 네가 정말 열심히 해서 아주 자랑스럽단다.
남 엄마와 아빠는 항상 저를 많이 격려해 주시네요. 정말 감사해요.
여 글쎄. 우리는 네 과제가 정말 흥미롭다고 생각해.
남 그렇게 생각하시는 거 알아요. 엄마와 아빠의 칭찬과 지원에 어떻게 감사해야 할지 모르겠어요.

해설
남자는 자신을 항상 칭찬해 주고 격려해 주는 부모님께 감사하고 있다.

어휘
project 과제(물) / silly 바보 같은, 멍청한 / be proud of ~을 자랑으로 여기다 / encourage 격려하다 / grateful 감사하는 / praise 칭찬, 찬사 / support 지원

10 ③

해설
남 실례합니다. 저 외투가 얼마죠?
여 저 파란 색이요? 150달러입니다.
남 아. 더 저렴한 게 있나요?
여 이건 50달러 더 저렴하지만 품질은 좋아요.
남 흠. 저는 검은색을 좋아하지 않아요. 빨간색으로도 있나요?
여 아뇨, 하지만 더 짧은 스타일로는 빨간색 외투가 있어요. 파란색 외투의 반값이에요.
남 좋아요, 빨간 색으로 할게요. 75달러 맞죠?
여 네. 그 외투는 손님에게 잘 어울릴 것 같아요.

해설
남자가 사려는 빨간 외투는 150달러인 파란색 외투의 반값이므로 75달러를 지불해야 한다.

어휘
quality 품질 / look good 잘 어울리다

11 ②

해설
여 무엇을 도와 드릴까요?
남 아. 제 엔진이 기름을 너무 많이 소비해요.
여 네. 저희 고객 리스트에 있으신가요?
남 아뇨, 저는 전에 여기에 와본 적이 없어요. 제 친구 중 한 명이 당신을 추천해 줬어요.
여 그렇군요, 고맙습니다. 이 서류를 작성해 주시겠어요?
남 네. 오늘 수리가 되겠어요?
여 글쎄요, 먼저 좀 살펴볼게요.

해설
남자는 차에 이상이 있어서 수리를 하러 왔으므로 자동차 정비소임을 알 수 있다.

어휘
burn 연료를 태우다 / recommend 추천하다 / fill out 작성하다 / form 서류, 서식 / fix 수리하다 / shortly 곧

12 ③

해석

남 Cumberland 레저 센터가 개보수 작업 후 3월 4일에 다시 문을 엽니다. 이제 저는 우리 지역에 최고의 체력 관리 시설이 있다는 것을 자랑스럽게 알립니다. 센터는 일주일 내내 하루 24시간 운영되며, Cumberland 지역 주민들을 위한 다양한 특별 수업 및 활동을 무료로 제공합니다. 오셔서 새로워진 CLC를 둘러보세요!

해설

다양한 특별 수업과 활동을 제공한다고는 했지만 인기 프로그램이 무엇인지는 언급되지 않았다.

어휘

remodeling 개보수, 리모델링 / announce 발표하다, 알리다 / fitness 체력, 운동 / facility 시설, 기관 / region 지역 / offer 제공하다 / resident 거주자, 주민 / brand-new 아주 새로운

13 ⑤

해석

남 이 콘서트장에서 가장 좋은 좌석이 어디지?
여 첫 번째 줄 좌석에서 음악가들을 가장 잘 볼 수 있겠지.
남 하지만 우리에게 그 좌석은 너무 비싸. 다른 열은 어떨까?
여 글쎄, 2번째에서 5번째 줄은 매진이고 더 뒤에는 앉고 싶지 않은데.
남 그럼 하나 밖에 남은 게 없네. 우측에 있는 스탠딩석으로 해야지.
여 그래, 스탠딩석도 그렇게 나쁜 것은 아냐.
남 그쪽으로 해서 2장 예매할게.

해설

첫 번째 줄은 가격이 비싸서 안 되고 2~5번째 줄은 모두 매진, 그 뒤쪽 좌석은 앉고 싶어 하지 않기에 남은 것은 우측에 있는 스탠딩석뿐이다. 그래서 남자는 스탠딩석을 예매할 것이다.

어휘

seat 좌석 / row 줄, 열 / sold out 매진된 / further 그 이상

14 ③

해석

여 Molly는 보통 집에 4시까지는 온다. 하지만 지금은 벌써 5시고 Molly는 아직 집에 도착하지 않았다. 그녀는 엄마에게 배구 팀 연습을 할 거라고 말하는 것을 잊었다. 연습은 5시 30분에 끝났다. 감독은 Molly에게 그녀가 배구를 잘 한다고 말했다. 그녀는 정말 기뻤다! 그녀는 집으로 서둘러 갔다. 그녀의 엄마는 크게 걱정하며 전화기 옆에서 기다리고 있었다. 이 상황에서 Molly가 집에 도착하면 엄마는 그녀에게 뭐라고 말할까?

해설

딸에게 무슨 일이 생겼을까 봐 걱정하던 엄마가 딸이 집에 무사히 돌아왔을 때 할 수 있는 말은 "오, 네가 무사해서 다행이구나"가 적절하다.
① 너는 다음에 더 잘할 수 있을 거야. ② 너 거기에 가본 적 있니?
③ 오, 네가 무사해서 다행이구나. ④ 기다리게 해서 미안해.
⑤ 너는 경기를 얼마나 많이 이겼니?

어휘

already 벌써 / yet 아직 / practice 연습하다 / volleyball 배구 / coach 감독, 코치 / terribly 너무, 대단히

15 ⑤

해석

여 너 컴퓨터 게임 하고 있는 거 아니지, 그렇지?
남 아니에요, 친구의 최근 블로그 글을 확인하고 있어요.
여 숙제는 벌써 다 끝났니?
남 제 수학 숙제요? 아니요.
여 그걸 먼저 끝내야 하지 않겠니?
남 네, 맞아요. 그럴게요.

해설

남자는 블로그 글을 확인하고 있었는데, 엄마가 숙제를 먼저 끝내라고 충고해서 그렇게 하겠다고 대답했다.

어휘

latest 가장 최근의 / post 게시글, 포스트 / already 벌써, 이미

16 ①

해석

남 북클럽 데이가 빠르게 다가오고 있어.
여 알아. 9월 24일이야, 맞지? 그 전에 우리는 최종 회의 일정을 잡아야 해.
남 17일 월요일은 어때?
여 모든 것을 준비하는 데 충분한 시간이니? 9월 14일은 어때?
남 금요일 말이지? 그게 훨씬 낫겠어. 추가로 주말의 시간이 생기면 많은 도움이 될 거야.
여 좋아. 그날로 회의를 잡자.

해설

9월 14일 금요일에 회의를 하자고 했다.

어휘

club 동아리 / schedule 일정을 잡다 / meeting 회의 / enough 충분한 / extra 여분의, 추가의

17 ①

해석

여 이것은 틀을 따라 팽팽하게 당겨진, 짜인 물건이다. 짜인 섬유 사이의 빈 공간은 공기를 자유롭게 흐르도록 한다. 하지만 이 공간은 곤충이 통과하기에는 너무 작다. 이것은 창틀에 고정되어서 파리나 모기를 막아 준다. 그래서 이것은 더운 기후의 가정, 식당, 그리고 대부분의 건물에서 아주 흔한 것이다.

해설

창틀에 고정되어 곤충들이 들어오지 못하게 막아주는 것은 방충망이다.

어휘

stretch 팽팽하게 당기다 / frame 틀 / empty 빈 / space 공간 / flow 흐르다 / insect 곤충 / pass through ~를 빠져나가다 / fix 고정하다 / keep out 들어오지 못하게 막다 / mosquito 모기 / common 흔한 / climate 기후

18 ⑤

해석

여 이 웹사이트에 무슨 문제가 있는 거지? 로딩하는 데 시간이 엄청 오래 걸려.

남 지금 통신량이 너무 많아서 그럴 거야.

여 네 컴퓨터로 접속해 볼래?

남 잠시만 기다려. (멈춤) 웹사이트에는 문제가 없어.

여 그럼 내 컴퓨터에 문제가 있는 것 같아.

남 네 컴퓨터 업그레이드를 해야 할 것 같아. 네가 원한다면 내가 해줄게.

여 고마워.

해설

여자가 인터넷을 사용하는데 로딩 시간이 너무 길어서 남자가 업그레이드가 필요하다며 업그레이드를 해주겠다고 했다.

어휘

load (데이터를) 로딩하다 / traffic 통신량 / access 접속하다

19 ④

해석

여 너 괜찮아? 피곤해 보여.

남 응. 지난주부터 오전 5시 전에 일어나고 있거든.

여 왜?

남 성공한 CEO들은 일찍 일어난다는 기사를 봤거든. 하지만 나에게는 전혀 도움이 되지 않고 있어.

여 음, 너는 여전히 올빼미 족이잖아. 네가 일찍 일어나고 싶으면 일찍 자야지.

남 그냥 내가 하던 대로 다시 돌아가야겠어. 내 오래된 습관을 바꾸기가 쉽지가 않네.

해설

자신의 원래 습관을 고치기 어렵다는 "세 살 버릇 여든까지 간다"의 속담이 적절하다.

어휘

since ~이래로 / article 기사 / successful 성공적인 / at all 전혀 / habit 습관

20 ⑤

해석

남 저는 체육관 회원으로 등록하고 싶어요.

여 알겠습니다. 고객님. 지역 주민이신가요?

남 네, 여기 제 운전면허가 있어요. 거기에 제 주소가 있고요.

여 아, 20세 이하이시네요.

남 네, 왜 그걸 언급하시는 거죠?

여 고객님이 주니어 회원 카드를 만드실 수 있어서요.

남 그게 뭐죠?

여 그건 20세 이하 분들을 위한 거예요. 정회원보다 50퍼센트 저렴합니다.

남 좋네요! 그래서 회비가 얼마죠?

해설

일반 정회원보다 가격이 50퍼센트 저렴하다고 했으므로 이를 반기며 회비가 얼마인지 묻는 것이 적절한 반응이다.

① 네, 그건 제가 전에 다니던 헬스클럽이에요. ② 아뇨, 그건 12개월 동안 유효합니다. ③ 제가 그걸 지불할 여유가 있는지 모르겠네요. ④ 당신이 회원인지 몰랐어요.

어휘

sign up 등록하다 / local 지역의 / resident 주민 / driver's license 운전 면허증 / address 주소 / mention 말하다, 언급하다 / qualify 기준에 부합하다

Dictation

p.12~15

1 buy a gift box / too small / with a ribbon

2 get a refund / have a receipt / buy another gift

3 looking for a chair / this would be perfect / can eat his meals

4 Where did you get it / You're lucky / very good in quality

5 What's the problem / calm down / to describe / long brown hair

6 clear the table / bring me another fork / Let me check your order

7 How about going / Can you recommend / sold out / How do I get to

8 trying to prepare for / global warming / to go over it

9 I'm very proud of you / I'm really grateful / your praise and support

10 How much / good quality / half the price

11 fill out this form / can fix it / take a look at it

12 is open again / the best fitness facility / for free

13 too expensive for us / sold out / on the right

14 forgot to tell / she's good at volleyball / has been waiting

15 are you / checking out / Have you already finished

16 schedule a final meeting / make sure / much better

17 Empty spaces / pass through / a common thing

18 What's wrong with / Wait a moment / upgrade your computer

19 You look tired / go to bed early / change my old habits

20 sign up / under / qualify for / cheaper than

02회 영어듣기 모의고사 p.16~19

01 ⑤	02 ④	03 ①	04 ④	05 ③
06 ②	07 ①	08 ③	09 ②	10 ④
11 ③	12 ③	13 ③	14 ⑤	15 ③
16 ⑤	17 ①	18 ④	19 ①	20 ②

1 ⑤

해석

남 너 우표를 많이 모았구나. 멋지다.

여 네가 원하면 하나 가져도 돼. 새가 좋니, 바다 동물이 좋니?

남 나는 바다 동물이 그려진 게 좋아.

여 나도야. 바다에 돌고래가 있는 이 우표는 내가 가장 좋아하는 거야. 이거 가져.

남 네가 가장 좋아하는 우표를 내가 가질 수는 없어!

여 괜찮아. 나에게는 이게 몇 개 있거든.

남 정말이야? 고마워. 나도 이게 제일 좋아.

해설

남자는 바다에 돌고래가 있는 우표를 골랐다.

어휘

stamp 우표 / prefer 더 좋아하다 / sea animal 바다 동물 / dolphin 돌고래 / a few 몇몇

2 ④

해석

[휴대 전화가 울린다.]

여 여보, 지금 어디예요?

남 친구들하고 점심 먹고 있어요. 왜요?

여 저 세 시에 공항에 부모님을 마중 나가야 하거든요.

남 맞아요. 자기가 전에 말했었어요.

여 누군가 전화로 병결을 알려서 회사에 있어야 해요. 저 대신 가 줄래요?

남 문제없어요. 지금 출발할게요. 운전해서 거기로 가면 한 시간 걸릴 거예요.

해설

여자는 회사에 남아야 해서 자기 대신 부모님을 마중 나가 달라고 부탁하기 위해 남자에게 전화를 걸었다.

어휘

pick up 마중 나가다 / airport 공항 / earlier 전에 / call in sick 전화로 병결을 알리다

3 ①

해석

남 Sam에게 어떤 티셔츠가 좋을까? 나는 하트 그림 있는 게 꽤 괜찮은 것 같아.

여 Sam한테? 나는 그가 꽃을 좋아한다고 생각했는데.

남 하지만 그는 이미 꽃무늬 티셔츠가 몇 개 있어.

여 그럼 이 귀여운 동물들 중 하나는 어때?

남 좋아. 어떤 걸로 할까, 판다 아니면 호랑이?

여 내 생각에 그는 호랑이를 좋아한 것 같아. 우리가 지난번에 동물원에 갔을 때 호랑이를 엄청 좋아하더라.

남 그래. 그걸로 사자.

해설

두 사람은 Sam에게 선물할 티셔츠로 호랑이가 그려진 것을 선택했다.

어휘

pretty 꽤 / be into ~에 관심이 있다, 좋아하다 / already 이미 / floral 꽃무늬의 / the other day 지난번, 며칠 전에

4 ④

해석

여 너 중국어 시험공부를 충분히 했다고 생각하니?

남 네가 그걸 말하지 않기를 바랐어. 나는 심지어 아직 책도 펼쳐보지 않았거든.

여 시간이 얼마나 남았는데?

남 충분하지 않아! 그리고 내가 중국어 시험을 통과하지 못하면 어떻게 해야 할지 모르겠어.

여 괜찮을 거야.

남 나도 네 말에 동의할 수 있다면 좋겠어. 하지만 네가 틀린 것 같아.

해설

남자는 시험 준비가 되어 있지 않아서 걱정을 하고 있다.

어휘

enough 충분히 / mention 말하다, 언급하다 / yet 아직 / pass 통과하다 / agree with 동의하다

5 ③

해석

여 이 신발 다른 색으로 시도해 볼 수 있을까요?

남 이 견본이 마음에 들지 않으세요?

여 디자인은 완벽해요. 그런데 파란색 신발도 보고 싶어요.

남 문제없어요. 다른 건요?

여 당신이 컴퓨터 앞에 있는 동안, 발가락 부분의 모양을 바꿀 수 있나요?

남 그럼요. 좀 더 둥근 모양이 귀여울 것 같아요.

여 맞아요. 발가락 부분을 좀 더 둥글게 하고 파란색으로 해 보죠. 고마워요.

해설

남자는 여자가 원하는 색, 모양의 신발을 디자인하고 있으므로 디자이너임을 알 수 있다.

어휘

sample 견본, 샘플 / shape 모양 / toe 발가락 / rounded 둥글게 된

6 ②

해석

① 남 사자를 조심해.
　　여 나는 지금 사자 사진을 찍고 있어.
② 남 사진을 찍을 테니 움직이지 마.
　　여 나 웃겨 보여?
③ 남 어떤 동물도 만지려고 하지 마세요. 다칠 수도 있습니다.
　　여 명심할게요.
④ 남 여기서 사진 찍는 것은 금지되어 있어요.
　　여 아기 동물들이 플래시를 무서워해서 그런 건가요?
⑤ 남 동물원에서 동물에게 먹이를 주는 것은 금지되어 있어요.
　　여 하지만 그 동물은 너무 배고프고 목말라 보였어요.

해설

얼굴 부분이 뚫린 동물 판에서 사진을 찍고 있는 상황이다.

어휘

look out 조심하다 / hold on 기다려, 멈춰 / touch 만지다 / get hurt 다치다 / be scared of ~을 두려워하다 / feed 먹이를 주다 / permit 허락하다

7 ①

해석

① 남 몇 시에 문을 여나요?
　　여 오늘은 개점 날이에요.
② 남 네 기차는 언제 출발하니?
　　여 저녁 7시 30분에 떠나.
③ 남 소리가 너무 크다고 생각하지 않니?
　　여 네 말이 맞아. 널 위해서 소리를 줄일게.
④ 남 그것을 프랑스로 보내는 데 얼마가 드나요?
　　여 먼저 무게를 달아 볼게요.
⑤ 남 우리는 방금 버스를 놓쳤어.
　　여 걱정하지 마. 다음 버스가 오는 데 오래 걸리지 않을 거야.

해설

몇 시에 문을 여는지 시간에 관해 물었는데 오늘이 개점 날이라고 대답하는 것은 어색하다.

어휘

grand opening 개점, 개장 / leave 떠나다 / turn down (소리 등을) 낮추다 / weigh 무게를 달다

8 ③

해석

남 와. 너 정말 몸이 탄탄하고 건강해 보인다.
여 고마워. 나는 복싱을 하고 있어.
남 복싱? 진짜 복싱 말이야?
여 아니, 체육관에서 하는 복싱 수업이야.
남 나도 그 수업을 듣고 싶다.
여 하지만 너는 회원이 되어야 해.
남 그럼. 너랑 같이 갈 수 있을까? 내가 등록을 할게.
여 그래. 나는 새 회원을 소개해서 할인을 받게 되겠다!

남자는 여자가 듣는 복싱 수업을 듣고 싶어서 체육관에 함께 가자고 부탁했다.

어휘

fit 탄탄한 / gym 체육관 / sign up 등록하다 / discount 할인

9 ②

해석

여 네가 모터쇼에 갔었다고 들었어.
남 그랬지.
여 나도 갔었어! 모터쇼 어땠니?
남 정말 좋았어! 또 가고 싶어.
여 나도 그렇게 생각하고 있었는데!

해설

여자는 남자의 마지막 말에 "나도 그렇게 생각하고 있다"고 말하며 동의하고 있다.

어휘

awesome 굉장한, 기막히게 좋은 / wish 바라다 / exactly 정확히

10 ④

해석

여 무엇을 도와 드릴까요?
남 저와 제 아내, 제 딸이 쓸 스키가 필요해요.
여 네. 대여료는 성인은 20달러, 어린이는 10달러입니다.
남 알겠습니다. 그렇게 주세요.
여 아, 깜빡했네요! 월요일부터 목요일까지는 10퍼센트 할인이 돼요.
남 그럼 총 5달러 할인을 받는 거네요. 좋군요.

해설

남자가 원래 지불할 돈은 50달러인데, 10퍼센트 할인을 받게 되어 45달러만 내면 된다.

어휘

ski 스키 / rental 대여 / fee 요금 / adult 어른, 성인 / junior 초등학생 / total 총액

11 ③

해석

남 지금은 갈색이 매우 인기가 있어요.
여 하지만 그건 저를 피곤해 보이게 해요. 저는 더 밝은 색이 좋아요.
남 빨간색을 좋아하시나요? 이걸 발라 보세요.
여 흠. 저에게 잘 어울리네요. 마음에 들어요.
남 새로 출시된 립스틱이에요.
여 이걸로 할게요. 얼마죠?
남 27달러예요.

해설

여자는 립스틱을 고르고 있으므로 화장품 가게임을 알 수 있다.

어휘

brand-new 아주 새로운

12 ③

해석

남 Montgomery 도서관의 여름 어린이 프로그램은 7월 15일에 시작합니다. "시원한 여름 도서 클럽"은 월요일부터 금요일 동안 방학 내내 모입니다. 이 프로그램은 그룹 스토리텔링과 토론, 그리고 각각의 책과 관련된 재미난 활동들을 포함하고 있습니다. 수업 규모는 12명으로 제한되어 있으므로, 도서관이나 웹사이트에서 어서 등록하세요.

해설

참가할 수 있는 대상에 관해서는 언급되지 않았다.

어휘

throughout ~내내 / include 포함하다 / discussion 토론, 토의 / related to ~에 관련된 / limit 제한하다 / sign up 등록하다

13 ③

해석

여 자원봉사 대청소의 날이 언제지?
남 이번 주 일요일 9시부터 11시까지야.
여 우리는 어느 곳에서 봉사 활동을 할 예정이니?
남 우리는 시청 근처에 있는 산책길로 갈 거야.
여 우리 집에서 멀지 않네.
남 맞아. 그래서 나는 내 자전거를 타고 갈 거야. 나랑 같이 갈래?
여 좋아. 국립박물관에서 아침 8시에 만나자.

해설

집에서 멀지 않아서 자전거를 타고 가자고 했으므로 교통수단은 버스가 아니라 자전거이다.

어휘

volunteer 자원봉사 / clean-up 대청소 / location 위치 / walking path 산책길

14 ⑤

해석

이것은 손으로 만들어진, 사람과 닮은 물건이다. 쌀이나 옥수수 같은 곡식을 기르는 농부들이 이것을 그들의 밭에 둔다. 이것은 눈, 코, 입, 옷도 있어서 정말 사람 같을 수도 있고 그냥 모자를 쓰거나 스카프를 맨 땅 위의 단순한 막대기일 수도 있다. 이것은 농부의 곡식에서 새를 겁주어 쫓아내기 위한 것이다.

해설

농부들이 새를 쫓기 위해 밭에 세우는 사람 모양은 허수아비이다.

어휘

human-like 사람 같은 / figure 물체 / crop 작물 / grain 곡식 / place 두다, 설치하다 / field 들판 / scare ~ away 겁을 주어 ~을 쫓아버리다

15 ③

해석

여 너 별로 기분이 안 좋아 보인다. 무슨 일이야?
남 내 새 휴대 전화를 봐.

여 아. 화면에 금이 갔네.
남 응. 누군가와 버스 정류장에서 부딪쳐서 이걸 떨어뜨렸어.
여 휴대 전화를 산 곳에 다시 가져가 보지 그래?
남 서비스 센터에 가져갈 거야. 수리를 할 수 있다면 좋겠다.

해설

남자의 마지막 말, "I'll get it to the service center."를 통해 남자가 대화 직후에 서비스 센터에 갈 것임을 알 수 있다.

어휘

crack 갈라지다, 금이 가다 / bump 부딪치다 / drop 떨어뜨리다

16 ⑤

해석

남 우리 회의를 다음 주에 잡을 수 있을까요?
여 네. 7월 5일 수요일이 어떠세요?
남 미안해요, 제가 하루 종일 회의가 있을 거예요. 6일은 어때요?
여 목요일이요? 한번 볼게요. 안 되겠네요, 6일에는 일정이 꽉 차 있어요.
남 그럼 금요일은요?
여 7일이요? 저는 두 시 이후에는 한가해요. 세 시 어떠세요?
남 세 시 좋아요.

해설

두 사람은 7월 7일 금요일 세 시에 회의를 하기로 했다.

어휘

schedule 일정을 잡다 / all day long 하루 종일 / free 한가한

17 ①

해석

여 Lily는 Cool Springs 쇼핑몰의 한 가게에서 귀여운 목걸이를 보았다. 그래서 그녀는 그것을 그녀의 친구 생일 선물로 샀다. 그녀는 포장지와 리본을 집에 가지고 있었다. 하지만 그때 그녀는 "예쁜 선물 상자 이용 가능"이라는 간판을 보았다. 그래서 그녀는 그 상자들이 얼마인지 물어보기로 했다. 이런 상황에서, Lily는 가게 점원에게 뭐라고 말할 것인가?

해설

Lily는 포장 상자가 얼마인지 물어보기로 했으므로 가격을 묻는 표현인 "How much ~"로 말하는 것이 적절하다.
① 선물 상자는 얼마인가요? ② 다른 건 없나요? ③ 상품권은 어디에서 살 수 있나요? ④ 이것이 적절한 선물이라고 생각하나요? ⑤ 어느 가게에서 포장지를 파나요?

어휘

necklace 목걸이 / wrapping paper 포장지 / available 이용 가능한 / clerk 점원

18 ④

해석

남 결혼식 갈 준비 됐어?
여 오늘이 Lee 선생님의 결혼식인가?

남 그래, 선생님이 월요일 과학 수업 시간에 우리에게 알려 주셨잖아.
여 나는 월요일에 결석을 했어. 내가 괜찮은 옷을 입는 동안 잠시 기다려 줄래?
남 그러면 서두르는 게 좋을 거야. 나는 선물을 사야 하거든.
여 알겠어. 십 분만 기다려줘.

해설
여자는 선생님의 결혼식장에 가기 위해 근사한 옷을 입는다고 했다.

어휘
wedding 결혼식 / remind 상기시키다 / absent 결석한 / while ~하는 동안

19 ①

해석
남 있잖아, Emma가 16세 미만에서 최고상을 받았대.
여 Emma? 빨간 머리 여자애?
남 응. 믿어져? 그녀가 우리 팀에서 처음 시작했을 때는 별로 잘하지 못했잖아.
여 맞아. 하지만 올해에는 그녀가 엄청 열심히 노력했다고 하지 않았어?
남 응. 그녀는 거의 매일 배구장에 나와서 연습을 했어.
여 그녀가 어떻게 그렇게 실력이 좋아졌는지 알겠다.

해설
두 사람은 처음에는 그다지 잘하지 못했지만 매일 열심히 노력해서 결국 최고상을 받게 된 친구의 이야기를 하고 있다. 힘과 정성을 다하여 한 일은 그 결과가 헛되지 아니함을 뜻하는 "공든 탑이 무너지랴"가 적절하다.

어휘
prize 상 / volleyball court 배구장 / nearly 거의

20 ②

해석
여 와! 저 놀이 기구는 정말 놀라워.
남 네가 Crazy Coaster를 좋아할 거라고 했잖아.
여 나는 놀이 기구를 싫어했어.
남 하지만 지금은 괜찮은 거지, 그렇지?
여 너무 좋아! 다른 놀이 기구도 타러 가자!
남 Crazy Coaster 다시 탈래?
여 아니, 좀 다른 걸 타 보자.

해설
남자가 여자에게 방금 탔던 놀이 기구를 또 타자고 제안하는 상황에서 다른 것을 타자고 답하는 것이 적절한 반응이다.
① 아, 너는 아직 높은 걸 무서워하는구나. ③ 미안하지만 나는 지난 주말에 자전거를 탔어. ④ 좋아. 지금 다른 걸 타러 가자. ⑤ 우리 놀이공원 가지 않을래?

어휘
ride 놀이 기구 / hate 싫어하다 / amusement park 놀이공원 / height 높은 곳

1 Do you prefer / with the dolphin / I like it best
2 I have to pick my parents up / called in sick / takes an hour
3 pretty cool / he was into flowers / would like the tiger
4 studied enough / How much time / You'll be fine / I'm afraid
5 The design is perfect / No problem / Let's try
6 taking pictures / look funny / get hurt / are not allowed / Feeding the animals
7 leaves / turn it down / How much does it cost / missed the bus
8 at the gym / join a class / get a discount
9 How did you like it / awesome
10 $20 / $10 / 10 percent off / $5 off
11 very popular / prefer brighter colors / How much is it
12 throughout the vacation / related to / are limited to
13 Which location / not far from / going to ride my bike
14 made by hand / place this / a simple stick / scare birds away
15 What's the matter / I dropped it / they can fix it
16 all day long / got a full schedule / Three will be fine
17 she bought it / available / how much
18 Are you ready to go / I put some nice clothes on / hurry up
19 won / with the red hair / tried much harder / how she got so much better
20 That ride was amazing / I used to hate / Do you want to

03회 영어듣기 모의고사 p.24~27

01 ①	02 ③	03 ⑤	04 ③	05 ②
06 ③	07 ⑤	08 ②	09 ③	10 ③
11 ③	12 ①	13 ④	14 ③	15 ⑤
16 ⑤	17 ③	18 ②	19 ④	20 ②

1 ①

해석

여 여보, 저 이번 주 금요일에 있을 영어 면접에 입을 옷 좀 사야겠어요.
남 진짜요? 어떤 종류의 옷이 필요한데요? 스커트와 하얀색 블라우스?
여 저는 재킷과 바지 정장을 사고 싶어요.
남 좋아요, 하지만 면접에는 바지보다 스커트가 더 나을 듯 한데요.
여 스커트와 재킷이 어울릴 것 같아요?
남 그럼요. 짧은 재킷이 스커트와 잘 어울릴 것 같아요.
여 좋아요. 그렇다면 줄무늬 스카프도 살게요.
남 좋은 생각이에요!

해설

대화로 보아, 여자는 스커트에 짧은 재킷, 그리고 줄무늬 스카프를 선택할 것이다.

어휘

clothes 옷, 의복 / interview 면접(시험) / suit 정장 / pants 바지 / match 어울리다 / go well with ~에 잘 어울리다 / striped 줄무늬가 있는

2 ③

해석

남 실례합니다. 넬슨 만델라의 자서전이 있나요?
여 네, 저쪽 책장에 있을 거예요.
남 저기는 제가 찾아봤어요. 저는 역사와 전기 구역을 모두 찾아보았지만 그 책을 찾지 못했어요.
여 컴퓨터로 확인해 볼게요. 여기 있네요. 아, 죄송해요. 다 팔렸네요.
남 그 책이 더 들어오나요?
여 우리 서점에는 내일 그 책이 재고가 있을 거예요.

해설

남자는 넬슨 만델라의 자서전을 구입하러 서점에 왔는데, 책이 다 팔린 상황이다.

어휘

autobiography 자서전 / shelf 책장, 선반 / biography 전기 / section 구획, 부분 / sold out 다 팔린, 매진된 / in stock 재고로

3 ⑤

해석

① 남 죄송하지만 여기에서 사진을 찍어도 되나요?
　　여 아니요, 카메라는 금지되어 있습니다.
② 남 어떤 음료를 드시겠습니까?
　　여 저는 괜찮아요, 고마워요.
③ 남 제가 도와드릴 게 있나요?
　　여 아뇨, 괜찮아요. 그냥 둘러보고 있어요.
④ 남 입어 보실래요?
　　여 네. 탈의실이 어디죠?
⑤ 남 제가 여기에서 이 카메라를 샀는데 작동이 안 돼요.
　　여 영수증을 볼 수 있을까요?

해설

손님인 남자가 카메라를 들고 교환이나 반품을 원하고 있는 상황이다.

어휘

take pictures 사진을 찍다 / permit 허가하다 / try on 입어 보다 / fitting room 탈의실 / work 작동하다 / receipt 영수증

4 ③

해석

여 정말 미안해.
남 무엇 때문에?
여 오늘 아침에 소리 지른 거 때문에. 너무 화가 나서 내 자신을 통제할 수 없었어.
남 하지만 너에게 농담을 한 건 내 잘못이지.
여 그렇지만 내가 웃었어야 했어. 내가 너무 심하게 반응했어.
남 걱정 마. 나는 벌써 잊었어.

해설

여자는 남자의 농담에 화를 낸 것을 후회하며 사과를 하고 있다.

어휘

shout 소리 지르다 / fault 잘못 / play a joke 농담을 하다 / react 반응하다 / badly 몹시, 심하게

5 ②

해석

남 너 방과 후에 뭐 해?
여 나는 슈퍼마켓에서 부모님 일을 도와야 해. 왜?
남 Kenny하고 공원에 영화 보러 갈 거라서.
여 재미있겠다.
남 일 끝내고 너도 같이 합류하지 그래?
여 괜찮아. 일 끝내고 나서 숙제해야 하거든.

해설

여자는 공원에서 같이 영화를 보자는 남자의 제안을 거절하고 있다.

어휘

after school 방과 후에

6 ③

해석

여 너 그림 그리는 데 뭘 쓰고 있어?
남 검은색 연필. 왜?
여 왜냐하면 미술 선생님이 다양한 색을 쓰라고 말씀하셨거든.
남 아, 그러셨어? 난 못 들었어. 알겠어. 수채화 물감을 써 볼게.
여 하지만 너는 붓이 없잖아.
남 그렇다면 프랑스에서 삼촌이 사다 주신 마커 펜을 사용해야겠다.
여 좋은 생각인데!
남 같이 쓸래?

해설

남자는 붓이 없어서 마커 펜을 쓸 것이다.

어휘

a variety of 여러 가지의 / watercolor paint 수채화 물감 / paint brush (미술용) 붓 / marker 마커 펜 / share 같이 쓰다

7 ⑤

해석
① 여 그 쿠폰 어디서 난 거니?
　 남 내 친구가 준거야.
② 여 너 테니스 잘 쳐?
　 남 아니, 더 잘 했으면 좋겠어.
③ 여 새로 오신 체육 선생님 봤어?
　 남 아직. 괜찮은 분이라고 들었어.
④ 여 내가 어떤 색을 신어야 한다고 생각해?
　 남 빨간색 신발이 괜찮아 보여.
⑤ 여 우리 월요일에 시험이 있어.
　 남 도와줘서 고마워.

해설
월요일에 시험을 본다는 말에 도와줘서 고맙다는 대답은 부적절하다.

어휘
coupon 쿠폰 / P.E. 체육(Physical Education)

8 ②

해석
[전화가 울린다.]
남 엄마, 듣고 계세요?
여 무슨 일이니, Frank?
남 귀찮게 해서 죄송해요. 그런데 세탁기가 작동하지 않아요.
여 시작 버튼을 눌렀니?
남 네, 그런데 작동법을 모르겠어요. 도와주실 수 있으세요?
여 그래. 곧 갈게.

해설
남자는 엄마에게 세탁기 사용법을 알려 달라고 전화를 걸었다.

어휘
bother 귀찮게 하다 / washing machine 세탁기 / work 작동하다

9 ③

해석
[전화가 울린다.]
여 여보세요, 여보! 무슨 일이에요?
남 Karen, 내일 우리 영화 보기로 한 것을 취소해야 할 것 같아요.
여 왜요?
남 한 손님이 내일 공항에 다시 태워 달라고 부탁했거든요.
여 오, 안 돼요! 나 그 영화가 꼭 보고 싶어요.
남 그 영화는 다음에 볼 수 있잖아요.
여 알겠어요. 다음 주에 봤으면 좋겠어요.

해설
손님이 공항에 다시 태워 달라고 부탁한 것으로 보아 남자가 택시 기사임을 알 수 있다.

어휘
cancel 취소하다 / another 다른, 또 하나의

10 ③

해석
여 무엇을 도와 드릴까요?
남 점보 사이즈 팝콘 하나랑 콜라 두 잔 주세요.
여 16달러입니다. 오늘 무슨 영화를 보시나요?
남 Christmas Story요. 왜요?
여 오늘은 특별한 혜택이 있거든요. 그 영화를 보시면 콜라 2잔이 무료입니다.
남 좋네요. 여기 티켓이요.
여 감사합니다. 6달러 할인 받으셨어요.

해설
총 16달러에서 6달러를 할인 받았으므로 10달러만 지불하면 된다.

어휘
jumbo size 거대한 / for free 공짜로, 무료로

11 ③

해석
여 어떻게 도와 드릴까요?
남 제가 예약을 했어요. 저는 Dan Kim이에요.
여 확인해 보겠습니다. 네, 객실이 1405호이시네요. 열쇠, 여기 있습니다.
남 고맙습니다. 그리고 5시 30분에 모닝콜이 필요해요.
여 알겠습니다. 컴퓨터에 입력해 두겠습니다. 오전 5시 30분으로 설정되었습니다.
남 그리고 다음 이틀 동안 차가 필요해요. 자동차 대여 서비스 회사 전화번호가 있나요?
여 저희는 Ace 렌터카를 추천합니다. 제가 전화해 놓겠습니다. 손님.

해설
"You are in room 1405", "Here's your key", "I will need a wake-up call at 5:30" 등의 표현을 통해 대화가 일어나는 장소가 호텔임을 알 수 있다.

어휘
reservation 예약 / set 설정하다 / recommend 추천하다

12 ①

해석
남 Double Decker Tours에 오신 것을 환영합니다. 저는 여러분의 가이드, Bob Cooper입니다. 버스는 10시에 출발하게 되고, 여러분들을 여기 호텔에 두 시간 후에 다시 내려줄 것입니다. 버킹엄 궁전, 런던 타워, St. James' 공원, Baker 가에 있는 셜록 홈즈의 집, 그리고 더 많은 다양한 관광을 포함하고 있습니다. 여러분 모두 Double Decker 런던 버스 관광을 즐기시기를 바랍니다.

해설
관광 요금에 대한 언급은 하지 않았다.

어휘
depart 출발하다 / palace 궁전

13 ④

여 결승전이 언제야?
남 그건 토요일이었어.
여 그랬나? 토요일이 언제였지? 3월 26일?
남 응. 경기는 The National Park에서 열렸어.
여 또?
남 응, GS Tigers와 NS Lions가 붙었지.
여 누가 이겼는데?
남 Tigers가 이겼어. 1점을 더 냈거든. 2:1로 이겼지.
여 아슬아슬했네. MVP는 누가 탔어?
남 David Wilson이 탔어. 그가 최고였지.

해설

남자는 Tigers가 1점 차이인 2:1로 이겼다고 했다.

어휘

final match 결승전 / score 득점을 하다, 득점

14 ③

해석

남 이것은 많은 네모난 검은색 점이 다양한 무늬로 찍힌 흰 사각형이다. 이것은 처음에 자동차의 부품에 인쇄되어 컴퓨터가 부품을 추적할 수 있도록 했었다. 요즘에 이것은 다양한 범위의 제품과 광고에 쓰인다. 이것을 스마트폰으로 스캔하면, 당신의 스마트폰은 그 제품이나 서비스에 관한 더 많은 정보가 담긴 웹 페이지를 열 것이다.

해설

검은색 점이 찍힌 흰 사각형 모양이고, 스마트폰으로 스캔했을 때 정보가 담긴 웹 페이지가 나오는 것은 QR코드이다.

어휘

square 정사각형의 / dot 점 / pattern 무늬 / motor vehicle 자동차 / part 부품 / track 추적하다 / a range of 다양한 / product 제품 / advertisement 광고 / scan 스캔하다, 읽다

15 ⑤

해석

남 안 돼! 내 여권이 어디에 있지? 내 주머니에 없어!
여 당황하지 마. 여권을 마지막으로 봤을 때를 기억해 봐.
남 내가 집을 나설 때 주머니에 여권을 넣은 게 기억나. 탑승 수속대에서도 여권을 가지고 있었어.
여 그러고 나서 우리는 카페에 갔어. 네 옆의 의자에 네 물건을 두지 않았어?
남 그랬어! 가방을 가지고 여기서 기다려, 알겠지? 카페에 뛰어갔다 올게.

해설

남자는 대화 직후 여권을 찾으러 카페에 다녀올 것이다.

어휘

passport 여권 / pocket 주머니 / panic 당황하다 / check-in counter 탑승 수속대 / put 두다

16 ⑤

해석

여 생일 축하해! 무언가 특별히 하고 싶은 게 있니?
남 Johnny Burger에서 아빠랑 점심 먹는 건 어때요?
여 네 아빠는 오늘 일하시느라 너무 바쁘시단다. 금요일 점심에는 한가하실 거야.
남 하지만 그날은 4월 17일인 걸요. 저는 Tom과 그의 아버지랑 자동차 쇼에 갈 거예요.
여 그렇구나. 그럼 토요일은 어떠니?
남 18일 토요일이요? 좋아요.
여 어쨌든 15번째 생일을 축하한다!

해설

토요일인 4월 18일에 점심을 먹자고 했다.

어휘

free 한가한

17 ③

해석

남 Nicole은 지역 게시판에 서서 시간제 일자리를 알아보고 있다. Adam이 우연히 나타난다. Adam의 누나는 아이가 둘 있는데 베이비시터를 찾고 있다. Nicole은 아이들을 좋아하고 아주 신뢰할 만하다. Adam은 Nicole에게 아이들을 돌보아줄 수 있냐고 묻기로 했다. 이 상황에서 그가 Nicole에게 뭐라고 말하겠는가?

해설

자신의 누나의 아기들을 돌보는 일을 제안해야 하는 상황이므로, 아기를 돌보는 일에 관심이 있느냐는 질문이 가장 적절하다.
① 너의 아기 봐주는 사람이 누구야? ② 가장 좋아하는 과목이 뭐야?
③ 아기 돌보는 일에 관심이 있니? ④ 얼마나 자주 부모님을 찾아뵙니?
⑤ 네 아이에게 주는 게 어때?

어휘

community 지역 사회 / bulletin board 게시판 / part-time job 시간제 일자리 / happen to 우연히 ~하다 / come along 나타나다 / babysitter 아이를 봐 주는 사람 / reliable 믿을 만한

18 ②

해석

여 네가 설거지를 해 줄래?
남 나는 오늘 밤에 쓰레기와 재활용 담당이야. 내가 설거지도 할까?
여 아니, 내가 재활용품이랑 쓰레기를 대신 버릴게.
남 알겠어, 그런데 왜 그런 거야?
여 왜냐하면 내가 난로에 손을 데여서 물에 손을 넣을 수가 없거든.
남 그래? 그럼 내가 설거지를 할게.

해설

남자는 손을 다친 여자와 할 일을 바꿔 설거지를 하겠다고 했다.

어휘

do the dishes 설거지를 하다 / trash 쓰레기 / as well 또한 / instead 대신에 / burn ~을 데다 / stove 난로, 가스레인지

19 ④

해석

여 교환 학생 프로그램으로 나는 일 년 동안 이탈리아에 가게 되었어.
남 축하해! 이건 네 꿈이잖아, 그렇지 않니?
여 맞아. 하지만 내 가족과 친구들로부터 그렇게 멀리 떨어질 준비가 된 건지 잘 모르겠어.
남 뭐라고? 이건 일생일대의 기회야!
여 알아. 내 꿈이지만 내가 더 나이가 들어서도 갈 수 있잖아.
남 이런 기회는 다신 오지 않을 거야.
여 네 말이 맞아. 그것을 해야겠어.

해설

찾아온 기회를 놓치면 다시 그런 기회가 오지 않을 거라는 충고에서 "해가 비칠 때 건초를 만들어라"라는 속담이 적절하다.
① 돌다리도 두드려 보고 건너라. ② 로마는 하루아침에 이루어지지 않았다.
③ 구르는 돌에는 이끼가 끼지 않는다. ④ 해가 비칠 때 건초를 만들어라.
⑤ 로마에 가면 로마법을 따르라.

어휘

exchange student 교환 학생 / far away 멀리 떨어져 / lifetime 평생 / opportunity 기회

20 ②

해석

여 이 책상을 옮기는 걸 도와줄래?
남 그래. 이걸 어디로 옮기려고?
여 저기 창문 옆에. 기다려, 아직 움직이지 마!
남 왜?
여 먼저 책상 아래에 깔개를 깔아야 바닥을 긁지 않을 거야.
남 그건 생각도 못 했어.

해설

여자가 책상을 옮기려다가 바닥이 긁힐 것을 생각해서 깔개를 깔자고 했으므로 "그건 생각도 못 했다"라는 답변이 적절하다.
① 그게 바로 내가 보고 싶어 하는 거야. ③ 창문 옆에 있으니까 더 보기 좋다. ④ 좀 더 세게 밀어야 해. ⑤ 내 생각에 우린 새것을 사야 해.

어휘

rug 깔개 / scratch 긁다 / floor 바닥

Dictation p.28~31

1 need to buy some clothes / would be better / A short jacket
2 looked everywhere / check my computer / sold out / in stock
3 would you like / looking around / it doesn't work
4 couldn't control myself / Don't worry
5 are going to the movie / Why don't you join us / do my homework
6 a variety of colors / I didn't hear that / I can use markers

7 gave it to me / Have you seen / Thank you for
8 What's up / isn't working / how to work
9 have to cancel / another time / next week
10 $16 / a special deal / $6 off
11 I have a reservation / a wake-up call / a rental service
12 Welcome aboard / will depart / takes in / you will enjoy
13 the final match / played against / two to one / the best
14 could track them / with a smartphone / about the product
15 Where's my passport / try to remember / Didn't you put / Wait here
16 something special / He'll be free / how about Saturday
17 looking for / wants to find / decides to ask
18 do the dishes / take the recycling / I can't put it in water
19 for a year / isn't it / the chance of / come along again
20 give me a hand / next to the window / have to put a rug

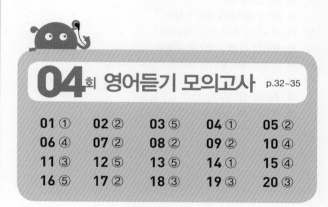

04회 영어듣기 모의고사 p.32~35

01 ①	02 ②	03 ⑤	04 ①	05 ②
06 ④	07 ②	08 ②	09 ②	10 ④
11 ③	12 ⑤	13 ⑤	14 ①	15 ④
16 ⑤	17 ②	18 ③	19 ③	20 ③

1 ①

해석

남 안녕하세요, 제 딸에게 줄 스티커 판을 사려고요.
여 네, 이 동물이 그려진 판은 어떠세요? 따님이 기린이나 곰을 좋아하나요?
남 아, 제 딸은 강아지를 좋아해요.
여 강아지가 뼈를 물고 있는 이건 어떠세요?
남 아니요. 그건 귀엽지 않네요.
여 제 생각에는 나무와 개집이 있는 게 귀여운 것 같아요.
남 저도요. 그것으로 할게요.

해설

남자는 나무와 개집이 있는 스티커판이 귀엽다며 그것을 산다고 말하고 있다.

어휘

board 판 / puppy 강아지 / hold 들다 / bone 뼈다귀 / cute 귀여운

2 ②

해석

[전화가 울린다.]
남 저기, Emma. 나 Matt야. 너 토요일 아침에 바쁘니?
여 왜?

13

남 음, 내 친구들이 토요일 오후에 경기를 보려고 놀러 올 거든.
여 나도 알아. 네가 나도 초대했잖아. 기억해?
남 물론이지. 네가 좀 일찍 와서 내가 점심 식사 준비하는 걸 좀 도와줄 수 있는지 궁금해서.
여 그래. 몇 시에?

남자는 다른 친구들이 놀러 오기 전에 여자에게 미리 와서 자신을 도와 달라고 부탁하려고 전화를 했다.

game 경기 / invite 초대하다 / remember 기억하다 / wonder 궁금해하다

3 ⑤

① 여 무엇을 도와 드릴까요?
   남 이 바지를 드라이클리닝 해 주세요.
② 여 무슨 문제 있어?
   남 봐! 네 음료수에 파리가 있어.
③ 여 이 귀여운 작은 모자 어떠세요?
   남 좋아요. 더 큰 사이즈로 주세요.
④ 여 이 컵은 10% 할인된 가격에 드릴 수 있어요.
   남 그럼, 얼마죠?
⑤ 여 주문하시겠어요?
   남 샌드위치랑 사과 주스 한 잔 주세요.

패스트푸드점에서 샌드위치와 사과 주스를 주문하는 상황이다.

trouser 바지 / dry-clean 드라이클리닝하다 / fly 파리

4 ①

남 오늘, 특별한 손님인 Paula Chapman 씨를 모셨습니다. 안녕하세요, Paula.
여 안녕하세요, 여러분.
남 이걸 먼저 물어보고 싶네요. 무엇이 당신이 영화를 만드는 데 흥미가 생기게 했나요?
여 그건 쉽네요. 저희 부모님의 독서에 대한 사랑 때문이었어요. 저는 책이 가득한 집에서 자랐죠.
남 책이 이 직업을 시작하게 한 이유라는 거죠?
여 맞아요. 제가 제일 좋아하는 책은 유명한 감독들에 관한 거였어요.
남 그래서 그들 중 한 명이 되신 거군요.
여 네! 저는 감독들의 창의성에 큰 감명을 받았거든요.

남자는 여자가 유명한 영화감독들 중 한 명이라고 언급했다.

guest 손님 / reason 이유 / career 직업 / director 감독 / creativity 창의성

5 ②

여 비가 그쳤어. 산책 가고 싶어?
남 이 답답한 도서관에서 나가고 싶지.
여 기다려. 봐. 비가 다시 오기 시작했어.
남 이곳 날씨는 정말 예측할 수 없어.
여 정말 그래. 뭘 입어야 할지 모르겠어.

여자는 날씨가 정말 예측 불가능하다는 남자의 마지막 말에 동의하고 있다.

go for a walk 산책하러 가다 / get out of (~에서) 떠나다, 나가다 / stuffy 답답한 / unpredictable 예측할 수 없는, 종잡을 수 없는

6 ④

여 어떤 그림이 손님방에 괜찮을까요?
남 저는 달리는 사자가 있는 이 그림을 생각하고 있어요.
여 저는 차분한 것이면 좋겠어요.
남 그래요, 당신 말이 맞아요. 그럼, 초원에 양들이 있는 이 그림은 어때요?
여 음… 저는 과일 정물화가 더 나은 것 같은데.
남 하지만 제 생각에 그 그림은 부엌에 더 어울리는 것 같아요.
여 그럼 들판에 해바라기가 있는 저 그림은 어때요?
남 좋네요. 저것으로 하죠!

두 사람은 들판에 해바라기가 있는 그림을 선택했다.

peaceful 평화로운 / sheep 양 / green field 초원 / sunflower 해바라기

7 ②

① 여 너 지쳐 보여.
   남 응. 나는 밤에 잠을 푹 자야 해.
② 여 지하철역이 어디지?
   남 그건 보통 가장 좋은 방법이야.
③ 여 파티에 가도 될까요?
   남 다신 묻지 마라! 안 된다.
④ 여 내가 좋은 대학에 갈 수 있을 거라고 생각해?
   남 물론이지. 최선을 다해 봐.
⑤ 여 에세이 잘 돼가?
   남 꽤 잘 돼가고 있어. 고마워.

지하철역이 '어디에' 있는지 위치를 물었는데 '가장 좋은 방법'이라고 답하는 것은 어색하다.

exhausted 지친 / university 대학교 / pretty 꽤

8 ②

해석
남 무슨 일이야?
여 나 내일 밤에 파티에 못 가게 됐어.
남 왜?
여 엄마의 식당을 돕는 남자 분이 아프대. 내가 그를 대신해야 해.
남 그거 참 안됐다.
여 야. 너 아르바이트 구하고 있지, 그렇지 않니?
남 응.
여 내일 여섯 시부터 식당에서 일해 줄 수 있어?
남 그럼 좋지!

해설
여자는 내일 엄마의 식당 일을 도와야 하는데 그걸 남자에게 부탁하고 있다.

어휘
matter 문제 / replace 대체하다, 대신하다 / look for ~를 찾다

9 ②

해석
여 드라이클리닝 맡긴 것 찾아왔어요, 여보?
남 네. 우리 방 문 뒤에 걸려 있어요.
여 고마워요! [잠시 / 후] 아, 봐요! 잉크 얼룩이 내 치마 위에 여전히 있어요!
남 아, 미안해요. 내가 돈을 지불하기 전에 확인했어야 했는데.
여 이건 당신 잘못이 아니잖아요. 서비스가 엉망이에요. 전화해서 항의해야겠어요.

해설
세탁을 맡긴 옷을 찾아왔는데 제대로 세탁이 되어 있지 않아 항의를 하려고 하는 상황이다.

어휘
pick up 찾아오다 / hang 걸다 / stain 얼룩 / still 여전히 / fault 잘못 / complain 항의하다, 불평하다

10 ④

해석
여 무엇을 도와 드릴까요?
남 네, 어른 두 장이랑 어린이 한 장이요.
여 표는 성인이 4달러, 어린이가 2달러입니다.
남 그럼 총 10달러네요. 카드로 내도 되나요?
여 네. 아, 이 아이는 따님이신가요?
남 네, 오늘이 딸의 다섯 번째 생일이에요.
여 정말인가요? 6세 이하의 어린이는 무료예요.
남 잘 됐네요. 여기 제 카드요.

해설
남자의 딸은 다섯 살로 입장료가 무료이므로 어른 두 장 값인 8달러만 내면 된다.

어휘
adult 성인, 어른 / in total 통틀어

11 ③

해석
남 나는 차에서 기다릴게. 괜찮지?
여 안 돼. 나는 도움이 필요해. 이 중 무엇을 Rachel에게 사줘야 할지 결정을 못 하겠단 말이야.
남 글쎄. 장미 꽃다발이 사랑스러운 것 같은데, 안 그래?
여 그래. 하지만 그녀가 빨간색을 좋아할지 모르겠어. 이 분홍색 꽃다발은 어때?
남 그래, 그냥 그걸로 해! 우리 서둘러야 해. Rachel의 콘서트가 30분 후에 시작한다고.
여 알겠어.

해설
두 사람은 연주회에서 공연을 하는 친구를 위한 꽃다발을 고르고 있다.

어휘
bouquet 꽃다발 / hurry 서두르다

12 ⑤

해석
[자동 응답기가 삐 소리를 낸다.]
여 Matt의 엄마에게 내 대신 메시지를 좀 전해 줄래? 그녀에게 Laura를 위한 송별회가 다음 주 금요일, 5일이라고 말해 줘. 송별회는 6시 30분에 York 거리에 있는 이탈리아 음식점인 Dolce Vita에서 있어. 그녀에게 우리가 모두 Laura가 가장 좋아하는 색인 보라색 옷을 입고 갈 거라고 전해 줘. 그리고 내가 예약을 마무리해야 하니까 내일 저녁까지는 답을 달라고 해 주렴. 고마워, 얘야!

해설
송별회에 대해 회비에 관해서는 언급하지 않았다.

어휘
farewell party 송별회 / purple 보라색 / finalize 마무리하다 / booking 예약

13 ⑤

해석
여 내일 영화 볼래?
남 그래, 하지만 나는 11시에 한 시간 동안 약속이 있어.
여 그래? 그러면 우리는 Winterfell은 볼 수 없겠다. 우리에게는 두 가지 선택권이 있어.
남 어느 것이 더 좋아?
여 After Dark는 너무 무섭고 잔인할 것 같아.
남 나도 그렇게 생각해. 그러면 우리가 볼 수 있는 영화는 하나뿐이야. 어떻게 생각해?
여 이 영화가 평이 좋다고 들었어. 내가 온라인으로 표를 살게.

해설
Winterfell은 시간 때문에, After Dark는 너무 무서워서 볼 수 없으므로 나머지 영화인 War Horse 중 시간대가 맞는 오후 2시(14시) 영화를 볼 것이다.

어휘
choice 선택 / scary 무서운 / violent 폭력적인 / review 평

14 ①

해석

남 이곳은 물이 자연적으로 데워지는 곳이다. 물은 화산 활동으로 만들어진 마그마에 의해 데워지며 미네랄이 풍부하다. 이곳에서 사람들은 이 자연적으로 뜨거워진 미네랄워터 웅덩이에 앉아서 쉬는데, 그것이 원기를 북돋아 주고, 건강에 좋기 때문이다.

어휘

화산 마그마에 의해 물이 자연적으로 데워지는 곳은 온천이다.

어휘

heat 데우다 / naturally 자연적으로 / volcanic 화산 작용에 의해 만들어진 / magma 마그마 / mineral 미네랄, 광물질 / pool 웅덩이 / refreshing 원기를 북돋우는

15 ④

해석

여 야! 창밖을 봐! 저게 국립박물관 아니야?
남 그런 것 같아. 그러면 우리는 시청을 벌써 지나친 거야.
여 여행 지도를 확인해 볼게.
남 여기를 봐, 시청이 국립박물관에서 네 정거장 떨어져 있다고 나와 있잖아.
여 버스 기사에게 우리가 지도의 어디에 있는지 물어 봐야겠어.

해설

여자의 마지막 말에서 버스 기사에게 길을 물을 것임을 알 수 있다.

어휘

already 이미, 벌써 / stop 정거장

16 ⑤

해석

[전화가 울린다.]
남 여보세요?
여 안녕하세요, Smith 교수님? 저는 교수님의 수업의 Lisa Perry예요.
남 그래, Lisa. 무엇을 도와줄까?
여 제 에세이 숙제를 6월 8일에 제출해도 될까 해서요.
남 이유가 뭐니?
여 할머니께서 많이 편찮으셨어요. 그래서 할머니댁에서 가서 1주일 동안 보살펴 드려야 하거든요.
남 그렇다니 유감이구나. 그러면, 기한이 6월 5일이지만 괜찮아. 그냥 내 우편함에 과제를 넣어두렴.
여 고맙습니다, Smith 교수님.

해설

과제의 원래 제출 기한은 6월 5일이지만, 할머니댁에 가야 해서 6월 8일로 기한을 미루게 되었다.

어휘

turn in 제출하다 / take care of ~를 돌보다 / due date 기한 / drop 떨어뜨리다

17 ②

해석

여 Mark는 영국에서 여행을 하고 있다. 어느 날, 그는 아름다운 산으로 하이킹을 갔다. 그는 고향에 있는 친구들과 가족들에게 그것을 보여 주고 싶었다. 그래서 그는 관광지 가게에서 엽서를 샀다. 그래서 그는 엽서를 항공 우편으로 부치려고 한다. 그는 가게 점원에게 어디에서 엽서를 부쳐야 하는지 물어보려고 결심했다. 이 상황에서, Mark는 그녀에게 뭐라고 말할까?

해설

가게 점원에게 우체국이 어디에 있는지 묻고 싶어 하는 상황이다.
① 이 근처에서 일하나요? ② 우체국이 어디에 있나요? ③ 길을 좀 알려 주시겠어요? ④ 이 가게는 오늘 밤 몇 시에 문을 닫나요? ⑤ 이 엽서 열 장 주시겠어요?

어휘

hike 도보여행을 하다 / postcard 엽서 / tourist 여행객 / airmail 항공우편 / mail 부치다

18 ③

해석

여 여기는 너무 추워. 난방을 켜지 그래?
남 작동이 안 돼. 서비스 기술자가 세 시에 고치러 올 거야.
여 휴대용 히터 없어? 너무 춥잖아!
남 차고에 하나 있는 것 같아.
여 정말? 가져올 수 있어?
남 그럼. 금방 올게.

해설

난방이 고장 나서 남자가 차고에 있는 히터를 가지러 갈 것이다.

어휘

freezing 너무 추운 / heat 난방 / work 작동하다 / technician 기술자 / fix 수리하다 / portable 휴대용의 / garage 차고

19 ③

해석

여 동아리 시상식의 날 밤을 위해 음료를 준비해 줄 수 있어?
남 그래. 누가 트로피를 사는 거야?
여 Alan이 주문했어.
남 Maggie는 메인 홀을 예약했어. 그녀랑 Lisa가 거기를 장식할 거야.
여 또 뭘 해야 하지?
남 없어. 동아리의 모든 사람들이 돕고 있잖아.
여 좋아. 내가 혼자 해야 했다면 정말 큰 일이었을 거야.

해설

행사를 준비하는 과정에서 동아리 사람들이 참여해서 일을 덜어주고 있는 상황이므로, '백지장도 맞들면 낫다'는 속담이 가장 적절하다.
① 훈련이 완벽을 만든다. ② 반짝인다고 다 금은 아니다. ③ 백지장도 맞들면 낫다. ④ 하늘은 스스로 돕는 자를 돕는다. ⑤ 긴 여정은 한 걸음부터 시작한다.

어휘
organize 준비하다, 조직하다 / awards 시상식 / trophy 트로피 / book
예약하다 / decorate 장식하다 / huge 엄청난

20 ③

해석

남 안녕, Mary.

여 안녕, Sam.

남 너 걱정이 있어 보여. 무슨 일이야?

여 우리 할아버지가 넘어지셔서 팔이 부러졌어. 나는 삼촌이 걱정이 돼.

남 곧 괜찮아지실 거야, 그렇지 않니?

여 글쎄, 할아버지는 아흔이셔.

남 무슨 뜻이야?

여 그 나이에 부상에서 회복하는 건 아주 어렵잖아.

해설

여자는 팔을 다친 할아버지가 나이가 많아서 부상에서 회복하기 어렵다고 생각한다.

① 너는 그를 다시 방문할 필요는 없어. ② 우리 할아버지는 내가 아주 어릴 때 돌아가셨어. ④ 병원에 있는 그는 꽤 좋아 보여. ⑤ 이제 곧 그의 생일이야.

어휘

fall 넘어지다 / recover 회복하다 / injury 부상

Dictation

p.36~39

1 buy a sticker board / loves puppies / the one with the tree

2 Are you busy / to watch the game / prepare lunch

3 There's a fly / the larger size / how much

4 makes you interested in / you started this career / about famous directors

5 feel like going / Hang on / You can say that again

6 Which picture / something peaceful / with sunflowers

7 look exhausted / Don't ask me / keep up

8 Why not / have to replace / looking for / Could you work

9 pick up / The ink stain / not your fault

10 $4 for adults / by card / under six

11 can't decide / don't you / pink flowers

12 next week / something purple / ask her to answer

13 have an appointment / too scary and violent / I'll buy tickets

14 water is heated / sit and relax / good for health

15 must have passed / Let me check / should ask

16 turn in my essay / take care of / drop it in my mail box

17 wants to show / wants to send / mail the postcard

18 turn on the heat / to fix it / Can you get it

19 Who bought / What else / do it myself

20 look worried / broke his arm

05회 영어듣기 모의고사
p.40~43

01 ⑤	02 ⑤	03 ④	04 ③	05 ①
06 ①	07 ⑤	08 ④	09 ④	10 ④
11 ⑤	12 ③	13 ③	14 ①	15 ④
16 ③	17 ②	18 ②	19 ④	20 ③

1 ⑤

해석

남 먼저 네모를 그려라. 그러고 나서 네모의 가운데에 작은 동그라미를 그려라. 네모의 왼쪽 아래 구석에 다른 작은 동그라미를 그려라. 왼쪽 아래에 있는 동그라미를 검은색으로 칠해라. 마지막으로, 동그라미들을 잇는 직선을 그려라.

해설

네모 가운데에 작은 동그라미가 있고 왼쪽 아래에 검은색으로 칠해진 동그라미가 있으며 이 두 개의 원을 잇는 직선이 있는 것이 적절하다.

어휘

square 네모 / bottom 바닥 / fill 채우다 / straight 곧은

2 ⑤

해석

[전화가 울린다.]

여 여보세요. Daniel.

남 안녕, 엄마. 오늘 기분 어떠세요?

여 좋단다. 지금 답을 해주기를 바라니?

남 네, 부탁이에요. 제 친구들과 저는 엄마가 허락해 주기를 기다리고 있어요.

여 알겠다. 내 대답은… 이번만 허락하는 거다. 오늘 밤에 친구들과 콘서트에 가도 된다.

남 와, 감사해요, 엄마! 공부 열심히 하고 말 잘 들을게요.

해설

남자는 엄마의 허락을 받기 위해서 전화를 했다.

어휘

permission 허락

3 ④

해석

여 너 걱정이 있어 보이는구나. 무슨 일이야?

남 나는 오늘까지 마감인 영어 에세이 숙제가 있는데 아직 못 끝냈어요.

여 어제 하지 그랬어?

남 야구 경기를 봤어요.

여 숙제를 하는 대신 TV를 봤다고?

남 네, 저는 오늘 아침에 숙제를 끝낼 시간이 있을 줄 알았는데, 제가 틀렸어요.

17

여 할아버지가 말씀하시던 거 기억나니? "오늘 할 수 있는 일을 내일로 미루지 마라."고 하셨잖아.
남 제가 할아버지의 충고를 좀 더 진지하게 받아들여야 했어요.

해설
남자는 숙제를 미루고 TV를 본 자신의 행동을 후회하고 있다.

어휘
due ~하기로 되어 있는 / match 경기 / instead of ~ 대신에 / put off 미루다

4 ③

해석
여 창백해 보이는구나, Josh. 무슨 일이니?
남 두통이 너무 심해요, King 선생님.
여 언제 두통이 시작됐니?
남 오늘 아침부터요.
여 왜 그런 것 같아?
남 저는 친구들이랑 놀고 있었어요. 넘어져서 머리를 부딪쳤어요.
여 좀 보자. 세상에, 큰 혹이 있구나. 양호실 선생님께 당장 가자꾸나.

해설
양호 선생님께 가자는 대화에서 두 사람이 학교에 있고 교사와 학생 사이라는 것을 알 수 있다.

어휘
pale 창백한 / headache 두통 / fall 넘어지다 / huge 거대한, 큰 / bump 혹 / immediately 즉시, 당장

5 ①

해석
남 시 마라톤 준비는 거의 끝나갑니다. 경주는 이번 주 목요일 오전 9시에 시작됩니다. 최근 일기 예보에 따르면 경주 시작 시에는 선선하고 흐린 날씨가 예상됩니다. 하지만 오후에는 큰 폭풍우가 동쪽으로부터 다가오기 때문에 날씨가 한때 바뀔 것으로 예상됩니다. 폭풍은 처음에는 약한 비를 가져오겠지만, 점차 비가 많아질 것입니다. 하지만 걱정 마세요. 경주는 오전에 끝날 것입니다. 즐거운 마라톤 되세요!

해설
마라톤을 시작하는 날 오후에는 비가 내릴 것이라고 했다.

어휘
preparation 준비 / marathon 마라톤 / forecast 일기 예보 / condition 상태 / be expected to ~일 것으로 예상되다 / approach 접근하다 / at first 처음에 / increase 증가하다 / steadily 꾸준히

6 ①

해석
여 실례합니다. 제가 길을 잃었어요. 저는 주립 도서관을 찾고 있는데요. 그게 여기 근처에 있나요?
남 네, 여기에서 걸어가실 수 있어요. 쉬워요. 그냥 두 블록을 쭉 가셔서, 왼쪽으로 돌고 한 블록을 가서 오른쪽으로 도세요.
여 죄송해요, 다시요. 두 번째 사거리에서 왼쪽으로 돌고, 그리고 한 블록 더 가는 거죠?

남 네. 오른쪽으로 도시면, 당신의 왼쪽에 보일 거예요.
여 정말 고맙습니다!

해설
두 블록을 가서 왼쪽으로 돌고, 한 블록을 더 가서 오른쪽으로 돌면 여자의 왼쪽에 있는 것이다.

어휘
look for 찾다 / around 주위에 / intersection 사거리, 교차로

7 ⑤

해석
① 남 이 박스를 열어봐도 될까요?
　 여 네, 열어 보세요.
② 남 비 오는데 넘어져서 젖었어.
　 여 오, 정말 안됐다.
③ 남 너는 일요일에 주로 뭘 하니?
　 여 나는 하이킹을 가.
④ 남 뭐 좀 드시겠어요?
　 여 아니요, 괜찮아요. 배불러요.
⑤ 남 Ben은 감기에 걸려서 오늘 결석했어.
　 여 맞아. 그는 눈사람을 만들고 싶어 했어.

해설
Ben이 감기에 걸려 결석했다는 말에 눈사람을 만들고 싶어 했다는 대답은 어색하다.

어휘
wet 젖은 / absent 결석한 / snowman 눈사람

8 ④

해석
남 무슨 일이야? 화가 나 보여.
여 학교 웹사이트에 내 에세이를 업로드 하려는데, 계속 실패해.
남 에세이 마감 기한이 언제인데?
여 어제였어. 하지만 선생님께서 나에게 하루 더 연장해 주셨거든.
남 웹사이트에 있는 자주 묻는 질문 페이지에서 문제에 관해 확인해 봤어?
여 응. 어떤 도움도 찾을 수 없는데.
남 그냥 사무실에 가서 제출하는 게 좋을 것 같아.
여 글쎄, 나에게 선택권은 없는 것 같아.

해설
여자는 온라인으로 과제를 제출해야 하는데, 업로드가 되지 않아서 문제를 겪고 있다.

어휘
upset 화가 난 / extension 연장, 확장 / FAQ 자주 묻는 질문 / suppose ~라고 생각하다 / hand in 제출하다

9 ④

해석
여 나는 큰 호텔에 지원하고 싶은데, 면접이 걱정이야. 나에게 해 줄 좋은 조언 없니?

나 글쎄, 제일 먼저 해야 할 것은 좋은 첫인상을 보여주는 거야.
여 그렇지. 심지어 말하기도 전에 말이야. 말하기도 전에 어떻게 그들에게 깊은 인상을 남길 수 있을까?
남 네 가장 좋은 옷을 입고 미소를 짓는 것은 어때?

해설
여자는 면접에서 좋은 첫인상을 남기는 법에 대해 물었고, 남자는 그에 대한 방법을 제안하였다.

어휘
apply for 지원하다 / interview 면접, 인터뷰 / tip 조언 / present 보여주다 / first impression 첫인상 / impress 깊은 인상을 주다 / suit 옷, (양복) 한 벌

10 ④

해석
남 저는 이 책들을 대출하려고 해요.
여 회원 카드를 보여 주시겠어요?
남 네. 여기 있어요.
여 흠. 내지 않은 연체료가 있네요. 책 두 권을 일주일 늦게 반납하셨어요. 반납 기한이 지난 책은 하루 당 50센트예요. 그래서 하루에 1달러입니다.
남 그럼 제가 7일이나 늦게 반납했다는 건가요? 죄송해요. 돈 여기 있어요.

해설
한 권의 하루 연체료는 50센트인데 남자는 두 권을 대출했었다. 따라서 하루 연체료가 1달러인데 7일 늦었으므로 총 7달러를 내야 한다.

어휘
borrow 빌리다, 대여하다 / membership card 회원 카드 / unpaid 지불하지 않은 / fine 연체료, 벌금 / return 반납하다 / late 늦게 / per ~당 / overdue 기한이 지난

11 ⑤

해석
여 좋은 아침입니다. 여러분. 우리는 오늘 꽤 바쁜 일정이에요. 아침 식사는 7시부터 8시까지입니다. 그러고 나서 우리는 버스를 타고 절로 갑니다. 우리는 한 시간 동안 둘러보고, 그 뒤에 동굴을 걸을 거예요. 점심 식사는 정오쯤에 식당에서 있습니다. 한 시에, 우리는 국립 박물관 투어를 합니다. 세 시에 우리의 마지막 장소인 Friday 시장에 갑니다. 여러분은 마음껏 쇼핑할 수 있지만, 다섯 시에는 버스로 돌아오세요!

해설
세 시에는 Friday 시장에 간다고 말했다.

어휘
quite 꽤 / schedule 일정 / board 탑승하다 / temple 절 / cave 동굴 / National Museum 국립 박물관 / market 시장

12 ③

해석
남 나는 내 숙제가 걱정돼. 가족 신문을 만들어야 하거든.
여 재미있겠다! 내가 도와줄 수 있어.
남 그런데 무엇에 대해 써야 할지 모르겠어.

여 음, 먼저 제목과 발행일을 정해. 그러고 나서 조상을 소개하는 게 좋을 것 같아.
남 그래! 그리고 가족 모두의 취미를 적는 게 어때?
여 그거 좋은 생각이다. 그리고 사진과 함께 1면의 이야기를 만들 수 있겠지.

해설
두 사람은 가훈에 대해서는 언급하지 않았다.

어휘
issue 발행, 호 / introduce 소개하다 / ancestor 조상

13 ③

해석
여 국립 미술관입니다. 무엇을 도와 드릴까요?
남 안녕하세요. 몇 시에 문을 여는지 알려주시겠어요?
여 네. 미술관은 월요일을 제외하고는 매일 열 시에 문을 열어서 다섯 시에 닫습니다.
남 아. 월요일에는 문을 닫나요? 그리고 가격이 어떻게 되나요?
여 네. 월요일은 닫습니다. 그리고 입장료는 특별 전시를 제외하고는 무료입니다.
남 저는 제 가족들을 데리고 현대 영국 미술 쇼를 보려고 해요.
여 그건 특별 전시입니다. 표는 가족 당 20달러입니다.
남 알겠습니다. 고마워요.

해설
특별 전시를 제외하면 일반 입장은 무료라고 했다.

어휘
daily 매일 / except ~를 제외하고 / cost 비용이 들다 / admission 입장 / exhibition 전시

14 ①

해석
남 거의 모든 사람들이 이것을 가지고 있다. 하지만 이것은 저렴하지 않다. 또 다른 문제는 기술이 아주 빨리 변한다는 것이다. 그래서 거의 당신이 새것에 익숙해지자마자, 시장에는 더 빠른 것이 나온다. 최초의 것은 전화선 없이 통화를 하는 것으로만 사용되었다. 이제 이것은 작은 컴퓨터로 이용된다. 이것은 무엇인가?

해설
최초에는 통화를 목적으로 사용되었지만 현재에는 작은 컴퓨터의 기능을 하는 것은 스마트폰이다.

어휘
cheap 저렴한 / technology 기술 / as soon as ~하자마자 / get used to ~에 익숙해지다 / latest 가장 최신의 / storage 저장 / space 공간 / single 하나의 / purpose 목적 / line 전화선

15 ④

해석
여 참 지저분하군! David. 방 청소 좀 해야겠다.
남 죄송해요. 엄마. 과학 숙제하느라 바빠요.

여   내 생각에는 인터넷 서핑만 하는 것 같은데. 정말 숙제하는 거 맞니?
남   네, 엄마. 믿어주세요. 숙제 한 후에 엄마가 원하는 것을 할게요.
여   좋아. 그럼 책상 위에 있는 양말부터 치워라.
남   네, 엄마. 바로 할게요.

<u>해설</u>
엄마가 책상 위에 있는 양말을 치우라고 해서 양말을 치울 것이다.

<u>어휘</u>
mess 엉망인 상태

16 ③

<u>해석</u>
여   너 이번 주 금요일에 뭐 해?
남   특별한 건 없어. 너는?
여   나 농구 경기 공짜 티켓이 두 장 생겼어. 네가 갈 거라고 생각했는데.
남   끝내준다! 언제 경기가 시작해?
여   경기장 문이 6시에 열리고, 경기는 7시 30분에 시작해.
남   경기 한 시간 전에 경기장 밖에서 만날래?
여   좋아. 거기서 만나.

<u>해설</u>
두 사람은 경기 시작 한 시간 전에 만나기로 했으므로 6시 30분에 만나게 될 것이다.

<u>어휘</u>
match 경기 / fantastic 기막히게 좋은 / stadium 경기장

17 ②

<u>해석</u>
남   너 학교 동아리에 들었니?
여   응. 몇 개 들었어.
남   뭐가 가장 좋아?
여   아마 봉사 활동 동아리일 거야. 우리는 노숙자들에게 식사를 제공하거든.
남   소프트볼이나 하키에는 관심이 없니?
여   나는 경쟁적인 운동은 별로야.
남   그거 안됐네. 나는 리그에서 럭비를 하거든.
여   멋지네. 저기, 이번 여름에 너 뭐 해? 나는 호수로 캠핑을 갈 거야.
남   정말? 나도 캠핑을 가. 나는 산으로 갈 거야.
여   나는 여름 캠핑이 정말 좋아. 정말 재미있어!

<u>해설</u>
여자는 경쟁적인 스포츠에 관심이 없다고 했다.

<u>어휘</u>
club 동아리 / probably 아마도 / volunteer 봉사 활동 / homeless 노숙자 / competitive 경쟁적인 / awesome 멋진, 굉장한

18 ②

<u>해석</u>
여   너 지금 바빠?
남   가서 친구를 좀 만나려던 참이야. 왜?

여   네가 내 프로젝트를 도와준다고 했잖아.
남   아, 맞다! 완전히 까먹었어. 뭐에 관한 거였지?
여   에너지 절약형 디자인에 관해 할 것 같아.
남   좋은 주제다. 온라인으로 주제에 관해 조사를 해 보자.
여   나는 큰 서점에 가서 디자인 잡지를 찾아보고 싶어.
남   좋아, 잠깐만 기다려. 친구들에게 전화해서 내가 안 간다고 말할게.

<u>해설</u>
남자는 만나기로 약속했던 친구들에게 가지 못한다고 전화를 하겠다고 말했다.

<u>어휘</u>
be about to 막 ~할 참이다 / totally 완전히 / check out 확인하다 / magazine 잡지

19 ④

<u>해석</u>
여   너 이번 주말에 뭐 해?
남   글쎄, Lee랑 나는 스케이트를 타러 가고 싶은데, Matt랑 Josh는 암벽 등반을 하러 가고 싶다고 하고, Ben은 보트를 빌려서 낚시를 하고 그 뒤에 바비큐 파티를 하고 싶어 해.
여   모두의 의견이 재미있어 보이는데, 다 다르구나. 어떤 것이 최선인지 결정하는 것은 어렵지.

<u>해설</u>
주말 계획에 대한 친구들의 의견이 모두 달라 결정이 어렵다는 내용이므로 "사공이 많으면 배가 산으로 간다"는 뜻의 속담이 가장 적절하다.
① 그림의 떡. ② 서두르다 망친다. ③ 천천히 그리고 꾸준히 하면 이긴다.
④ 사공이 많으면 배가 산으로 간다. ⑤ 백문이 불여일견이다.

<u>어휘</u>
rock climbing 암벽 등반 / rent 빌리다 / afterwards 나중에

20 ③

<u>해석</u>
여   더 적은 에너지를 쓰기 위해 우리가 무엇을 할 수 있을까?
남   글쎄, 필요하지 않을 때 불을 끄는 건 좋은 방법 중의 하나지.
여   맞아. 또 다른 건?
남   엄마가 우리를 태워다 주시는 것 대신에 걸어서 학교에 갈 수 있지.
여   하지만 무거운 가방을 들고 걸어서 가기에는 너무 멀어.
남   그러면 자전거를 타는 건 어때? 우리 둘 다 자전거가 있잖아.
여   하지만 자전거를 타는 것은 너무 위험하지 않을까?
남   <u>조심하고 헬멧을 쓰면 돼.</u>

<u>해설</u>
자전거를 타고 등교하는 것에 대해 걱정하는 여자의 말에 조심하고 헬멧을 쓰면 괜찮다고 답하는 것이 가장 적절하다.
① 재활용하면 에너지를 많이 절약할 수 있어. ② 나는 네 노력에 감사해.
④ 우리 어머니들은 정말 안전하게 운전을 하셔. ⑤ 응, 너는 불빛 없이 네 자전거를 탈 수 있어.

<u>어휘</u>
turn off 끄다 / instead of ~ 대신에 / far 거리가 먼 / dangerous 위험한

Dictation

p.44~47

1 draw a square / in the bottom / join the circles
2 How do you feel / are waiting for / can go to the concert
3 due today / watched TV / Never put off
4 bad headache / Do you have any idea / to the school nurse
5 The race starts / a storm is approaching / will increase
6 I'm lost / turn left / on your left
7 Do you mind if / What do you usually do / wants to make
8 look upset / your essay due / Did you check / hand it in
9 apply for / How can I impress them / What about wearing
10 want to borrow / returned two books / a dollar a day
11 board our bus / look around / can shop
12 what to write about / how about writing / with photos
13 except Mondays / we are closed / a special exhibition
14 they're not cheap / changing so fast / without a line
15 surfing the Internet / Believe me / get your socks off
16 Nothing special / the game starts / an hour before
17 Which do you like / Aren't you interested in / I'm going to a camp
18 totally forgot / start researching / have to call
19 go rock climbing / go fishing / to decide
20 turning lights off / could walk / how about riding

06회 영어듣기 모의고사

p.48~51

01 ①	02 ④	03 ①	04 ③	05 ②
06 ⑤	07 ③	08 ⑤	09 ④	10 ③
11 ②	12 ②	13 ①	14 ③	15 ⑤
16 ④	17 ②	18 ②	19 ③	20 ④

1 ①

해석
남 저에게 심각한 문제가 있는 건가요, 선생님?
여 별 거 아닙니다. 걱정하지 마세요.
남 다행이네요. 이제 제가 뭘 해야 하죠?
여 이 약이 도움이 될 거예요. 식사와 함께 하루 세 번 캡슐을 드세요. 그리고 물을 많이 드셔야 해요.
여 그게 다인가요?
여 아침 식사 후에 오렌지나 키위를 드시기를 추천할게요. 그것들은 아

주 좋거든요. 그리고 커피를 마시는 것은 피하세요. 카페인은 당신에게 좋지 않아요.
남 알겠습니다. 충고를 따를게요. 감사합니다.

해설
커피는 카페인이 들어 있어 좋지 않으므로 피하라고 여자는 조언했다.

어휘
relief 안심, 안도 / capsule 캡슐 / recommend 추천하다 / caffeine 카페인

2 ④

해석
여 너 지난 주말에 뭐 했어?
남 삼촌 결혼식에 참석하러 제주도에 갔었어. 휴가철이어서 어딜 가든지 사람들이 정말 많더라.
여 너는 해변에 갔었니, 아니면 한라산에 올라갔니?
남 아니, 나 사람 많은 곳 싫어하잖아. 그리고 등산을 하기엔 너무 더웠어.
여 정말? 거기에서 아무것도 안 했어?
남 응, 그냥 호텔방에서 TV만 봤어.

해설
남자는 제주도에 결혼식을 가서 호텔방에서 TV만 봤다.

어휘
wedding 결혼식 / wherever 어디든지, 어디에나 / crowded 붐비는

3 ①

해석
남 정말 아름다운 날이야. 공원에 소풍 가서 점심을 먹자.
여 좋아. 어떤 것을 싸야 할까?
남 내가 토마토 주스와 컵케이크를 만들게.
여 그래. 나는 핫도그와 샌드위치를 만들게.
남 어떤 종류의 샌드위치를 만들 건데?
여 음, 우리는 빵, 햄, 치즈, 토마토가 있어.
남 샌드위치에 토마토를 넣을 거면 토마토 주스 대신에 차를 만들게.
여 그게 더 낫겠다.

해설
남자는 토마토 주스 대신에 차를 만들겠다고 했다.

어휘
pack 싸다, 꾸리다

4 ③

해석
남 너 휴가 계획이 어떻게 돼?
여 나는 이탈리아에 가고 싶은데, 돈과 시간이 없어.
남 나는 피지에 가고 싶어.
여 나도야! 사실 나는 작년에 그곳으로 가는 티켓을 예매했었는데 결국 가지는 못했어.
남 왜?
여 거대한 사이클론이 그 섬을 덮쳤거든. 그것은 엄청난 재해였어.
남 아, 이런! 피지 사람들이 괜찮기를 바랄게.

해설

여자는 사이클론 때문에 위험해서 피지에 가지 못했다.

어휘

book 예약하다, 예매하다 / cyclone 사이클론 / disaster 재앙, 재해

5 ②

해설

여 아빠? 저 점심 다 먹었어요. 우리 이제 수영장에 가도 돼요?
남 아직 안 된다, 얘야. 규칙을 알잖니. 점심을 먹고 한 시간을 기다려야 해.
여 저도 규칙을 알아요. 그런데 점심을 먹은 지 2시간이 지났어요.
남 그래? 벌써 시간이 그렇게 되었니? 네 물건을 챙기렴.
여 빨리 하고 싶어요! 저 먼저 갈게요!

해설

여자는 곧 수영을 할 생각에 들떠 있다.

어휘

pool 수영장 / rule 규칙

6 ⑤

해설

남 여보세요, Angel 자원봉사 센터입니다.
여 안녕하세요, 제 이름은 Karen Jones예요. 자원봉사자가 필요하시다고 들었어요.
남 네, 맞아요. Caroline Jones, 맞나요?
여 아니요, Karen이에요. K-A-R-E-N이에요.
남 제가 당신에게 전화드릴 수 있는 번호가 있을까요?
여 네. 제 휴대 전화 번호는 317-427-33580이에요.
남 고마워요. 자원봉사가 이번이 처음이세요?
여 아니요, 저는 경험이 많아요. 저는 아픈 사람들을 도와줄 수 있어요.
남 좋군요. 언제 일할 수 있죠?
여 화요일과 목요일을 뺀 주중이요.

해설

여자는 화요일과 목요일을 뺀 주중에 일할 수 있다고 했다.

어휘

experience 경험 / availability 가능 날짜

7 ③

해설

남 너는 여가 시간에 보통 뭘 해?
여 나는 탁구랑 배드민턴 치는 걸 좋아해. 네 취미는 뭐야?
남 음, 대부분 주말에 나는 하이킹을 가.
여 그래? 나도 같이 가고 싶어.
남 이번 주 일요일에 같이 갈래? 나는 다른 친구 두 명이랑 같이 가.
여 미안하지만 안 돼. 그날에는 내 친구의 미술 전시회에 가야 하거든.

해설

여자는 이번 일요일에 친구의 미술 전시회에 갈 예정이다.

어휘

table tennis 탁구 / exhibition 전시(회)

8 ⑤

해석

여 제가 도와 드릴까요?
남 네. 제가 2주 전에 여기에서 이 코트를 샀어요. 소매가 찢어졌어요.
여 죄송합니다. 영수증을 볼 수 있을까요?
남 네, 여기 있어요.
여 네. 환불을 하시겠어요?
남 아니요, 저는 이 코트가 좋거든요. 새것이 있나요?
여 네, 하지만 손님 사이즈의 이 색상은 품절이에요.
남 그래요? 하지만 저는 이 색만 좋은데요.
여 그러면 제가 다른 점포로부터 하나를 주문해 드릴 수 있어요.
남 네, 그렇게 해 주세요. 고맙습니다.

해설

남자는 환불을 받는 대신 새것을 주문해 달라고 했다.
① 코트를 수선하기 ② 환불받기 ③ 다른 스타일을 주문하기 ④ 다른 색으로 받기 ⑤ 새것으로 교환하기

어휘

sleeve 소매 / tear 찢다 / receipt 영수증 / refund 환불 / be out of ~가 다 떨어지다 / exchange 교환하다

9 ④

해석

남 너 영화 보고 싶어?
여 응. 뭘 생각 중인데?
남 나는 공포 영화가 보고 싶어.
여 정말? 나는 너무 무서운 건 감당할 수 없어.
남 난 네가 로맨틱 코미디를 좋아할 거라고 생각하는데.
여 맞아, 흥미로운 다큐멘터리도 좋지.
남 판타지 영화는 어때?
여 흠... 그거 말고는 뭐가 있을까?
남 음. 새 탐정 스릴러물이 나왔어. 평가가 아주 좋아.
여 그거 좋겠다. 그걸로 보자.

해설

마지막에 두 사람은 평가가 좋은 스릴러 영화를 보기로 했다.

어휘

horror movie 공포 영화 / handle 감당하다 / detective 탐정 / review 평가, 비평

10 ③

해설

여 나는 내 아이들이 걱정돼. 인터넷에서 안 좋은 것들을 보지 않았으면 좋겠어.
남 그건 심각한 문제지. 아이들은 너무 쉽게 해로운 웹사이트에 들어갈 수 있으니까.
여 그러니까. 하지만 아이들을 보호하려면 무엇을 할 수 있을까?
남 좋은 생각 하나는 컴퓨터를 거실에 두는 거야. 그러면 아이들이 그걸 사용할 때 네가 지켜볼 수 있어.

남자는 아이들이 인터넷을 사용하는 것에 대해 걱정하는 여자에게 좋은 방법을 제안하고 있다.

어휘

be worried about ~을 걱정하다 / serious 심각한 / harmful 유해한 / protect 보호하다 / keep an eye on ~을 계속 지켜보다

11 ②

해석

남 정말 재미있는 여행이 될 거야. 너랑 낚시를 가게 돼서 정말 기대돼.
여 내가 고기를 잡을 수 있을지 모르겠어.
남 물론 잡을 수 있을 거야.
여 그런데 우리 어디야? 아직 도착 안 한 거야?
남 내가 가던 곳이 모퉁이만 돌면 있어.
여 야! 저기에 쇼핑몰이 있잖아! 여기가 확실히 맞는 장소야?
남 응, 여기였어. 모든 게 없어졌어! 아, 이런!

해설

남자는 자신이 과거에 왔던 낚시터에 여자와 함께 왔는데, 낚시터에 쇼핑몰이 생겨서 당황하고 있다.

어휘

yet 아직 / used to ~하곤 했다

12 ②

해석

여 우리 좀 쉬자.
남 좋아. 나가서 점심 먹을래?
여 점심 먹기에는 너무 이르지 않아?
남 지금 11시밖에 안 된 거 알아. 하지만 우리는 8시부터 공부를 했잖아.
여 네 말이 맞아. 어디로 갈까?
남 지하에 식당이 있어.
여 도서관 직원들 전용 아니야?
남 아냐. 방문객들에게도 개방되어 있어.

해설

"we've been studying since 8", "Isn't it just for library staff?" 등의 언급으로 보아 두 사람이 지금 도서관에 있음을 알 수 있다.

어휘

take a break 쉬다 / since ~이래로 / cafeteria 식당 / basement 지하

13 ①

해석

[전화가 울린다.]
남 여보세요.
여 안녕, 나 Kate야.
남 무슨 일이야, Kate?
여 너 오전 10시까지 제출해야 하는 조사 보고서 알지?
남 응. 내 건 어제 끝냈지.
여 나도야. 그런데 최악의 일이 방금 생겼어.

남 뭔데?
여 용지가 다 떨어졌어. 인쇄를 할 수가 없어.
남 내가 어떻게 도와줄까?
여 내가 방금 너에게 이메일로 보냈거든. 그것 좀 뽑아 줄래?
남 물론이지.
여 고마워. 아침에 봐!

해설

여자는 보고서를 인쇄해야 하는데 용지가 다 떨어져 남자에게 인쇄를 부탁하려고 전화를 걸었다.

어휘

hand in 제출하다 / print out 인쇄하다

14 ③

해석

남 마침내 네가 아파트를 구했다고 들었어.
여 응, 하지만 무척 어려웠어. 그걸 찾기까지 온 동네를 다 뒤졌어.
남 어디에서 찾았는데?
여 가구 공장에서 가까워. 오래된 아파트인데, 깨끗하고 좋아.
남 하지만 그 동네, 좀 위험하지 않아?
여 난 괜찮을 거야. 우리 아파트는 보안이 잘 돼 있고 이웃들이 친절해 보여.
남 잘됐네. 하지만 조심해. 밤늦게 집에 혼자 가지 마.

해설

남자는 여자의 아파트가 있는 동네가 위험하다고 생각하고 있다.

어휘

neighborhood 동네 / security 보안 / friendly 친절한 / alone 혼자서

15 ⑤

해석

남 Clarksville의 쌍둥이 자매가 어제 Stuart 거리에서 있었던 두 대의 차량 추돌 사고에서 다섯 명의 피해자를 구했습니다. Tara와 Liz는 사고 소리를 들었을 때 집에 걸어가고 있던 중이었습니다. 그들은 즉각 사고 현장으로 달려갔습니다. 굵은 연기가 두 대의 차로부터 나오고 있었습니다. 운전자들과 승객들은 심하게 부상을 당했습니다. Tara는 소방대에 전화를 해서 응급 상황을 알렸습니다. 그리고 나서 자매는 서로를 도와 차량이 폭발하기 전에 모든 피해자들을 빼냈습니다.

해설

두 자매가 용감하게 교통사고의 피해자들을 구해냈다는 내용이다.
① 기차 추돌 ② 비극적인 자동차 추돌 사고 ③ 고속도로 교통 정체
④ Clarksville 고등학교 화재 ⑤ 사고 현장의 용감한 자매

어휘

save 구하다 / crash 추돌 사고 / immediately 즉시 / scene 현장 / passenger 승객 / badly 심하게 / injured 부상을 입은 / report 알리다 / emergency 응급 상황 / explode 폭발하다

16 ④

해석

① 남 새 차를 찾고 있는 거야?
　여 응, 내 차가 망가졌거든.
② 남 여기에 강아지를 데려오시면 안 돼요.
　여 죄송해요. 곧 나가겠습니다.
③ 남 무슨 일이야? 왜 우니?
　여 괜찮아. 나는 슬픈 영화를 보면 항상 울어.
④ 남 너 매일 일기를 써?
　여 나는 이것을 하루 종일 가지고 있을 수 있어.
⑤ 남 캠핑 갈 준비 다 된 거야?
　여 응. 모든 걸 다 꾸렸어.

해설

남자가 여자에게 일기를 매일 쓰는지 물었는데 가지고 있겠다고 답하는 것은 어색하다. 남자가 말한 keep은 "~을 쓰다"라는 뜻인데 여자가 답한 keep은 "~을 간직하다"라는 뜻이다.

어휘

be supposed to ～하기로 되어 있다 / keep a diary 일기를 쓰다 / pack 싸다, 꾸리다

17 ②

해석

남 이 방은 저에게 딱 맞아요. 제가 알아야 할 다른 게 또 있나요?
여 음. 애완동물이 금지되어 있어요.
남 그건 괜찮아요. 저는 애완동물이 없어요.
여 그리고 흡연은 엄격히 금지되어 있어요.
남 좋네요. 저는 비흡연자거든요.
여 그리고 벽에 사진을 거실 거면, 구멍을 수리하셔야 해요.
남 걱정 마세요. 어떤 손해도 복구할게요.
여 네. 두 가지가 더 있어요. 외출하실 때에는 모든 전등을 끄세요. 그리고 오후 11시에서 오전 6시 사이에는 빨래를 하지 마세요.
남 알겠어요. 꼭 명심할게요.

해설

사진을 걸어도 되지만, 구멍을 수리해야 한다고 했다.

어휘

allow 허용하다 / absolutely 절대 / permit 허용하다 / hang 걸다 / repair 수리하다 / hole 구멍 / do the laundry 빨래를 하다, 세탁기를 돌리다

18 ②

해석

여 Taronga 공원 동물원에 오신 것을 환영합니다. 저는 모든 선생님과 학생들에게 Taronga 공원의 규칙을 알려 드리려고 해요. 먼저, 동물에게 먹이를 주지 마세요. 먹이를 주는 시각은 모든 학교 그룹들을 위해 게시되어 있습니다. 두 번째, 동물 울타리 안으로 손을 뻗지 마세요. 세 번째, 쓰레기는 적절한 휴지통에 버리세요. 마지막으로, 동물들에게 소리를 지르지 마세요. 고맙습니다. 좋은 하루 되세요.

해설

동물원을 방문한 학생과 교사들에게 지켜야 할 사항들을 알리고 있다.

어휘

remind A of B A에게 B를 상기시키다 / feed 먹이를 주다 / post 게시하다 / reach 손을 뻗다 / fence 울타리 / bin 휴지통 / shout 소리치다

19 ③

해석

남 무엇을 도와 드릴까요?
여 저는 Rex 호텔을 찾고 있어요.
남 아, 그건 유명한 오래된 호텔이죠.
여 네, 그런데 제가 거기에 어떻게 갈 수 있을까요?
남 음, 택시나 버스를 타시면 돼요.
여 택시로 거기까지 가는 데 얼마나 걸리나요?
남 지금 시간대에는 30분 정도 걸릴 거예요.
여 요금은 얼마죠?
남 5달러 정도예요.

해설

택시 요금에 관해 물었으므로 요금을 알려주는 응답이 가장 적절하다.
① 잔돈은 가지세요. ② 여기서 멀지 않아요. ④ 지금 시간에는 교통이 아주 안 좋아요. ⑤ 그건 여행자들에게 인기가 있어요.

어휘

take 시간이 걸리다 / fare 요금

20 ④

해석

남 저는 아내에게 줄 꽃이 필요해요. 저희의 기념일이거든요.
여 저희에겐 아름다운 백합이 있어요.
남 얼마인가요?
여 12송이에 29달러예요.
남 꽤 괜찮은 가격이네요.
여 네, 손님을 위한 기념일 특가예요!
남 24송이를 주세요.
여 알겠습니다. 다른 것도 드릴까요?
남 아뇨, 백합이면 돼요.

해설

남자가 백합을 구입하겠다고 말한 후 직원이 더 필요한 게 없는지 물었으므로, "백합이면 충분하다"라는 응답이 가장 적절하다.
① 아뇨, 그건 12송이예요. ② 네, 이건 완벽한 선물이죠.
③ 그건 너무 비싸요. ⑤ 아뇨, 제 아내는 꽃을 좋아하지 않아요.

어휘

anniversary 기념일 / dozen 열두 개

Dictation p.52~55

1 　Is that all / avoid drinking coffee / take your advice
2 　attend my uncle's wedding / go to the beach / watched TV

3 take a picnic lunch / What kind of / make some tea
instead of tomato juice

4 I don't have the money / booked a ticket / a major disaster

5 Wait for an hour / Get your things ready

6 may need volunteers / help sick people / except
Tuesdays and Thursdays

7 in your free time / go hiking / I can't

8 is torn / get a refund / from another store

9 watching a movie / a new detective thriller / Sounds good

10 too easily visit / keep the computer

11 excited to go fishing / I used to go / the right place

12 too early for lunch / for library staff

13 have to hand in / run out of / Can you print

14 clean and nice / be careful

15 saved five victims / heard the crash / badly injured /
helped each other

16 is broken / all day long / have everything packed

17 perfect for me / repair any holes / keep that in mind

18 do not feed the animals / don't shout

19 how do I get / How much is the fare

20 our anniversary / a good deal / anything else

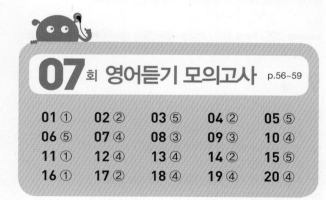

07회 영어듣기 모의고사 p.56~59

01 ①	02 ②	03 ⑤	04 ②	05 ⑤
06 ⑤	07 ④	08 ③	09 ③	10 ④
11 ①	12 ④	13 ④	14 ②	15 ⑤
16 ①	17 ②	18 ④	19 ④	20 ④

1 ①

해석
여 내일 일기 예보는 어때?
남 아침에는 서늘하고 구름이 끼고 오후에는 비가 올 것 같다.
여 정말? 믿을 수 없어! 오늘은 정말 따뜻하고 하늘에 구름 하나도 없잖아.
남 응, 하지만 날씨는 빨리 바뀔 수 있잖아.
여 비가 안 오면 좋겠다. 어쩌면 캠핑 여행을 미뤄야 할지도 몰라.
남 안 돼. 그러고 싶지 않아. 이미 짐도 다 쌌어.
여 그러면 행운을 빌자고.

해설
행운을 비는 'keep our fingers crossed'는 집게손가락과 가운뎃손가락을 꼬는 손동작이다.

어휘
weather forecast 일기 예보 / likely to ~할 것 같다 / postpone 연기하다 / keep one's fingers crossed 행운을 빌다

2 ②

해석
여 나 몸이 좋지 않아.
남 너는 매일 늦게 자고, 충분히 먹지도 않기 때문에 그런 것 같아.
여 네 말이 맞아. 좀 쉬어야겠어.
남 실내에서 너무 많은 시간을 보내는 건 좋지 않아. 나가서 운동을 좀 해.

해설
남자는 실내에서 많은 시간을 보내는 여자에게 밖에서 운동을 하라고 충고하고 있다.

어휘
feel well 건강 상태가 좋다, 기분이 좋다 / stay up 깨어 있다 / take a rest 쉬다 / indoors 실내에서

3 ⑤

해석
남 너 토요일에 무슨 계획 있어?
여 이번 주 토요일? 꽤 바쁠 것 같아. 왜?
남 오후에 같이 영화 보려고 했거든.
여 그럼 좋겠지만, 안 될 것 같아.
남 어째서?
여 음. 나는 11시 30분에 테니스를 칠 거야. 한 시에 끝나는데, 1시 30분에 약속이 있어.
남 무슨 약속인데?
여 나 머리 스타일을 바꾸고 싶거든. 두 시간이나 혹은 좀 더 걸릴 거야.
남 그럼 영화는 다음에 보자.

해설
여자는 한 시에 테니스를 끝내고 1시 30분에 미용실 예약이 되어 있다고 했다.

어휘
pretty 꽤 / appointment 약속

4 ②

해석
남 이럴 수가! 타이어에 바람이 빠졌어!
여 괜찮아. 트렁크에 예비 타이어가 있잖아.
남 알아, 하지만 갈아 끼우는 데 최소한 30분은 걸린단 말이야.
여 나는 약속에 늦을 것 같아.
남 그럼 혼자서 가는 건 어때? 버스나 지하철을 타고 가면 내가 나중에 데리러 갈게.
여 이 근처에 버스 정류장이나 지하철역이 없는 것 같아.
남 그럼 택시를 타. 늦지 않을 거야.
여 알겠어. 택시를 타고 가서 약속이 끝난 뒤에 널 기다릴게.

자동차 타이어에 바람이 빠져서 여자는 약속 장소에 택시를 타고 가기로 했다.

어휘
flat 바람이 빠진, 구멍이 난 / spare 여분의, 예비용의 / take 시간이 걸리다 / by oneself 혼자서 / pick up 데리러 가다

5 ⑤

해석
남 나 배고파. 뭘 좀 먹을 수 있을까?
여 구운 치즈 샌드위치 어때?
남 완벽하지. 어떻게 만드는데?
여 쉬워. 먼저 빵 두 조각과 치즈 한 장으로 샌드위치를 만들어. 그러고 나서 팬에 빵의 양쪽을 굽는 거야.
남 너 팬 있어?
여 응, 켜서 데워지고 있어.
남 뭐 도와줄까?
여 차 두 잔을 가져다주면 좋겠어.
남 알았어. 내가 할게.

해설
여자는 남자에게 차를 두 잔 가져와 달라고 부탁했다.

어휘
starve 몹시 배가 고프다 / grilled 구운 / slice 조각 / fry 굽다 / both 둘 다 / switch on 스위치를 켜다

6 ⑤

해석
남 무엇을 도와 드릴까요?
여 네. 휴대 전화가 필요해요.
남 어떤 종류를 찾고 계신가요?
여 아직 정하지 않았어요. 저에게 하나 추천해 주시겠어요?
남 네. 이 검은색 휴대 전화는 어떠세요? 화면이 넓어요.
여 저는 큰 휴대 전화를 별로 좋아하지 않아요.
남 그럼 이건 어떠신가요? 같은 브랜드의 더 작은 모델이에요.
여 다른 브랜드가 더 단순한 디자인인 것 같은데요. 저기에 있는 게 마음에 들어요.
남 이거 말씀이신가요, 손님?
여 네. 저는 단순한 디자인을 좋아해요. 얼마죠?
남 500달러입니다. 좋은 선택이에요.

해설
여자는 단순한 디자인을 좋아한다고 했다.

어휘
huge 큰 / screen 화면

7 ④

해석
여 저 표지판은 뭐지? 숫자 30이 있네.
남 저건 속도 제한 표지판이야.

여 자전거가 있는 건?
남 그건 자전거를 탈 수 있다는 뜻이야.
여 그럼 저건?
남 음. 그건 운전자들을 위한 거야. 맞혀 볼래?
여 여기에서 우회전할 수 없다는 뜻이야?
남 맞아.
여 그럼, 저건 뭐야?
남 그건 쉽지! "S–T–O–P"라고 쓰여 있잖아.

해설
두 사람은 속도 제한 표지판, 자전거 전용 도로 표지판, 우회전 금지 표지판, 정지 표지판에 대해 이야기했다.

어휘
sign 표지판 / guess 추측하다

8 ③

해석
남 나는 수프를 주문했어. 이건 샐러드잖아!
여 그리고 이건 참치가 아니라, 연어야.
남 빵이 차가워!
여 와. 가운데 부분은 얼어 있어. 한번 먹어 봐.
남 정말 믿을 수가 없어!
여 봐! 네 잔에 립스틱도 묻어 있어.
남 매니저가 어디에 있지? 나는 이런 음식에 돈을 내지 않을 거야.

해설
남자는 식당의 서비스가 형편이 없어서 화가 난 상태이다.

어휘
salmon 연어 / tuna 참치 / frozen 얼어 있는 / unbelievable 믿기 힘든

9 ③

해석
여 당신이 이 케이크를 만들었나요?
남 네, 물론이죠. 빵도 다 제가 만들었어요.
여 몇 시에 일을 해요?
남 저는 새벽 세 시에 일을 시작해서 정오까지 일해요.
여 당신의 직업은 어떤가요?
남 저는 항상 서 있어요. 저는 큰 반죽 기계와 오븐 그리고 많은 밀가루와 일하죠.
여 당신의 직업이 좋은가요?
남 네. 저는 빵을 구울 때의 냄새를 정말 좋아해요.

해설
'made all the bread', 'work with big mixing machines and ovens and lots of flour' 등의 언급으로 보아 남자의 직업이 제빵사임을 알 수 있다.

어휘
mixing machine 반죽기 / oven 오븐 / flour 밀가루

10 ④

해석

남 무엇을 주문하시겠습니까?

여 샌드위치는 얼마인가요?

남 3달러입니다.

여 아침 세트는요?

남 4달러입니다.

여 그럼 저는 샌드위치 세 개하고 아침 세트 한 개 주세요.

남 그게 다인가요?

여 네, 고마워요.

해설

여자는 3달러짜리 샌드위치 세 개와 4달러짜리 아침 세트 한 개를 주문했으므로 총 지불해야 할 금액은 13달러이다.

어휘

order 주문하다

11 ①

해석

여 너 내일 계획 있어?

남 응, Harry의 생일이잖아. 그의 집에서 파티를 연대.

여 아. 몇 시에?

남 초대장에는 5시쯤에 오라고 되어 있어.

여 그에게 줄 선물은 샀어?

남 나중에 살 거야. 내일은 정말 할 일이 많아. 나는 숙제를 끝내야 하고, 정원의 꽃에 물을 줘야 하고, 아빠가 차고 청소하는 걸 도와야 해. 그러고 나서, 가서 Harry를 위해 뭔가를 살 거야.

여 그가 읽고 싶어 하는 책을 사 주면 좋을 것 같아.

해설

카드를 만들겠다고는 하지 않았다.

어휘

invitation 초대장 / water 물을 주다 / garage 차고 / suggest 제안하다

12 ④

해석

남 오늘 저녁에 영화 볼래?

여 좋아.

남 어떤 종류 영화를 보고 싶어?

여 나는 스릴러를 좋아해. 상영 중인 좋은 스릴러가 있나?

남 오후 6시와 8시에 있네.

여 빠른 게 더 좋지.

남 그럼 우리 7관 앞에서 5시에 만날까?

여 응, 이따 봐.

해설

7관에서 6시와 8시에 상영하는 스릴러 영화는 《스크림》이다.

어휘

thriller 스릴러 / play 상영되다, 공연되다

13 ④

해석

① 남 주문하시겠습니까?

　　여 라테 주세요. 설탕은 빼고요.

② 남 문을 닫으면 실례가 될까요?

　　여 아뇨, 괜찮아요.

③ 남 너는 식료품을 얼마나 자주 사니?

　　여 보통 한 달에 두 번이요.

④ 남 화장실은 어디에 있나요?

　　여 당신의 서비스에 감사합니다.

⑤ 남 너희 음악 선생님은 어떠셔?

　　여 노래를 정말 잘하셔.

해설

화장실의 위치를 묻는 질문에 감사하다고 대답하는 것은 어색하다.

어휘

mind 꺼리다 / groceries 식료품, 잡화 / grateful 감사하는

14 ②

해석

남 도와 드릴까요, 손님?

여 네. 가방 한 개는 찾았는데 다른 한 개는 잃어버린 것 같아요.

남 어떤 항공편을 타셨습니까, 손님?

여 LA발 항공편이었어요. 번호는 잊어버렸어요.

남 괜찮습니다. 가방을 묘사해 주시겠어요?

여 빨간색 여행 가방이에요. 크기가 크고 무겁고 손잡이에 초록색 꼬리표가 달려 있어요.

남 안에는 뭐가 있나요?

여 대부분 제 가족들에게 줄 선물들이요.

남 알겠습니다. 이 서류를 작성해 주세요. 전화번호를 꼭 적어 주세요. 손님의 여행 가방을 찾으면 연락드리겠습니다.

해설

여자는 항공편의 번호는 기억이 나지 않는다고 했고, 대화에서도 언급되지 않았다.

어휘

missing 없어진 / flight 항공편 / describe 묘사하다 / suitcase 여행 가방 / tag 꼬리표 / handle 손잡이 / fill out 작성하다 / form 서류 / show up 나타나다

15 ⑤

해석

남 ABC Store는 이번 주말에 모든 스포츠 용품을 75퍼센트까지 할인하는 큰 세일을 합니다. 세일의 시작을 기념하기 위해서, 우리는 토요일 아침 가게에 오시는 모든 손님들에게 무료 커피와 도넛을 제공합니다. 그러니 Big Joe's BBQ와 All-Star 세차장 사이, 1번가에 위치한 ABC Store로 오세요.

해설

스포츠 용품점의 세일을 알리는 홍보문이다.

어휘
giant 거대한, 큰 / discount 할인 / up to ~까지 / celebrate 기념하다 / serve 제공하다 / car wash 세차장

16 ①

해석
여 너 뭘 읽고 있어?
남 기후 변화에 관한 기사야.
여 기사에 뭐라고 나와 있니?
남 작년이 사상 최고로 더웠다고 되어 있어.
여 어디가? 미국이?
남 아니, 유럽이. 그리고 호주는 공식적으로 가장 더운 여름을 보냈고, 캐나다는 가장 더운 날을 기록했고, 한국은 가장 따뜻한 겨울을 기록했어.
여 지금은 많은 나라들이 조치를 취하고 있어서 기뻐.

해설
미국이 기후 변화를 겪었다는 언급은 없었다.

어휘
article 기사 / climate 기후 / on record 공식적으로 / take action ~에 대해 조치를 취하다

17 ②

해석
여 이것은 큰 야외 경기장에서 공으로 하는 운동이다. 9명의 선수로 된 두 팀이 공격과 수비를 번갈아 한다. 수비 팀은 경기장에서 특별한 위치에 선다. 공격 팀은 벤치에 앉아서 한 번에 한 선수를 내보낸다. 점수를 얻기 위해, 선수는 방망이를 들고 서서 다른 팀의 선수가 던지는 아주 빠른 공을 마주해야 한다. 타자가 공을 쳐서 경기장 밖으로 보내면, "홈런"이라고 한다.

해설
공격과 수비를 번갈아 하고, 팀 당 9명이 플레이하며 배트로 공을 쳐서 점수를 내는 경기는 야구이다.

어휘
outdoor 실외의 / take turn 번갈아 하다 / offense 공격 / defense 수비 / position 위치 / at a time 한 번에 / get score 점수를 따다 / face 직면하다. 마주하다 / batter 타자 / hit 치다

18 ④

해석
남 나는 양복점의 매니저이다. 우리는 멋진 셔츠와 양복을 만든다. 어느 날, 나는 가게에 이상한 사람이 있는 것을 알아챘다. 그의 옷은 저렴해 보였고 그는 고급 상표의 손목시계, 신발을 착용하고 있지도 않았다. 나는 그가 손님이 아닐 거라고 생각했다. 하지만 내가 틀렸다. 그는 양복과 셔츠를 사는 데 수천 달러를 썼다. 나중에 안 사실이지만, 그는 나라에서 가장 부자인 사람 중 한 명이었다.

해설
남자는 허름한 차림의 손님을 겉으로만 보고 무시했는데 알고 보니 아주 부자인 사람이었다는 내용이므로 겉을 보고 판단하지 말라는 속담이 가장 적절하다.

① 연습은 완벽을 만든다. ② 우물 안 개구리. ③ 옷이 날개다.
④ 겉만 보고 판단하지 마라. ⑤ 로마에 가면 로마법을 따르라.

어휘
tailor shop 양복점 / suit 양복 / notice 알아채다 / luxury 호화로운 / as it turned out 나중에 안 사실이지만

19 ④

해석
남 오늘은 무엇을 해 드릴까요?
여 목이 정말 아파요.
남 알겠습니다. 한번 보죠. 입을 벌려 주세요. 오, 목이 부어 있네요.
여 너무 아파요. 음식을 삼킬 수도 없어요.
남 걱정 마세요. 고통을 달래 줄 처방전을 드릴게요.
여 약을 얼마나 복용해야 하나요?
남 3일간만 복용하세요.

해설
약을 얼마나 복용해야 하는지 기간에 대해 물었으므로 기간으로 답해야 한다.
① 그걸 가지고 가세요. ② 뜨거운 음식은 드시지 마세요.
③ 집에서 쉬세요. ⑤ 목욕을 하셔야 해요.

어휘
sore throat 인후염 / have a look 한번 보다 / swollen 부어오른 / swallow 삼키다 / prescription 처방전 / pain 고통, 통증

20 ④

해석
남 좋은 저녁이에요, 손님. 무엇을 도와 드릴까요?
여 네. 저는 1224호에 있는데요. 오늘 체크인을 했어요.
남 네. Jones 부인. 무엇을 도와 드릴까요?
여 난방에 문제가 있어요.
남 죄송합니다. 무엇이 문제인 것 같으세요?
여 난방기가 전혀 작동하지 않아요. 제 방은 너무 추워요.
남 사람을 바로 보내 드릴게요.

해설
여자는 난방기에 문제가 있다고 했으므로 사람을 보내서 조치해 주겠다는 대답이 적절하다.
① 잊어버리세요. ② 전화 주셔서 기뻐요. ③ 저를 위해 확인해 주셔서 감사해요. ⑤ 네. 오늘은 날씨가 좋을 거예요.

어휘
check in 체크인하다. 투숙 수속을 밟다 / heating 난방 / work 작동하다 / freezing 꽁꽁 얼게 추운

Dictation
p.60~63

1 it's likely to rain / postpone our camping trip / keep our fingers crossed

2 I don't feel well / You'd better

3 see a movie / have an appointment / change my hairstyle

4 The tire is flat / at least 30 minutes / take a cab

5 make a sandwich / heating up / two glasses of tea

6 looking for / a huge screen / have simpler designs

7 a speed limit sign / driving cars / what about that one

8 The bread is cold / not pay for this

9 make these cakes / What is your job like / baking bread

10 to order / three sandwiches / one breakfast set

11 having a party / finish my homework / wants to read

12 Sounds good / any good thrillers playing / The earlier one

13 ready to order / Of course not / How do you like

14 the other is missing / big and heavy / Mostly gifts

15 having a giant sale / all sporting goods / come on down

16 an article about climate change / its hottest summer on record / taking action

17 offense and defense / stand with a bat / home run

18 noticed a strange man / might not be a customer / As it turned out

19 Let's have a look / give you a prescription / take the medicine

20 checked in / The heater doesn't work

08회 영어듣기 모의고사 p.64~67

01 ④	02 ②	03 ②	04 ①	05 ④
06 ⑤	07 ①	08 ③	09 ⑤	10 ③
11 ②	12 ③	13 ④	14 ④	15 ①
16 ④	17 ④	18 ①	19 ③	20 ④

1 ④

해석

여 네 사촌이 이번 주말에 오니?

남 응, 내일 그를 기차역에 데리러 가줄 수 있니?

여 내가 그를 어떻게 알아보지? 그는 어떻게 생겼어?

남 그는 꽤 작고 날씬해. 짧은 곱슬머리를 하고 있어.

여 그는 몇 살이야?

남 열일곱 살이야. 그는 나이보다 어려 보여.

해설

남자의 사촌은 키가 작고 날씬하며 짧은 곱슬머리를 하고 있는 소년이다.

어휘

cousin 사촌, 친척 / pick up 데리러 가다 / recognize 알아보다 / look like (모양, 생김새 등이) 생기다 / quite 꽤 / slim 날씬한 / curly 곱슬곱슬한

2 ②

해석

[전화가 울린다]

여 여보세요.

남 안녕하세요. 저는 Jamie예요. Amelia랑 통화할 수 있을까요?

여 나야.

남 야! 엄마가 오늘 밤 내 생일 파티에 친구들을 초대해도 된다고 하셨어. 우리는 피자를 시켜서 영화를 볼 거야. 너 올 수 있어?

여 좋지!

해설

남자는 여자를 자신의 생일 파티에 초대하기 위해 전화를 했다.

어휘

tonight 오늘 밤에 / order 주문하다

3 ②

해석

남 주문할 준비가 됐니?

여 잘 모르겠어. 난 별로 배가 안 고파.

남 샌드위치는 어때?

여 나는 아침에 샌드위치를 먹었어.

남 그럼 샐러드나 피자 한 조각은?

여 샐러드나 피자도 먹고 싶지 않아.

남 음, 나는 피시 앤 칩스를 먹을 거야. 같이 먹어도 되겠다.

여 괜찮아. 나는 커피 한 잔이면 돼.

해설

여자는 별로 배가 고프지 않아 음식 대신에 커피 한 잔만 마시겠다고 했다.

어휘

slice 조각 / feel like ~하고 싶다 / fish and chips 피시 앤 칩스 (생선을 튀긴 것과 감자튀김을 함께 먹는 음식) / share 나누다

4 ①

해석

여 너 주말에 뭐 했어?

남 나는 평소처럼 보육원에 가서 봉사 활동을 했어.

여 거기에서 너는 무엇을 하니?

남 나는 아이들에게 운동을 가르치고, 그들에게 형이나 오빠가 되어주려고 하지. 그 아이들은 고아들이거든. 그들을 돕는 건 나에게 큰 자부심과 성취감을 줘.

해설

남자의 마지막 말, "Helping them gives me a great sense of self-worth and achievement."에서 자부심을 느낀다는 것을 알 수 있다.

어휘

volunteer 봉사 활동을 하다 / child care center 보육원 / as usual 평소처럼 / orphan 고아 / self-worth 자부심 / achievement 성취

5 ④

여 오늘 즐거운 시간 보냈어?
남 응, 재미있었어.
여 뭘 했어?
남 큰누나랑 나는 놀이 기구를 많이 탔어. 거기에는 커다란 해적선, 뚝 떨어지는 놀이 기구, 그리고 정말 무서운 롤러코스터가 있었어.
여 또 무엇을 했니?
남 음, 우리는 핫도그, 솜사탕, 그리고 팝콘을 먹었어. 나는 너무 많이 먹어서 집에 오는 길에 멀미가 났어!

해설
여러 가지 놀이 기구를 탔고, 핫도그와 솜사탕 등의 간식을 먹었다는 남자의 말로 보아 남자는 놀이공원에 다녀왔을 것이다.

어휘
ride 놀이 기구 / pirate 해적 / scary 무서운 / cotton candy 솜사탕 / feel sick 멀미가 나다, 구역질이 나다

6 ⑤

해석

남 여기서 주립 도서관에 어떻게 가죠?
여 4호선을 타고 시청에서 갈아타세요.
남 몇 호선으로 갈아타야 하나요?
여 7호선이요. 그리고 두 정거장을 가면 주립 도서관 역이에요.
남 요금은 얼마죠?
여 잘 모르겠네요. 이 지역에 방문하신 건가요?
남 아니요. 여기 살아요. 그런데 보통은 어디나 운전해서 다니거든요.
여 그렇군요. 표 판매기는 저기에 있어요.
남 고맙습니다.

해설
남자는 평소에 자가용을 이용한다고 말했다.

어휘
city hall 시청 / transfer 환승하다, 갈아타다 / stop 정거장 / fare 요금 / everywhere 어디나 / ticket machine 표 판매기

7 ①

해석

① 여 들어와서 편히 있어!
　남 미안하지만 난 못 갈 것 같아.
② 여 도움이 필요하니, 아니면 혼자 할 수 있니?
　남 나 혼자 할 수 있을 것 같아.
③ 여 영화가 언제 시작해?
　남 여기 오후 9시라고 적혀 있어.
④ 여 너 무슨 일 있어?
　남 그것에 대해 이야기하고 싶지 않아.
⑤ 여 무엇을 도와 드릴까요?
　남 괜찮다면 그냥 둘러볼게요.

해설
여자가 남자에게 한 말은 이미 남자가 초대 장소에 도착했을 때 할 수 있는 말이므로 못 갈 것 같다는 답변은 어색하다.

어휘
make oneself at home 편히 있다, 느긋하게 쉬다 / make (어떤 장소로) 가다 / by oneself 혼자서, 홀로

8 ③

해석

남 마침내, 나 결심을 했어.
여 무슨 결심?
남 일 년을 쉬면서 여행을 갈 거야.
여 비용은 어떻게 감당하려고?
남 시간제 일을 하면서 몇 천 달러를 모았거든. 나는 대학 생활을 시작하기 전에 세상을 둘러보고 싶어. 지금이 바로 그걸 할 때야.
여 나도 그랬으면 좋겠다.

해설
남자는 대학에 가기 전에 세계를 여행하고 싶어 한다.

어휘
make a decision 결정하다 / take a year off 1년을 쉬다, 1년 휴가를 얻다 / afford ～할 형편이 되다 / save up 저축하다 / college 대학

9 ⑤

해석

남 당신은 Container Store에서 매니저였죠. 그것에 관해서 좀 더 말해줄래요?
여 네. 저는 점포의 영업을 관리하고 직원 100명을 책임졌어요.
남 그 일에서 가장 어려웠던 점은 무엇인가요?
여 아마 까다로운 직원들을 다뤄야 하는 것일 거예요.
남 여기에는 거의 2년 전에 당신이 그 일을 시작했다고 되어 있네요.
여 네. 저는 거기에 22개월 동안 있었어요.
남 그러면 왜 그만두셨나요?
여 그냥 다른 일을 해 보고 싶어서요.

해설
여자는 다른 일을 시작해 보려고 직장을 그만두었다.

어휘
manage 관리하다 / operation 영업, 운영 / be responsible for ～에 대해 책임이 있는 / staff 직원 / handle 다루다 / employee 직원

10 ③

해석

남 나 청바지를 하나 새로 사야 해. 괜찮은 청바지를 고르게 나 좀 도와줘.
여 물론이야. 어디 보자. 이 청바지 멋진데.
남 넌 어떤 게 더 좋아?
여 나는 이게 좋아. 이 청바지가 잘 어울릴 거야.
남 하지만 이건 80달러야.
여 아냐, 봐. 25% 할인을 해.
남 20달러 할인이라고? 좋다. 이걸로 사야겠어.

해설

청바지의 정가가 80달러인데 25퍼센트 할인을 해서 20달러가 할인되므로 60달러를 내면 된다.

어휘

jeans 청바지 / choose 고르다. 선택하다 / prefer 선호하다 / look good[great] in ~가 잘 어울리다 / discount 할인

11 ②

해석

여 저는 바로 위층에 있는 병원에서 왔어요. 의사가 이 처방전을 줬어요.
남 알겠습니다. 약을 준비하는 데 20분 정도 걸릴 거예요.
여 네. 기다리는 손님들이 많네요.
남 기다리시는 동안 이 건강 비타민 음료를 드세요.

해설

"The doctor gave me this prescription", "It will take about 20 minutes to prepare your medicine" 등의 표현을 통해 대화가 일어나는 장소가 약국임을 알 수 있다.

어휘

upstairs 위층의 / prescription 처방전 / prepare 준비하다 / medicine 약 / drink 음료

12 ③

해석

여 주목해 주세요! 우리 학교 체육관에서 재미있는 건강 및 체력 관리 프로그램을 시작할 것입니다. 이것은 모든 학생에게 무료입니다. 즐겁게 놀면서 살을 빼고, 건강해지고 싶다면 등록하세요. 요가, 탁구를 비롯해 아주 많은 반이 있을 예정입니다. 아침반은 7시부터 8시이고, 오후반은 5시부터 6시입니다. 건강해질 수 있는 좋은 기회예요. 지금 등록하세요!

해설

이용 요일에 대한 언급은 없었다.

어휘

fitness 체력 단련 / gym 체육관 / free of charge 무료로 / lose weight 체중을 줄이다 / get fit 건강해지다 / sign up 등록하다 / include 포함하다 / yoga 요가 / ping-pong 탁구

13 ④

해석

[전화가 울린다.]

여 CMA 항공입니다. 무엇을 도와 드릴까요?
남 일본으로 가는 왕복 티켓을 예매하려고요.
여 언제 가실 건가요?
남 금요일 아침에 출발해서 수요일 아무 때나 돌아오면 좋겠네요.
여 죄송하지만, 금요일에는 표가 없습니다.
남 정말요? 저는 금요일에 일본에 있어야 해요.
여 그러면, 목요일 밤 비행기를 타실 수 있어요.
남 그래야 할 것 같네요.

여 일반석이신가요, 손님?
남 네. 그리고 가능하다면 창가 자리로 주세요.
여 알겠습니다. 티켓은 세금을 포함해서 320달러입니다.
남 네. 감사합니다.

해설

남자는 금요일에 출발하려고 했지만, 표가 없어 목요일 밤 비행기를 탈 것이다.

어휘

airline 항공사 / book 예매하다, 예약하다 / round-trip 왕복의 / flight 항공편 / suppose ~일 거라고 생각하다 / economy class 일반석 / tax 세금

14 ④

해석

① 여 무엇을 도와 드릴까요?
　 남 장미 한 다발을 사고 싶어요.
② 여 뭐 하고 있니?
　 남 방을 청소하고 있어요.
③ 여 티켓을 보여 주시겠습니까?
　 남 죄송하지만 지금 티켓을 살 수 있어요?
④ 여 고마워요, 아빠. 꽃들이 예쁘네요.
　 남 잘했구나. 네가 꽃을 좋아한다고 엄마가 말해 주었단다.
⑤ 여 어떻게 지냈어?
　 남 난 잘 지내고 있어.

해설

발레리나인 소녀가 공연이 끝나고 아빠에게 꽃을 받는 상황이다.

어휘

bunch 다발

15 ①

해석

남 너 괜찮아, Sunny?
여 열이 좀 있고 기침이 심해요.
남 약을 좀 가져다줄까?
여 벌써 먹었는데 더 심해지는 것 같아요.
남 너 병원에 가 봐야 해.
여 하지만 피아노 수업에 가야 해요.
남 네 건강이 우선이지. 내가 피아노 선생님께 전화를 할게.
여 고마워요. 그럼 잠 좀 자야겠어요.

해설

여자는 피아노 수업이 있지만, 마지막 말에서 잠을 잔다고 했으므로 휴식을 취할 것이다.

어휘

fever 열 / cough 기침 / medicine 약 / see a doctor 병원에 가다

16 ④

해석

여 Harry, 친구들과 함께 가는 캠핑의 날짜를 정하자.

남 그래, Emily. 8월 5일은 어때?

여 이번 주? 캠핑 준비를 할 시간이 있을지 모르겠어. 8월 10일은 어때?

남 어디 보자. 그날은 가족과 함께 할아버지댁에 가야 해. 거기서 하루 동안 머물 거야.

여 그래, 그럼 8월 13은 어때?

남 좋아! 그렇게 하자!

해설

남자가 8월 10일에는 할아버지댁에 가야 한다고 해서 8월 13일에 캠핑을 가기로 했다.

어휘

prepare 준비하다 / stay 머물다

17 ④

해석

여 GCV 케이블에 전화해 주셔서 감사합니다. 저희 서비스에 가입하시려면, 1번을 눌러 주십시오. 계정 정보를 확인하시려면, 2번을 눌러 주십시오. 케이블 상품을 업그레이드하시려면, 3번을 눌러 주십시오. 가입을 취소하시려면, 4번을 눌러 주십시오. 고객 서비스 직원과 통화하시려면 5번을 눌러 주십시오.

해설

가입을 취소하기 위해 눌러야 하는 버튼은 4번이라고 했다.

어휘

subscribe 가입하다, 구독하다 / press 누르다 / account 계좌, 계정 / package 패키지 상품 / cancel 취소하다

18 ①

해석

남 이것은 일 년 내내 먹을 수 있지만 특히 한국에서는 여름에 인기가 있다. 이것은 아주 차가운 맑은 국물에 매우 가느다란 국수와 얇게 썬 양파, 무, 배, 오이, 그리고 삶은 달걀이 들어간 음식이다. 당신은 탁자 위에 있는 겨자나 식초를 더할 수도 있다. 이 한국의 전통 음식은 무엇인가?

해설

여름에 인기가 있으며 차가운 국물에 면과 다양한 재료가 들어가는 한국의 전통 음식은 냉면이다.

어휘

all year round 일 년 내내 / especially 특히 / bowl 그릇 / clear 맑은 / thin 얇은 / noodles 국수 / radish 무 / cucumber 오이 / boiled 삶은 / mustard 겨자 / vinegar 식초 / traditional 전통적인

19 ③

해석

남 뭐 하나 부탁해도 될까?

여 물론이지. 뭔데?

남 우리 이모부와 이모가 저녁 식사하러 오시거든. 식사 준비하는 걸 좀 도와줄래?

여 기꺼이 도울게.

남 고마워.

해설

남자가 도움을 요청해서 여자가 도와주겠다고 말한 상황이므로 감사의 말을 하는 것이 적절하다.

① 언제든지. ② 내가 그럴 수 있다면 좋겠어. ④ 내가 즐거워서 하는 일인걸.

⑤ 미안하지만 안 되겠어.

어휘

favor 부탁 / prepare 준비하다 / meal 식사

20 ④

해석

여 너 어디 가?

남 조사 에세이에 필요한 책을 찾으려고 도서관에 가.

여 주제는 벌써 정한 거야?

남 아니. 너는?

여 내 주제는 인권에 대한 거야. 너도 그런 것에 대해 써 보지 그러니?

남 그거 좋은 생각이다.

해설

주제를 정하는 데 아이디어를 주었으므로, "That's a good idea."라고 대답하는 것이 적절하다.

① 도서관에서. ② 넌 물론 그렇지. ③ 나는 에세이 쓰는 걸 좋아해.

⑤ 나는 어디로 갈지 모르겠어.

어휘

look for 찾다 / research 조사, 연구 / yet 벌써 / human rights 인권

Dictation p.68~71

1 pick him up / quite small and slim / looks younger

2 May I talk to / Can you come

3 I'm not very hungry / a slice of pizza / a cup of coffee

4 as usual / Helping them gives me

5 have a good time / went on lots of rides / ate too much

6 Which line / usually drive everywhere

7 Do you need help / What's the matter / if you don't mind

8 take a year off and travel / I could do that

9 Could you tell me / handling difficult employees / wanted a different kind of work

10 buy new jeans / 25 percent

11 prepare your medicine / while you wait

12 in the gym / sign up / get healthier

13 book a round-trip flight / the flight on Thursday night / a window seat

14 a bunch of roses / You did a good job

15 have a fever / see a doctor / get some sleep

16 let's decide on a date / prepare for the camping / how about August 13th

17 To check your account / To cancel your subscription

18 popular in summer / traditional Korean dish

19 ask you a favor / I'd love to help

20 for my research essay / Why don't you write

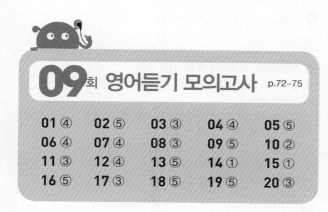

09회 영어듣기 모의고사 p.72~75

01 ④	02 ⑤	03 ③	04 ④	05 ⑤
06 ④	07 ④	08 ③	09 ⑤	10 ②
11 ③	12 ④	13 ⑤	14 ①	15 ①
16 ⑤	17 ③	18 ⑤	19 ⑤	20 ③

1 ④

해석

남 좋아. 우리 반 소식지의 표지를 디자인하자.

여 제목은 쉽지. 맨 위에 넣자.

남 가운데에 넣는 것은 어때? 그림이 배경이 되는 거야.

여 나는 제목과 그림을 분리하는 것이 좋은 것 같아.

남 좋아. 그럼 어떤 그림을 원하는데?

여 반 미술 작품 중에서 최고로 잘 그린 그림을 쓸 수 있지.

남 내 생각에는 스승의 날을 기념하여 카네이션 그림을 써야 할 것 같은데.

여 카네이션 꽃바구니? 그걸로 하자!

해설

제목과 배경 그림이 분리되고 카네이션 꽃바구니를 넣은 것이 반 소식지 표지이다.

어휘

cover 표지 / newsletter 회보, 소식지 / put 놓다, 두다 / background 배경 / separate 분리하다 / art work 미술 작품

2 ⑤

해석

여 너 주말에 캠핑 갈 거야?

남 아니. 날씨가 좋지 않을 거라고 들었어.

여 정말?

남 그래. 금요일 밤에 비가 많이 올 거야.

여 나는 사촌들을 보러 집으로 운전해서 갈 거야. 비가 많이 올 때 운전하는 건 정말 싫은데.

남 언제 돌아올 건데?

여 일요일 오후에.

남 음, 비는 일요일 아침에 갤 거야. 여전히 춥겠지만, 적어도 날씨는 맑을 거야.

해설

비는 일요일 아침에 갠다고 했으므로 오후에는 맑을 것이다.

어휘

go camping 캠핑을 가다 / terrible 심한, 끔찍한 / heavy 거센 / be supposed to ~하기로 되어 있다 / clear up 개다 / at least 적어도

3 ③

해석

여 얘, 오랜만이다. 너 싱가포르에 가는 거 아니었어?

남 응, 다음 주에 떠나. 집에 가는 길이야?

여 아니, 백화점에 가고 있어. 내 친구 생일 선물을 사려고. 넌 어디 가?

남 나는 싱가포르 안내서를 사려고 해. Central 역에 좋은 서점이 하나 있거든.

여 음, 나는 이번 정류장에서 내려야 해. 내 자리에 앉아.

남 고마워. 다가오는 오토바이 조심해!

해설

'get off at this stop', 'you can have my seat', 'Look out for the motorbike coming up' 등의 표현으로 보아 지금 두 사람이 버스 안에 있음을 알 수 있다.

어휘

department store 백화점 / guidebook 안내서 / stop 정거장 / seat 자리 / look out 조심하다 / come up 다가오다

4 ④

해석

남 나는 운 좋게 영화 표 두 장을 공짜로 얻었다. 이 기회를 놓치기에는 너무 아까워서 친구에게 같이 가자고 했다. 영화는 5시에 시작하는데, 우리는 극장 앞에서 4시 30분에 만나기로 했다. 지금은 거의 5시이고, 내 친구는 아직 여기에 오지 않았다. 그는 오는 중이라고 전에 전화했지만, 그가 오지 않을까 봐 걱정된다.

해설

남자는 같이 영화를 보기로 한 친구가 오지 않아 불안해하는 상황이다.

어휘

pass up 포기하다, 놓치다 / agree 동의하다 / nearly 거의 / on one's way ~로 가는 중에 / make it (어떤 곳에) 시간 맞춰 가다

5 ⑤

해석

[전화가 울린다.]
여 고객 서비스입니다. 무엇을 도와 드릴까요?
남 보일러가 작동하지 않아요.
여 전원은 들어와 있나요?
남 네. 그런데 온수 버튼을 눌러도 아무런 일도 일어나지 않네요.
여 전원 플러그를 완전히 뽑아서 1분 동안 기다리세요. 그러고 나서 다시 꼽으세요. 그렇게 하시는 동안 제가 끊지 않고 기다릴게요.
남 네. 금방 돌아올게요.

해설

남자는 보일러가 고장이 나서 도움을 얻기 위해 고객 센터에 전화를 걸었다.

어휘

power 전원 / press 누르다 / unplug 플러그를 뽑다 / completely 완전히 / hold 전화를 끊지 않고 기다리다

6 ④

해석

① 남 지금 주문하시겠습니까?
　여 오늘의 수프 주세요.
② 남 이 재킷을 입어 봐도 될까요?
　여 네, 탈의실은 저기에 있어요.
③ 남 이 길이 슈퍼로 가는 길인가요?
　여 아뇨, 슈퍼는 저쪽이에요.
④ 남 쇼핑백 필요하신가요?
　여 아뇨, 제 걸 가져왔어요.
⑤ 남 지금 체크아웃하시는 건가요?
　여 네, 룸서비스로 얼마를 내야 하죠?

해설

슈퍼에서 물건을 사고 계산을 하고 있는 상황이다.

어휘

order 주문하다 / fitting room 탈의실 / check out (호텔 등에서) 비용을 지불하고 나가다 / owe 빚지고 있다

7 ④

해석

여 미국에 언제 도착했어?
남 지난주, 6월 1일에.
여 Georgia 주는 어때?
남 아름다워. 그리고 사람들도 아주 친절해.
여 얼마나 머물 거니?
남 글쎄, 나는 2주 동안 머물려고 했어. 그런데 내 사촌의 생일이 6월 20일이거든. 그래서 그때까지는 떠나지 않을 거야.
여 그럼, 6월 20일에 떠나는 거야?
남 아니. 사실, 다음 날 떠날 거야.

해설

남자는 사촌의 생일인 6월 20일 다음 날 떠난다고 했다.

어휘

the States 미국 / polite 친절한

8 ③

해석

여 당신은 이것을 모든 부엌에서 찾을 수 있다. 이것은 작은 것에서부터 큰 것까지 다양한 크기일 수도 있다. 한쪽은 잡는 쪽이고 다른 쪽은 자르는 쪽이다. 이것은 아주 날카로울 수 있다. 그래서 사용할 때 조심해야 한다. 감자나 오이의 껍질을 이것으로 벗길 수 있다.

해설

크기가 다양하고, 날카로우며 자르는 용도로 쓰이는 부엌용 물건은 칼이다.

어휘

hold 잡다 / cut 자르다 / sharp 날카로운 / peel 벗기다 / skin 껍질

9 ⑤

해석

남 안녕하세요. 이 외투를 환불하려고 해요.
여 영수증이 있으신가요?
남 그럼요. 여기 있어요.
여 죄송합니다. 이 외투는 구매하실 때 세일 중이었네요. 세일 중에 구매하신 물건은 환불해 드릴 수 없습니다.
남 하지만 입어 보지도 않았어요. 가격표도 아직 붙어 있고요.
여 죄송합니다. 손님, 회사의 정책이라서요. 세일 제품은 교환만 가능하답니다.

해설

남자는 세일 제품을 구매했기 때문에 환불을 받을 수 없다.

어휘

receipt 영수증 / on sale 세일 중인 / purchase 구입하다 / tag 가격표 / policy 정책 / exchange 교환

10 ②

해석

남 너 어디 가니, Sandra?
여 강당에. 학교 콘서트가 이번 달에 있는 거 알잖아.
남 그렇지! 너 연극반이잖아, 그렇지 않니?
여 응, 그리고 우리는 올해 콘서트에서 뮤지컬을 할 거야. 나는 매일 리허설을 해야 해.
남 무슨 뮤지컬을 하는데?
여 너 "Mamma Mia" 알아?
남 응! 그 뮤지컬 좋아해. 모든 노래를 다 알지! 내가 리허설하는 걸 봐도 될까?
여 모두 다 환영이지. 가자.

해설

남자는 연극반인 여자의 리허설 연습을 보고 싶어 하고, 여자가 같이 가자고 했다.

어휘

auditorium 강당 / drama 연극 / rehearse 리허설을 하다

11 ③

해석
① 박물관은 일주일에 7일 문을 연다.
② 박물관은 화요일과 목요일을 빼고는 아침 10시에 문을 연다.
③ 박물관은 매일 같은 시간에 문을 닫는다.
④ 토요일은 박물관이 가장 오래 문을 여는 때이다.
⑤ 박물관은 일요일에 7시간 동안 문을 연다.

해설
토요일에는 8시에 문을 닫으므로 매일 같은 시간에 문을 닫는 것은 아니다.

어휘
museum 박물관 / except ~를 제외하고

12 ④

해석
남 Sam에 대해 이렇게 시간을 내 주셔서 감사합니다.
여 괜찮아요. 저도 그 애가 걱정돼요.
남 음, 그의 반에서의 행동이 나빠지고 있어요.
여 어떤 면으로 말씀이신가요, Jonson 선생님?
남 교사들의 말을 듣지 않고, 다른 학생들을 방해해요.
여 죄송합니다. 저희가 어떻게 해야 할까요?
남 일단은, Sam이 상담가를 만나보도록 예약을 하세요. 아셨죠?

해설
두 사람은 말썽을 부리는 학생의 일로 인해 논의를 하고 있는 선생님과 엄마 관계이다.

어휘
behavior 행동 / distract 집중을 방해하다 / counselor 상담가

13 ⑤

해석
남 내일 나랑 보드 게임 할래?
여 잘 모르겠어. 시간이 없을 거야.
남 왜? 네 계획이 뭔데?
여 음, 나는 토요일 아침에 집안일을 해야 해. 화장실과 내 침실을 청소하는 게 내 일이야. 그러고 나서 10시에 치과 예약이 있어. 그리고 점심 식사 후에 역사 숙제를 같이 하러 Jodie를 만날 거야.
남 그 후에는 시간이 없어?
여 없어. 나는 3시부터 5시까지 동물 구호 센터에서 봉사 활동을 해.
남 일요일은 어때?
여 일요일은 괜찮아.

해설
토요일에는 시간이 없어 보드 게임을 할 수 없다고 했다.

어휘
chore 집안일 / dentist 치과(의사) / project 숙제 / volunteer 봉사 활동을 하다 / rescue 구호, 구조

14 ①

해석
① 여 네 여동생은 어때?
   남 그녀는 동화를 좋아해.
② 여 너는 왜 수학을 싫어해?
   남 나는 숫자에 약하거든.
③ 여 나를 슈퍼까지 태워줄 수 있어?
   남 그럼. 타.
④ 여 차를 좀 더 마실래?
   남 난 괜찮아, 고마워.
⑤ 여 체중을 줄이고 건강해지기 위해서 뭘 해야 할까?
   남 적게 먹고 운동을 더 많이 해.

해설
여동생의 성격을 묻는 말에 그녀는 동화를 좋아한다고 답하는 것은 어색하다.

어휘
fairytale 동화 / get a ride (차를) 타다 / lose weight 체중을 줄이다 / get fit 건강해지다

15 ①

해석
남 점심으로 뭐 먹고 싶어?
여 중식 어때? City Plaza 근처의 식당이 국수를 맛있게 해.
남 Golden Dragon? 거기는 지난달에 문을 닫았어.
여 정말? 안됐네. 또 뭐가 있을까?
남 Main 거리에 멕시코 음식을 파는 트럭이 있지. 거기 타코가 정말 맛있다고 들었어.
여 좋아! 나 두 개 먹을래!
남 거기에 나초도 있어. 가자!

해설
여자는 타코를 두 개 먹을 거라고 했다.

어휘
noodles 국수 / taco 타코(부침개 같은 것에 코기, 콩, 야채 등을 싸서 먹는 멕시코 음식)

16 ⑤

해석
여 천연자원을 절약하기 위해서 무엇을 할 수 있을까?
남 우리는 가능하면 걷거나 자전거를 탈 수 있어.
여 맞아. 그리고 엘리베이터 대신 계단을 이용할 수 있지.
남 말도 안 돼! 우리는 16층에 산다고!
여 알아. 하지만 3층 높이 이하로 올라가거나 내려가야 할 때는, 계단을 이용해야 해.
남 그래. 에너지 절약은 건강에도 좋아. 우리는 종이도 재활용해야 해. 맞지?
여 물론 그래야지. 우리는 가능한 모든 것을 재활용해야 해.

해설
재활용품을 구매해야 한다는 내용은 언급되지 않았다.

어휘
natural resource 천연자원 / whenever ~할 때는 언제든지 / floor 층 / recycle 재활용하다

17 ③

해석

여 봐! 내가 마침내 원하는 신발을 찾았어.
남 정말? 어떤 신발인데?
여 내가 가게에서 신어 봤던 신발이야.
남 아, 맞다. 그건 50달러 아니었니?
여 응, 하지만 이 사이트에서 50%나 싸!
남 와. 너한테 맞는 사이즈가 있어?
여 보자. 응, 있어! 240 사이즈.
남 그럼 얼른 그걸 사.
여 지금 "장바구니"에 그걸 넣는 중이야.

해설

50달러였던 신발이 50% 세일을 한다고 했으므로 25달러이다.

어휘

try on 입어 보다, 신어 보다 / put 넣다 / shopping cart 장바구니

18 ⑤

해석

남 재호는 새 청바지를 사려고 돈을 좀 모았다. 그는 쇼핑을 가서, 청바지를 고르고 입어 봤다. 하지만 계산대에 바지를 가져갔을 때 그는 돈을 집에다 두고 왔다는 것을 알았다. 판매원이 가격표를 찍고 어떻게 결제할지 묻는다. 재호는 뭐라고 대답할까?

해설

청바지를 사려고 했는데 집에 돈을 두고 와서 살 수 없는 상황이다.
① 네, 지금 계산할게요. ② 너 근사해 보인다. ③ 영수증 주세요.
④ 환불할 수 있을까요? ⑤ 죄송해요. 다음에 사도 될까요?

어휘

save up 모으다 / choose 고르다 / counter 계산대 / leave 두고 오다 / scan 스캐너로 찍다 / price tag 가격표

19 ⑤

해석

여 좋은 아침입니다, 손님.
남 안녕하세요. 예약했는데요. 제 이름은 Jason입니다.
여 잠시만요. 네, 여기 있네요. 예약은 이틀 밤이시네요.
남 맞아요.
여 좋습니다. 방은 1721호입니다. 여기 열쇠요. 또 도와 드릴 게 있을까요?
남 네, 내일 아침 여섯 시에 모닝콜을 해 주세요.

해설

호텔 프런트에서 체크인하는 상황에서, 직원이 다른 무엇을 또 도와줄지 묻고 있다.
① 고맙지만 저는 담배를 피우지 않아요. ② 네, 수영장이 있어요.
③ 여기에 얼마나 머무실 건가요? ④ 아침 식사는 7시에서 9시까지 제공됩니다.

어휘

reservation 예약 / wake-up call 모닝콜

20 ③

해석

[전화가 울린다.]

여 여보세요.
남 안녕하세요. Express Service입니다. 서명이 필요한 배송 건이 있어서요.
여 아, 지금 저희 아파트 빌딩에 계신 건가요?
남 아뇨, 두 시에서 세 시 사이에 도착할 거예요.
여 죄송해요. 저는 6시까지 직장에 있어요.
남 제가 6시 이후에 배송해 드릴 수 있어요.
여 7시 이후로 해 주시겠어요? 사무실에서 집에 갈 시간이 필요해요.
남 네, 그게 좋겠네요.

해설

배송을 받을 손님인 여자가 7시 이후에 배송해 줄 수 있는지 물은 상황이므로, 7시 이후에도 괜찮다고 답하는 것이 적절하다.
① 사무실에서는 너무 멀어요. ② 당신은 우리에게 그걸 주문하지 않았어요.
④ 아뇨, 당신이 가야 할 시간인 것 같아요. ⑤ 그냥 여기에 사인만 하시면 됩니다.

어휘

delivery 배달, 배송 / signature 서명 / between ~사이에 / deliver 배달하다

Dictation

p.76~79

1 our class newsletter / separate the title and the picture
2 the weather will be terrible / driving in heavy rain / it will be clear
3 on your way home / get off at this stop
4 I was lucky / we agreed to meet / I'm afraid
5 isn't working / nothing happens / while you do it
6 I brought my own / how much do I owe you
7 on the first of June / staying for two weeks / the next day
8 in every kitchen / for cutting / peel the skin
9 get a refund / was on sale / for an exchange
10 To the auditorium / have to rehearse / Everyone is welcome
11 open 7 days a week / closes at the same time
12 his behavior in class / distracts other students
13 clean the bathroom / volunteer at the animal rescue center
14 poor at numbers / lose weight and get fit
15 feel like for / That's a shame / Let's go
16 natural resources / use the stairs / recycle paper
17 50 percent cheaper / Then go ahead
18 buy a new pair of jeans / he left his money at home
19 have a reservation / Is there anything else
20 have a delivery / I'll be at work / Can you make it

10회 영어듣기 모의고사 p.80~83

01 ③	02 ③	03 ④	04 ①	05 ①
06 ④	07 ①	08 ③	09 ⑤	10 ②
11 ②	12 ⑤	13 ③	14 ①	15 ⑤
16 ④	17 ②	18 ①	19 ①	20 ②

1 ③

해석

남 머리를 어떻게 해 드릴까요?

여 어깨 길이로 해 주세요.

남 앞머리를 내 드릴까요?

여 네, 이번에는 그렇게 할래요.

남 귀 뒤에서 이렇게 웨이브를 하니까 예쁘네요.

해설

어깨 길이의 머리에 앞머리가 있으며 귀 뒤로 웨이브가 들어간 머리이다.

어휘

bang 앞머리 / this time 이번에는 / behind ~의 뒤에서

2 ③

해석

여 안녕하세요. 무엇을 도와 드릴까요?

남 DVD는 어디에 있나요? 최근에 나온 "어벤저스" 영화를 보고 싶어요.

여 죄송하지만, 저희 가게에는 대여용 DVD는 없어요. 하지만 길 건너 가게에 있어요.

남 알겠습니다. 그럼 거기로 가 볼게요. 어쨌든 감사해요.

해설

다른 가게로 들어오기는 했지만, 남자는 DVD를 대여하려고 했다.

어휘

latest 최신의, 가장 최근의 / rent 빌리다 / across 가로질러, 건너서 / over there 저쪽에

3 ④

해석

① 여 이 책을 대출하고 싶어요.

　 남 도서관 카드를 보여 주시겠어요?

② 여 다른 것을 볼 수 있을까요?

　 남 그럼요. 이건 어떠세요?

③ 여 제가 여기에 앉아도 될까요?

　 남 그럼요.

④ 여 이 치즈는 킬로그램 당 얼마인가요?

　 남 체다 치즈는 킬로그램 당 15달러예요.

⑤ 여 이 소포를 항공 우편으로 보내 주세요.

　 남 네. 이 양식을 작성해 주세요.

해설

식료품점에서 물건을 사고 있는 상황이다.

어휘

check out 대출하다 / a ~당 / cheddar 체다 치즈 / package 소포 / airmail 항공 우편 / fill out 기입하다

4 ①

해석

남 아, 이런. 내 가방을 집에 두고 왔어.

여 정말이야? 어떻게 그걸 잊어버릴 수가 있어? 집으로 다시 가서 가져와.

남 안 돼. 시험이 오 분 후에 시작해. 나는 계산기랑 펜이 필요한데.

여 내 걸 빌려 가도 좋아. 여기 있어. 시험 잘 봐.

남 정말 고마워. 너에게 큰 빚을 졌어!

해설

남자는 시험 시간에 필요한 것을 가져오지 않았는데 여자가 필요한 물건을 빌려줘서 감사하는 상황이다.

어휘

calculator 계산기 / borrow 빌리다 / owe 빚지다

5 ①

해석

[전화가 울린다.]

여 Boston 치과입니다. 무엇을 도와 드릴까요?

남 저는 Brian Barry예요. 내일 아침에 Brown 선생님과 예약이 되어 있는데요.

여 네, Barry 씨.

남 죄송하지만, 취소해야 할 것 같아요. 잡지사와 인터뷰가 있어서요.

여 아, 당신의 새 소설이 최근에 출간되었고 젊은 사람들 사이에서 인기가 있다고 들었어요.

남 운 좋게도 벌써 베스트셀러 목록에 올라서, 요즘 조금 바쁘네요.

여 잘 됐네요. 인터뷰 잘 하시길 바랄게요.

해설

'new novel was released', 'in the bestseller lists'를 통해 남자의 직업이 작가임을 알 수 있다.

어휘

appointment 예약, 약속 / cancel 취소하다 / release (책을) 발매하다 / recently 최근 / fortunately 운 좋게도 / bestseller 베스트셀러 / list 목록

6 ④

해석

남 무슨 문제가 있니, Jennifer?

여 내 책장 높이를 알아야 하는데 어떻게 측정해야 할지 모르겠어.

남 네 책상 위에 있는 자를 사용하면 어때?

여 그것은 정확한 길이를 재는 데 충분히 길지 않아. 너무 짧잖아.

남 그렇다면, 실은 어때? 높이를 재기에는 길이가 충분한데 말이야.

여 음… 내 생각엔 실은 너무 얇아. 사용하기도 어렵고. 이 리본은 어때?

남 그래. 그것을 사용하면 되겠네. 내가 도와줄게.

해설
책장 높이를 재는 데 리본을 사용하기로 했다.

어휘
height 높이 / bookshelf 책장 / measure 측정하다, 재다 / thread 실 / ribbon 리본

7 ①

해석
남 오늘 뭐 하고 싶어?
여 잘 모르겠어. 좋은 생각 있어?
남 나는 현대미술관에서 하는 전시회를 보고 싶어.
여 나는 지난주 토요일에 여동생이랑 갔다 왔어. 정말 멋진 전시회이지만, 나는 두 번이나 가고 싶지는 않아. 도서관에 가는 게 어때?
남 좋은 생각이다. 전시를 보기 전에 화가들의 정보를 찾아보는 게 좋겠어. 가자.

해설
남자가 전시회에 가자고 했지만 여자가 이미 보았기 때문에 거절하자, 두 사람은 도서관에 가기로 했다.

어휘
exhibition 전시회 / twice 두 번

8 ③

해석
여 집이 정말 지저분하구나!
남 제가 청소기를 돌릴게요, 엄마. 엄마는 쉬세요.
여 정말이니? 그거 재미있구나. 너는 항상 집안일을 피했잖아.
남 죄송해요. 엄마를 도와 드리려고요.
여 흠. 무슨 일이야? 나에게 말하고 싶은 게 있는 거니?
남 그게… 제가 용돈을 새 청바지 사는 데 다 써버렸는데, 친구들이 오늘 밤에 영화를 보러 가자고 해서요.
여 그래. 알겠다. 얼마나 필요하니?

해설
남자는 용돈이 떨어진 상황에서 돈을 얻으려고 집안일을 하려고 한다.

어휘
messy 지저분한, 엉망인 / vacuum 진공청소기로 청소하다 / take a rest 쉬다 / run from 회피하다 / allowance 용돈

9 ⑤

해석
남 무슨 일이야?
여 아무 것도 아냐. 해변에 가고 싶은데, 너무 춥고 다시 비가 와. 이게 6월에 정상인 날씨니?
남 아니, 흔치 않지. 제주의 여름은 보통 날씨가 좋고 덥지.
여 불공평해! 나는 제주에 휴가를 왔는데 해변에도 갈 수 없다니!

해설
여자는 휴가를 맞아 해변에 가고 싶은데 날씨 때문에 가지 못하고 있는 상황이다.

어휘
beach 해변 / normal 정상적인 / unusual 흔치 않은, 특이한 / not fair 불공평한 / be on vacation 휴가 중이다

10 ②

해석
여 무엇을 도와 드릴까요?
남 제 아내를 위한 멋진 스웨터를 하나 사려고요.
여 사이즈는 몇인가요?
남 중간 사이즈요.
여 이 녹색은 어떠세요?
남 좋아요. 그리고 어떤 종류의 스카프가 이 옷과 잘 어울릴까요?
여 제 생각에는 핑크색의 무늬 없는 스카프가 좋은 것 같아요.
남 좋아 보이네요. 얼마인가요?
여 스웨터는 60달러고 스카프는 20달러인데, 겨울옷은 50퍼센트 할인을 하고 있어요.
남 50퍼센트 할인이요? 좋네요! 둘 다 살게요.

해설
두 물건을 합쳐 80달러이고 50퍼센트 할인을 받게 되므로 40달러만 지불하면 된다.

어휘
go well with ~와 잘 어울리다 / plain 무늬가 없는

11 ②

해석
남 안녕, Sara. 깜짝이야! 너 여기서 뭐 해?
여 안녕, Paul. 만나서 반가워. 나는 부모님을 기다리고 있어. 캐나다에서 있었던 가족 결혼식에 가셨거든. 넌 뭐해?
남 나는 러시아에 출장을 가려고. 중요한 계약이 있거든.
여 정말? 비행기가 몇 시에 출발하는데?
남 사실 지금 뛰어야 해. 지금 탑승해야 되거든.
여 그럼 서둘러! 러시아 잘 다녀와.
남 고마워. 부모님에게 안부 전해 줘.

해설
여자는 캐나다에 다녀오는 부모님을 마중 나왔고, 남자는 러시아로 떠나려고 하는 상황이므로 두 사람이 지금 공항에 있음을 알 수 있다.

어휘
surprise 뜻밖의 소식[일] / on business 볼 일이 있어, 업무로 / contract 계약 / flight (비행기) 여행, 항공기 / board 탑승하다

12 ⑤

해석
여 안녕하세요, Newport 국제 학교에 오신 것을 환영합니다. Newport가 개교한 이래로 15년 동안, 학교는 주에서 가장 좋은 학교로 자리매김했습니다. 학교가 바다를 내려다보기 때문에, 공기가 상쾌하고 전망이 훌륭합니다. 올해에 우리 학교에는 560명의 학생과 80분의 선생님, 그리고 댄스, 음악, 영화를 포함한 훌륭한 방과 후 수업이 있습니다. 멋진 한 해를 보내기를 모두에게 바랍니다.

해설

어떤 방과 후 수업이 있는지 예를 들긴 했지만 방과 후 수업의 수에 대한 언급은 없다.

어휘

international 국제적인 / state 주 / overlook 내려다보다 / fresh 신선한 / view 전망, 경관 / after-school class 방과 후 수업

13 ③

해석

[전화가 울린다.]

여 Sunshine 항공입니다. 무엇을 도와 드릴까요?

남 Washington에서 Sydney로 가는 항공편을 예약하고 싶은데요.

여 편도이십니까, 왕복이십니까?

남 왕복이에요.

여 언제 출발하실 예정이신가요?

남 금요일 아침에 출발해서 일요일 밤에 돌아오려고 해요.

여 일반석인가요, 비즈니스석인가요?

남 비즈니스석으로 할게요.

해설

남자는 금요일 아침에 Washington을 출발해 Sydney에 도착하는 왕복 비즈니스석 항공권을 구매하고 있다.

어휘

airline 항공사 / book 예약하다, 예매하다 / flight 항공편 / one-way 편도의 / round-trip 왕복의 / economy class 일반석 / business 비즈니스석

14 ①

해석

남 가난한 나라에 사는 많은 어린이들은 안전하게 놀 곳이 없기 때문에 축구를 하지 못합니다. "캄보디아의 행복한 축구"는 캄보디아의 그러한 문제를 해결하기 위해 노력하고 있습니다. 우리는 소년 소녀들이 즐겁게 놀고 축구를 하도록 무료 축구 수업과 안전하며 그들을 보살피는 환경을 제공합니다. 우리 웹사이트를 방문해서 우리를 지원해 주세요. 우리는 옷, 신발, 축구공과 돈이 필요합니다!

해설

마지막 문장을 통해 해당 단체에 후원이나 모금을 요청하는 내용임을 알 수 있다.

어휘

poor 가난한 / nowhere 어디에도 (~이 없다) / safe 안전한 / provide 제공하다 / free 무료의 / lesson 수업 / caring 보살피는 / environment 환경 / support 지원하다

15 ⑤

해석

여 서둘러라, Sam! 학교에 늦겠어. 일어나서 옷 입으렴!

남 하지만 저 정말 아픈 것 같아요. 목이 아프고 두통도 있어요.

여 머리 좀 만져 보자. 아, 정말 뜨겁구나! 병원에 가 봐야겠다. 먼저 학교에 전화해서 선생님께 네가 학교에 갈 수 없다는 것을 알려 줘야겠다.

해설

여자는 남자를 병원에 데려가기 전에 학교에 전화해 남자가 결석할 것이라고 알릴 것이다.

어휘

get dressed 옷을 입다 / sore throat 인후염 / headache 두통

16 ④

해석

① 여 오디션이 내일이지, 그렇지?
 남 응. 정말 긴장돼.

② 여 너희 아버지는 새 차 언제 샀어?
 남 새 건 아냐. 지난주에 친구 분에게서 샀어.

③ 여 오늘 밤에 뭐 해?
 남 아무 계획 없어. 왜?

④ 여 영화 보러 얼마나 자주 가세요?
 남 나는 다음 주에 집을 이사해.

⑤ 여 벌써 아홉 시야! 너 회의에 늦지 않겠어?
 남 괜찮아. 회의는 10시에 있어.

해설

얼마나 자주 영화를 보는지 물었는데 다음 주에 이사한다고 대답하는 것은 어색하다.

어휘

audition 오디션 / nervous 긴장이 되는, 초조한 / brand-new 새것의

17 ②

해석

남 안녕, Maggie. 너 뭐 해?

여 Jenny의 깜짝 생일 파티를 계획하고 있어. 너 마침 잘 왔어. 초대장을 만드는 데 도움이 좀 필요해.

남 알았어. 그녀의 생일이 언젠데?

여 4월 7일인데, 파티는 이틀 후에 하려고.

남 4월 9일이란 말이지? 친구들을 몇 명이나 초대하니?

여 스무 명 정도 초대할 거야.

해설

Jenny의 생일은 4월 7일이지만 파티는 이틀 뒤인 4월 9일에 한다고 했다.

어휘

invitation 초대장

18 ①

해석

여 Kelly는 기말고사 시험공부를 하러 도서관에 갔다. 거기에는 너무 학생들이 많아서 앉을 자리를 찾을 수 없었다. 그녀는 열람실을 다 찾아보고 마침내 빈자리를 하나 발견했다. 그 자리 옆에는 한 남자가 앉아 있었다. Kelly는 그녀가 그 자리에 앉아도 되는지 확인하고 싶었다. 이런 상황에서, Kelly는 그 남자에게 뭐라고 말할까?

해설

도서관의 빈자리에 앉아도 되는지 옆에 앉아 있는 사람에게 확인하려는 상황이다.

① 이 자리에 주인이 있나요? ② 당신도 시험을 볼 건가요? ③ 제 자리에 앉으시겠어요? ④ 여기에 언제 도착하셨어요? ⑤ 얼마나 기다렸나요?

어휘
eventually 결국, 마침내 / empty 빈 / make sure 확실히 하다

19 ①

해석
여 안녕, Jim. 너 숙제 끝냈니?
남 무슨 숙제? 월요일까지 해야 하는 에세이 얘기하는 거니? 나 거의 다 했어.
여 와우, 네가 부럽다. 나는 이제 막 시작했거든.
남 그래? 오늘은 일요일이야.
여 밤을 새서 해야 할 것 같아.
남 서두르지 말고 제대로 해! 그렇지 않으면 처음부터 다시 시작해야 할 거야.

해설
기한을 하루 앞두고 급히 숙제를 하려는 여자에게 서두르지 말고 제대로 하라고 충고하고 있다.
① 서두르면 일을 그르친다. ② 자라 보고 놀란 가슴 솥뚜껑 보고 놀란다.
③ 이미 엎질러진 물이다. ④ 제때의 바늘 한 번이 아홉 바느질을 던다.
⑤ 한 개의 돌멩이로 두 마리의 새를 잡는다.(일석이조)

어휘
due ~하기로 되어 있는 / stay up 안 자다

20 ②

해석
남 그 영화는 어땠어?
여 좋았어. 시작 부분을 빼면.
남 나는 처음부터 끝까지 다 좋다고 생각했어.
여 배우들이 훌륭했지.
남 맞아. 특히 나쁜 경찰 역을 맡은 배우가 잘했어.
여 그래서 너 얼마나 자주 영화 보러 가니?
남 나는 거의 주말마다 가.

해설
여자는 남자에게 영화를 보러 얼마나 자주 가는지에 대해 묻고 있으므로 횟수로 답하는 것이 적절하다.
① 나도 그걸 보고 싶어. ③ 아니, 그건 우리가 봤던 영화와 같아.
④ 그는 오늘은 훨씬 나아 보인다. ⑤ 나는 거기에 나온 배우들을 아무도 몰라.

어휘
except for ~를 제외하고 / actor 배우

Dictation
p.84~87

1 your hair done / have bangs / waved
2 want to see / to rent / I'll go over there
3 check out / if I sit here / by airmail

4 left my backpack / in five minutes / You can borrow mine
5 have to cancel it / it is popular / you have a good interview
6 What's the problem / long enough / What about this ribbon
7 see the exhibition / to find some information
8 do the vacuuming / What's going on / want me to come
9 go to the beach / it's unusual / on vacation
10 What size / what kind of / $60 / $20
11 What a surprise / on business / When does your flight leave / Enjoy your trip
12 it has become / wonderful views / including
13 How may I help you / Round-trip / Friday morning
14 can't play soccer / to solve that problem / to have fun
15 be late for / feel really sick / I'll call your school
16 I'm really nervous / haven't got / I'll be fine
17 I'm planning / When is her birthday / How many friends
18 couldn't find a place / an empty seat / to take the seat
19 Have you finished / due next Monday / take your time
20 It was good / great / How often

11회 영어듣기 모의고사 p.88~91

01 ②	02 ②	03 ③	04 ②	05 ③
06 ③	07 ②	08 ⑤	09 ⑤	10 ③
11 ②	12 ④	13 ⑤	14 ③	15 ④
16 ③	17 ⑤	18 ①	19 ②	20 ④

1 ②

해석
남 너희 수학 선생님인 Kwan 선생님께 선물을 사 드리고 싶다고?
여 네, 아빠. 여기에 있는 예쁜 손수건들이 어때요?
남 좋은 생각이구나. 나는 꽃무늬가 좋은 것 같구나.
여 저도요. 하지만 저는 물방울무늬가 있는 게 더 좋아요.
남 큰 점무늬, 아니면 작은 점무늬?
여 모르겠어요, 아빠. 어떤 게 더 좋으세요?
남 작은 점무늬로 하자꾸나.
여 네. 그것으로 할게요.

해설
두 사람은 작은 점무늬의 손수건을 사기로 했다.

어휘
handkerchief 손수건 / dot 점 / tiny 작은

2 ②

해석

남 숙제로 보고서를 작성해야 해. 나 좀 도와줄 수 있니?

여 그래. 어떻게 도와줄까?

남 그것을 어떻게 구성해야 할지 모르겠어.

여 그래서 내가 너의 보고서를 구성해 줄 바라니?

남 아니. 나는 그냥 잘 쓴 예를 좀 보고 싶어. 네 것들을 좀 보여주겠니?

여 물론이지. 네가 원하면 보여줄 수 있어. 내가 널 위해 그걸 인쇄해 줄게.

남 그래 주면 좋지.

해설

남자는 여자에게 보고서를 보여 달라고 부탁하고 있다.

어휘

organize 조직하다. 구성하다 / example 예. 모범 / print 인쇄하다

3 ③

해석

여 무엇을 도와 드릴까요?

남 네. 재킷이 필요해요. 가볍고 보관하기 쉬운 걸로요.

여 이 모자 달린 재킷은 어떠세요?

남 음, 좀 긴 것 같아요. 저는 더 짧은 것이 좋아요. 그리고 털이 달린 것은 싫어요.

여 알겠습니다. 조끼는 어떠세요?

남 충분히 따뜻하지 않을 것 같아요. 저는 소매가 있는 조끼가 더 좋아요.

여 그럼 이것을 입어 보세요. 정말 가볍고 따뜻합니다.

남 네. 그걸로 할게요.

해설

남자는 소매가 있고 길이가 짧으며 털이 없는 외투를 골랐다.

어휘

lightweight 가벼운 / hood (외투에 달린) 모자, 후드 / fur 털 / vest 조끼 / sleeve 소매

4 ②

해석

남 들었어?

여 아래층에서 현관문이 열리는 소리를 들었어. 몇 시지?

남 오후 6시가 막 지났어.

여 엄마는 오늘 밤 9시 전에는 집에 안 오실 거라고 했는데.

남 [속삭이며] 어떻게 해야 하지?

여 욕실에 숨자! 문을 잠그고 엄마한테 전화를 하면 돼.

해설

두 사람은 낯선 사람이 집에 침입해 두려워하고 있다.

어휘

front door 현관문 / downstairs 아래층에서 / lock 잠그다

5 ③

해석

여 Fred, 너 오늘 정말 행복해 보인다.

남 응, 맞아. LA에 사는 친구에게서 이메일을 받았거든. 작년에 여름 캠프에서 그녀를 만났지.

여 와우. 그녀는 미국인이야?

남 응, 그래. 우리는 한국 문화에 대해서 많이 이야기했어. 그녀는 한국을 좋아해.

여 그녀에게 한국의 여행 정보에 대해서 보내 주는 건 어때?

해설

한국을 좋아하는 미국인 친구에게 한국 여행 정보를 보내 주는 것이 어떠냐며 제안하고 있다.

어휘

travel information 여행 정보

6 ③

해석

① 여 물이 어때? 수영하기에 너무 차갑지 않아?

　남 아니, 딱 좋아! 들어와서 수영을 해!

② 여 밖에 비가 많이 와.

　남 정말? 내 생각에 우리 집에 있는 게 좋겠어.

③ 여 봐! 식물이 마른 것 같아.

　남 화분에 물을 주자!

④ 여 숙제 다 했니?

　남 죄송해요, 엄마. 지금 당장 할게요.

⑤ 여 도와 드릴까요?

　남 네. 이 꽃을 사고 싶어요.

해설

식물이 말라 있고, 남자가 물을 주려고 하는 상황이다.

어휘

heavily 심하게, 아주 많이 / had better ~하는 편이 낫다 / thirsty 목이 마른 / water 물을 주다 / plant 식물, 화분 / right away 즉시

7 ②

해석

남 지금 제 말이 들리나요, Lena?

여 네, Alan. 크고 또렷하게 들립니다.

남 제 뒤로 보시는 바와 같이, Greenville 백화점에 불이 났습니다.

여 안에 누가 있나요?

남 아직 모르겠어요. 경찰과 소방대가 방금 도착했습니다.

여 불이 어떻게 시작되었는지 알려 줄 수 있나요?

남 직원 중 한 명이 오후 10시에 폭발음을 들었습니다.

여 네, 감사해요, Alan. 계속 소식을 알려 주세요.

해설

화재 현장 상황에 대해 묻는 여자의 질문에 답하는 것으로 보아 남자는 화재 현장에 나가 있는 기자임을 알 수 있다.

어휘

clear 분명한 / be on fire 불타고 있다 / fire department 소방대 / explosion 폭발 / keep ~ informed ~에게 계속해서 알려 주다

8 ⑤

해석

여 안녕하세요. 다시 만나니 반갑네요.

남 네, 오랜만이에요.

여 남자 손님은 많이 없거든요. 당신은 꽤 특별해요.

남 네, 저는 보통 여기에 있는 유일한 남자죠.

여 오늘은 재미있는 색의 광택제나 귀여운 네일 아트를 받아보시는 건 어때요?

남 아니, 됐어요. 평소대로 해 주세요.

해설

'a fun color polish or some cute nail art'를 통해서 대화하는 장소가 네일숍임을 알 수 있다.

어휘

male 남성의 / customer 손님, 고객 / polish 광택제

9 ⑤

해석

① 남 너 에세이 주제 정했어?

　　여 아직. 너는?

② 남 너 어디에 있었어?

　　여 도서관에 공부하러 갔었어.

③ 남 좀 더 먹을 수 있을까?

　　여 물론이지. 먹고 싶은 만큼 먹어.

④ 남 앉을 곳이 있니?

　　여 저기에 빈 테이블이 있어.

⑤ 남 학교 무도회에 뭘 입고 갈 거야?

　　여 나는 단발머리가 보기에 좋은 것 같아.

해설

학교 무도회에 무엇을 입고 갈 거냐는 질문에 단발머리가 보기에 좋다는 응답은 어색하다.

어휘

topic 주제 / empty 빈

10 ③

해석

여 지구 대기의 기체는 "온실가스"라고 불린다. 그 기체는 열이 우주로 빠져나가는 것을 막는다. 온실의 덮개처럼, 기체는 열을 안에 가둔다. 이것은 자연적인 과정이지만, 점점 더 심해지고 있다. 왜일까? 사람들이 점점 더 많은 온실가스를 만들어내고 있기 때문이다. 우리가 온실가스를 더 많이 만들수록, 지구는 더 따뜻해진다.

해설

온실가스로 인해 지구 온도가 상승한다는 내용으로 온실 효과에 대한 설명이다.

어휘

gas 기체 / atmosphere 대기 / greenhouse 온실 / prevent 막다 / heat 열 / escape (기체 등이) 새어 나가다; 탈출하다 / cover 덮개 / natural 자연적인 / process 과정

11 ②

해석

여 안녕, Jeff! 너 어디 가니?

남 막 개업한 태국 음식점에 가고 있어.

여 점심 먹으러 가는 거야?

남 아니. 어젯밤에 거기에서 먹었어. 그런데 코끼리 인형 선물을 가져오는 것을 깜빡했어. 다시 가서 가져오려고.

여 그게 식당의 개업 선물이었던 거야?

남 응. 그들은 모든 손님에게 인형을 하나씩 줬어. 코끼리는 태국의 상징이야.

해설

남자는 개업 선물로 받은 인형을 놓고 와서 인형을 가지러 식당에 가고 있다.

어휘

Thai 태국의 / open 개업하다 / opening 개업 / symbol 상징

12 ④

해석

여 미안해요, 여보. 저녁 식사를 만들 힘이 없어요.

남 걱정하지 말아요. 내가 할게요.

여 새 사업으로 오늘 정말 바빴어요.

남 등을 기대고 앉아 쉬세요. 아, 냉장고에 소고기가 없네요. 가게에 가서 좀 사올게요.

여 소고기 없이도 저녁 먹을 수 있잖아요.

남 안 돼요. 소고기 수프를 만들어 주고 싶어요. 곧 갔다 올게요.

해설

남자는 여자에게 소고기 수프를 만들어 주고 싶은데 소고기가 없어서 사러 갔다 오겠다고 말하고 있다.

어휘

beef 소고기 / fridge 냉장고

13 ⑤

해석

[휴대 전화가 울린다.]

여 여보세요?

남 어디야? 경기장에 도착했어?

여 응. 지금 E 구역에 있어.

남 이쪽으로 올 수 있니? 나는 A 구역에 있어.

여 안 될 것 같아. A 구역은 여기서 너무 멀어.

남 그럼, 중간쯤에서 만나자. G 구역은 어때?

여 그래. 거기서 10분 후에 만나자.

해설

남자는 A 구역에 있고 여자는 E 구역에 있는데 남자가 중간 지점인 G 구역에서 만나자고 했다.

어휘

halfway 중간[가운데쯤]에

14 ③

해석
남 저기, 올해 어린이날이 무슨 요일이야?
여 5월 5일 목요일이야. 오늘로부터 딱 2주 뒤야.
남 호수에 캠핑하러 갈래? 엄마가 우리를 태워다 주실 거야.
여 캠핑을 가고 싶은데, 5일에 친구를 만날 계획이 있어.
남 그럼 토요일은 어때?
여 5월 7일 말하는 거지?
남 그래, 호숫가에서 하룻밤 지내고 일요일 아침에 오면 되잖아.
여 좋아!

해설
여자가 5월 5일에는 캠핑을 갈 수 없다고 하자 남자가 5월 7일에 가자고
제안했고 여자가 동의하고 있다.

어휘
exactly 정확히 / lake 호수

15 ④

해석
남 Jennifer, 괜찮니? 너 걱정이 있어 보여.
여 내 동생 Charlie에 대해서 생각하고 있었어.
남 그에게 무슨 문제가 있니?
여 걔 친구들 때문에 걱정이야. 걔들은 전혀 좋은 학생들처럼 안 보여.
남 동생에게 이야기해 보려고 했니?
여 해 봤는데 내 말을 들으려고 하지도 않아. 친구들과 다른 바가 없더라고.

해설
비슷한 친구끼리 무리 지어 다닌다는 속담은 "유유상종"이다.
① 늦게라도 하는 것이 안 하는 것보다 낫다. ② 급할수록 돌아가라.
③ 일찍 일어나는 새가 벌레를 잡는다. ④ 유유상종.
⑤ 로마에 가면 로마법을 따르라.

어휘
be concerned about ~을 걱정하다 / at all 전혀 / no different from
~와 다르지 않다

16 ③

해석
남 도와 드릴까요?
여 네, 저는 작은 스피커를 찾고 있어요. 인기 있는 상표로 하나 추천해
   주시겠어요?
남 알겠습니다. 30달러부터 200달러까지 있어요. 얼마의 돈을 쓰길 원하
   세요?
여 50달러 정도요.
남 알겠습니다. 회원 카드가 있으신가요?
여 네. 왜요?
남 이 스피커 정말 좋아요. 60달러인데, 회원은 10%를 할인받거든요.
여 정말요? 좋네요. 그 스피커로 할게요. 여기 제 카드예요.

해설
여자는 회원으로 60달러짜리 스피커를 10% 할인받아 살 수 있으므로 6달
러를 할인받아 54달러를 지불해야 한다.

어휘
recommend 추천하다 / spend 지불하다 / member 회원, 구성원

17 ⑤

해석
남 블랙 푸드는 어두운 파란색이거나, 검은색, 보라색인 채소 음식을 말
   합니다. 그것은 검은콩, 검은쌀, 해초, 그리고 블루베리 등을 포함합니
   다. 오늘 식탁에 그것들을 올려 보세요. 그것들은 건강에 매우 좋습니
   다. 그것들은 여러분들의 피부, 눈, 혈액에 좋고 암을 퇴치합니다. 또
   한 매우 맛있습니다! 블랙 푸드를 www.foodforhealth.com에서 온
   라인으로 구입해 보세요.

해설
블랙 푸드 요리법에 대해서는 언급하지 않았다.

어휘
bean 콩 / seaweed 해초 / superstar 슈퍼스타 / cancer 암

18 ①

해석
남 기침이 멈추질 않아. 정말 심해. 나 병원에 가봐야 할 것 같아.
여 정말? 체온을 재 볼게.
남 열은 없는 것 같아. 그러나 밤새 잠을 못 잤어.
여 그렇다면 기침약을 먹는 것은 어때?
남 미안하지만, 약은 먹기 싫어.
여 그러면 꿀과 레몬이 든 뜨거운 차를 마시면 도움이 될 거야. 내가 한
   잔 만들어 줄게.
남 고마워.

해설
여자는 심한 기침으로 고생하고 있는 남자에게 증상 완화에 차가 도움이
된다며 차를 만들어 주겠다고 했다.

어휘
cough 기침하다 / see a doctor 병원에 가다 / fever 열 / awake 깨어
있는 / take a medicine 약을 먹다 / honey 꿀

19 ②

해석
여 Wendy는 농구를 좋아한다. 오늘, Wendy의 아빠는 그녀가 가장 좋
   아하는 팀의 경기를 보여주려 그녀를 경기장에 데려갔다. 경기 전에
   Wendy가 가장 좋아하는 선수가 걸어서 지나간다. 그녀는 그에게 미
   소를 짓는다. 그도 웃어 준다! 그녀는 믿을 수가 없다. Wendy는 그와
   정말로 사진을 찍고 싶다. 이 상황에서, Wendy가 그에게 뭐라고 말
   하겠는가?

해설
자신이 좋아하는 농구 선수에게 같이 사진을 찍자고 말하고 싶어 하는 상
황이다.
① 실례합니다. 여기 자리가 있나요? ② 저와 사진을 찍어 주시겠어요?
③ 축하해요! 정말 멋진 경기였어요. ④ 선수들은 지금 탈의실에 있어요.
⑤ 저는 보통 아빠와 농구 경기에 가요.

어휘
player 선수 / walk past ~을 지나치다 / locker room 탈의실

20 ④

해석
남 있잖아! 나 로마에 가!
여 와, 좋겠다.
남 삼촌이 거기서 공부하시는데, 나를 초대하셨어.
여 부모님이 작년에 거기에 가셨거든. 정말 굉장했다고 하셨어.
남 정말? 너무 흥분돼서 기다릴 수가 없어.
여 그런데 야외에 있는 관광 명소들에서 매우 주의해야 해.
남 왜?
여 도둑들이 어디에나 있거든. 그러니까 귀중품은 안전한 곳에 둬.
남 <u>고마워. 명심할게.</u>

해설
이탈리아에서 여행할 때 도둑을 조심하라는 여자의 말에는 명심하겠다는 응답이 적절하다.
① 정말? 내 표는 900달러였어. ② 넌 뭐가 가장 좋았어? ③ 그때가 방문하기에 최적의 시기니? ⑤ 아니. 그들은 대신 파리에 갔어.

어휘
amazing 놀라운, 멋진 / tourist attraction 관광 명소 / thief 도둑 / everywhere 어디에나, 곳곳에 / valuables 귀중품

Dictation

 p.92~95

1 buy a present / That's a lovely idea / the small dots
2 write a report / I'm not sure / print it out
3 easy to pack / with sleeves / try this on
4 the front door open / won't be home / lock the door
5 you look very happy / about Korean culture / send her some travel information
6 raining heavily / very thirsty / right away
7 anyone inside / heard an explosion / Keep us informed
8 pretty special / the only guy / cute nail art
9 Not yet / as much as / What are you wearing
10 prevent heat from escaping / keep heat inside / becoming stronger
11 just opened / going for lunch / every customer
12 Don't worry / go down to the store / make beef soup
13 Where are you / too far from here / somewhere halfway
14 go camping / I have plans to meet friends / spend the night
15 something wrong / try to talk to him / no different from
16 Can you recommend / range from / Here's my card
17 Put some on your table / fight cancer / very tasty
18 should see a doctor / stayed awake all night / can make a cup
19 walks past / He smiles back / take a picture
20 that sounds great / very careful / leave your valuables

01 ②	02 ④	03 ③	04 ④	05 ③
06 ③	07 ①	08 ③	09 ③	10 ③
11 ③	12 ⑤	13 ④	14 ④	15 ④
16 ④	17 ③	18 ②	19 ④	20 ④

1 ②

해석
남 Mary! 카드 고르는 것 좀 도와줄래? 여기 카드가 아주 많아.
여 나라면 어린이들이 환하게 웃는 그림이 있는 카드를 살 거야.
남 그 카드는 작년에 선생님께 드리려고 사용했어.
여 그럼 가운데에 카네이션이 인쇄되어 있는 것은 어때?
남 예쁘긴 한데 너무 단순한 것 같지 않아?
여 흠. 봐! 카네이션이 하트 그림 안에 있는 게 있어.
남 그래, 저게 내가 원하는 거야. 고마워!

해설
남자는 하트 그림 안에 카네이션이 있는 카드를 원하고 있다.

어휘
brightly 밝게 / simple 단순한

2 ④

해석
[전화가 울린다.]
남 Prescott 출판사의 John입니다.
여 안녕하세요, John. 저는 Metro 잡지의 Margaret Choi입니다.
남 안녕하세요, Margaret. 저희 신간 받으셨어요?
여 네, 그게 바로 제가 전화 드린 이유예요. 저자 인터뷰가 가능할까요?
남 그럼요. 그녀는 다음 주에 북 투어를 위해 도착해요.
여 잘 됐네요. 그녀가 언제 시간이 나죠?
남 화요일 오전 10시가 어떠세요?

해설
여자는 새로 출간된 도서의 저자와 인터뷰를 하기 위해서 전화를 걸었다.

어휘
magazine 잡지 / author 저자 / available 만날 여유가 있는, 이용할 수 있는

3 ③

해석
① 남 안녕하세요. 무엇을 도와 드릴까요?
  여 네, 이 옷을 흰색으로 찾고 있어요.
② 남 그걸 가게에 반환해야 해.
  여 내 생각에는 환불을 받아야 할 것 같아.
③ 남 이건 정말 멋진 티셔츠예요.
  여 네, 하지만 저에게 전혀 맞지 않네요.

④ 남 정말 흔들리는 것 같아요. 엄마.
　　여 네 이 말이니? 한번 보자. 내가 살살 빼 줄게.
⑤ 남 실례합니다. 탈의실이 어디죠?
　　여 남자 탈의실은 위층입니다. 고객님.

해설
여자는 사이즈가 큰 옷을 입고 사이즈가 전혀 맞지 않다고 불평하는 상황
이다.

어휘
return 반환하다, 반납하다 / refund 환불 / totally 완전히 / loose 헐렁
한, 헐거운 / pull 뽑다 / fitting room 탈의실 / upstairs 위층에

4　④

해석
남 결혼 날짜는 언제인가요?
여 5월 19일이요.
남 아시다시피 5월은 성수기라서요. 5월에는 20%의 추가금을 받아요.
여 그건 괜찮아요.
남 교회 예식으로 하실 건가요, 야외 예식으로 하실 건가요?
여 우리는 성 Mary 성당에서 하기를 원하고, 피로연은 Plaza 호텔에서
　　하고 싶어요.
남 알겠습니다. 손님은 몇 명이죠?

해설
여자와 결혼 관련 사항을 논의하고 있으므로 남자의 직업이 웨딩플래너임
을 알 수 있다.

어휘
peak season 성수기 / charge 부과하다 / extra 추가의 / ceremony
예식 / reception 피로연

5　③

해석
여 아침으로 뭐 먹을래?
남 저는 괜찮아요. 나중에 뭔가 먹을게요.
여 적어도 바나나나 요구르트 정도는 먹어야지.
남 왜요? 배가 안 고파요.
여 속이 빈 채로 학교에 가면 안 돼.

해설
여자는 남자에게 빈속으로 등교하지 말라고 충고하고 있다.

어휘
at least 최소한, 적어도 / yogurt 요구르트 / empty 텅 빈

6　③

해석
남 할머니께 드릴 꽃다발을 사자.
여 할머니는 꽃다발을 넣어 둘 화병이 없으실 지도 몰라.
남 그럼 화분에 든 식물은 어때?
여 좋은 생각이야. 할머니가 병원에서 집으로 가져가실 수도 있잖아.

남 나는 이 데이지가 좋아. 작은 데이지들이 정말 아름다워.
여 좋네. 하지만 할머니는 장미를 좋아하셔. 장미로 하자.
남 그래. 할머니가 좋아하실 것 같아.

해설
할머니께서 장미를 좋아하셔서 화분에 든 장미를 살 것이다.

어휘
bouquet 꽃다발 / vase 화병 / pot 화분

7　①

해석
여 너 무슨 일 있어? 기분이 별로 좋아 보이지 않아.
남 괜찮아. 그냥 할 일이 없어서 그래.
여 숙제는 다 했어?
남 응. 쉬웠어.
여 그럼 나가서 놀거나 아니면 TV를 보지 그래?
남 놀 사람도 없고 TV에선 아무 것도 안 해.

해설
남자는 할 일이 없어서 지루한 상태이다.

어휘
go out 나가다 / nobody 아무도 없는

8　③

해석
여 좋은 아침입니다. 손님. 즐거운 시간 보내고 계신가요?
남 네. 고마워요.
여 오늘 아침에 세탁물은 받으셨나요?
남 네. 객실 관리과에서 오늘 몇 시에 제 방을 청소하게 되나요?
여 11시에서 4시 사이입니다.
남 좋아요. 저는 오늘 저녁에 7시쯤 돌아올 거예요.
여 제가 해 드릴 다른 게 또 있을까요?
남 네. 오전 5시에 모닝콜이 필요해요.
여 알겠습니다. 손님.

해설
남자는 여자에게 오전 5시에 모닝콜 서비스를 부탁했다.

어휘
laundry 세탁물 / deliver 배달하다 / housekeeping 객실 관리과

9　③

해석
① 남 내 점퍼 봤어?
　　여 네가 그걸 놔둔 소파 위에 있어.
② 남 소파를 어디에 두고 싶어?
　　여 내 생각에는 바로 여기가 좋을 것 같아.
③ 남 뉴욕까지 가는 데 얼마인가요?
　　여 버스로 20분 정도 걸립니다.

④ 남 나 너를 한 시간 동안 기다렸어.
　　여 미안해. 차가 너무 막혔어.
⑤ 남 오늘 아침에 왜 그렇게 늦은 거야?
　　여 늦게 일어났어. 미안해.

<u>해설</u>
뉴욕까지 가는 데 요금이 얼마인지 물었는데 버스로 20분 걸린다고 대답하는 것은 어색하다.

<u>어휘</u>
leave 두다 / fare 요금

10 ③

<u>해석</u>
여 춤 대회가 금요일이야. 준비 다 했어?
남 스텝 연습을 좀 많이 해야 하는데, 그래도 괜찮아.
여 또 해야 할 게 뭐가 있어?
남 글쎄, 오늘 의상을 골라야 하고, 음악 파일들을 다운로드 받아야 해.
여 나 시간 있어. 내가 널 위해서 음악을 다운받아 줄게.
남 정말? 고마워! 내가 필요한 음악의 제목을 알려 줄게.

<u>해설</u>
여자는 남자를 위해서 음악을 다운받아 주기로 했다.

<u>어휘</u>
contest 대회 / all set 준비가 다 되어 / costume 의상

11 ③

<u>해석</u>
여 안녕하세요! 베이글 5개와 통밀빵 하나 주세요.
남 다른 것은 뭐 드릴까요?
여 손으로 만든 쿠키를 파나요?
남 물론 팔죠. 하지만 하루 전에 주문해야 해요.
여 제 아들이 쿠키를 좋아하거든요. 그래서 지금 주문할게요.
남 네. 어떤 종류의 쿠키를 원하세요?
여 땅콩버터와 초콜릿 칩 쿠키로 해주세요.

<u>해설</u>
빵을 사고 쿠키를 주문하는 것에서 빵집에서 대화하고 있음을 알 수 있다.

<u>어휘</u>
a loaf of ~ 한 덩어리 / whole-wheat bread 통밀빵 / homemade 손으로 만든 / in advance 사전에

12 ⑤

<u>해석</u>
여 한글은 세종대왕에 의해 1443년에 발명되어 3년 뒤 한국의 공식적인 문자가 되었다. 세종대왕은 한국어의 소리와 각각의 소리를 낼 때의 입 모양을 기초로 삼았다. 한글은 누가 그것을 언제 만들었는지 알려졌다는 점에서 세계의 문자들 중 유일하다. 한글은 1997년에 유네스코 세계 문화유산에 등재되었다.

<u>해설</u>
세계 문화유산에 등재된 시기는 언급되어 있지만 이유에 관해서는 특별히 언급되지 않았다.

<u>어휘</u>
invent 발명하다 / official 공식적인 / alphabet 문자 / base 기초로 삼다 / form 만들어 내다 / unique 유일한, 독특한

13 ④

<u>해석</u>
여 중국어 회화 동아리에 가입할까 생각 중이야.
남 꼭 해. 무료이고, 7학년은 환영이지.
여 매주 수요일에 언어 실습실에서, 맞지?
남 그리고 매주 금요일도야. 우리는 오후 3시에서 4시까지 모여.
여 교재가 필요해?
남 어, "기초 중국어" 한 권이 필요할 거야. 구내서점에서 살 수 있어.
여 알겠어, 고마워.

<u>해설</u>
대화에서 무료라고 했는데 수업료가 $10라고 되어 있으므로 이는 내용과 일치하지 않는다.

<u>어휘</u>
join 가입하다 / conversation 회화 / lab 실습실, 실험실 / textbook 교재 / a copy of ~ 한 권

14 ④

<u>해석</u>
남 나는 엄마 생신에 케이크를 만들어 드리고 싶어.
여 우리 집에 오면 내가 도와줄게! 엄마 생신이 언젠데?
남 7월 3일이야.
여 그럼 다음 주 월요일이야. 그렇지?
남 응. 일요일 아침에 내가 가도 될까?
여 아니, 하지만 일요일 오후는 괜찮아.
남 그럼 일요일 오후에 보자.

<u>해설</u>
7월 3일 월요일이고 두 사람은 일요일에 만나기로 했으므로, 7월 2일에 만나게 될 것이다.

<u>어휘</u>
come over 들르다, 가다

15 ④

<u>해석</u>
남 나 치통이 정말 심해.
여 그럼 당장 치과에 가 봐야겠다.
남 하지만 너무 비용이 많이 들 거야. 그리고 치과는 무서워.
여 지금 가지 않으면, 나중에 더 많은 비용이 들 수도 있어.
남 통증이 저절로 없어질 수도 있지.
여 아니, 네가 지금 치과에 가지 않는 한 더 심해질 거야.

해설

남자는 치통이 심한데도 치과에 가는 것을 미루려고 하고 있어서, 여자가 지금 치과에 가지 않으면 나중에 통증이 더 심해질 거라고 충고하고 있다. "즉각 처리하면 쉽게 해결할 일을 방치해 두었다가 나중에 큰 힘이 들어간다"라는 뜻의 속담이 적절하다.

어휘

toothache 치통 / dentist 치과(의사) / right away 당장 / later on 나중에 / pain 통증 / go away 없어지다 / by itself 저절로 / be likely to ~할 것 같은 / unless ~하지 않는 한

16 ④

해석

여 National 렌터카에 오신 걸 환영합니다.
남 안녕하세요. SUV 한 대를 빌리는 데 얼마죠?
여 저희 SUV는 하루에 90달러입니다.
남 3일 동안 필요해요. 그럼 270달러이죠?
여 네. GPS 내비게이션을 원하시나요? 하루에 10달러입니다.
남 네.

해설

차를 빌리는 금액이 270달러이고, 내비게이션은 하루에 10달러씩 3일이므로 총 300달러를 내야 한다.

어휘

rent 빌리다, 대여하다 / SUV 스포츠 실용차 / per ~당

17 ③

해석

여 이것은 사람들이 눈 위로 착용하는 것이다. 이것은 코와 귀에 받쳐진 틀 안에 2개의 렌즈가 있다. 이것은 쉽게 쓰고 벗을 수 있다. 몇몇 사람들은 이것을 패션으로 착용한다. 하지만 대부분의 사람들은 분명히 보거나 눈을 보호하기 위해 착용한다.

해설

분명히 보기 위해 눈 위에 착용하는 물건은 안경이다.

어휘

wear 착용하다, 쓰다 / rest 받쳐지다 / put on 착용하다 / take off 벗다 / in order to ~하기 위하여

18 ②

해석

남 Jane, 무슨 문제 있어?
여 Max, 너 컴퓨터 모니터 어떻게 고치는지 알아?
남 아니, 잘 몰라.
여 그러면 내가 수리센터에 가져갈게.
남 지금? 문을 닫지 않았을까? 지금 거의 오후 6시야.
여 전화해서 영업시간을 확인해 볼게. 나는 모니터를 고쳐야 해.

해설

여자는 전화로 수리센터의 영업시간을 알아보겠다고 했다.

어휘

fix 수리하다 / monitor 모니터, 화면 / nearly 거의 / business hours 영업시간

19 ④

해석

남 Elsa는 시골에 사시는 할머니 댁에 방문하려고 한다. 그녀는 버스에 강아지를 데리고 탈 수 없기 때문에 그녀의 강아지 Ted가 걱정된다. Elsa의 가장 친한 친구인 Alvin은 Elsa에게 그녀가 가 있는 동안 그가 해줄 일이 없느냐고 묻는다. Alvin은 Ted를 좋아하고, Ted도 Alvin을 좋아한다. 이 상황에서, Elsa는 Alvin에게 뭐라고 하겠는가?

해설

집을 비우는 사이에 친구에게 강아지를 돌봐 달라고 부탁하는 상황이다.
① 안 하는 것이 좋겠다. ② 좋은 장소를 추천해 줄 수 있니? ③ 할머니께 안부 전해줄게. ④ 내가 없는 동안 Ted를 좀 돌봐 줄 수 있니? ⑤ Ted에게 뭔가 문제가 생긴 것 같아.

어휘

country 시골 / bring 데리고 가다

20 ④

해석

여 너는 대학에서 뭘 공부하고 싶어?
남 나는 역사를 전공하고 싶어.
여 역사의 어느 분야?
남 나는 한국의 근대사에 정말 관심이 많아.
여 어디에서 그걸 전공할 수 있는데?
남 그 과목을 제공하는 곳이 꽤 있어. 나는 UCLA로 하려고.
여 멋지다. 행운을 빌게!

해설

한국의 근대사를 UCLA에서 공부하겠다는 남자의 말에 행운을 빌어 주는 것이 가장 적절하다.
① 사실 그건 별로 좋지 않아. ② 네 말이 맞아. 갈 길이 멀지. ③ 그게 바로 내가 가려는 이유야. ④ 맞아. 여기는 여행하기에 좋은 장소지.

어휘

major 전공하다 / branch 분야 / modern 근대의 / offer 제공하다

Dictation p.100~103

1 children smiling brightly / printed in the middle / too simple

2 get our new book / available for an interview / When is she free

3 totally wrong / really loose / fitting rooms

4 get married / That's okay / How many guests

5 What would you like / At least / empty stomach

6 a plant in a pot / take it home / get a rose plant

7 What's wrong / go out and play / nothing on TV

8 enjoying your stay / clean my room / I can do for you

9 Have you seen / right here / It takes about

10 Are you all set / What else / the names of the songs

11 anything else / in advance / I will order now

12 was invented by / each sound / who created it

13 I'm thinking about joining / It's free / a copy of

14 Come to my house / come over / see you on Sunday
    afternoon

15 right away / cost too much / go away by itself

16 to rent / per day / for three days

17 easily put on / for fashion / in order to

18 how to fix / the repair center / check the business hours

19 going to visit / is worried about / while she's away

20 major in history / I'm really interested in / Quite a few
    places

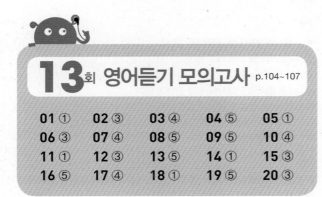

13회 영어듣기 모의고사 p.104~107

01 ①	02 ③	03 ④	04 ⑤	05 ①
06 ③	07 ④	08 ⑤	09 ⑤	10 ④
11 ①	12 ④	13 ⑤	14 ①	15 ③
16 ⑤	17 ④	18 ①	19 ⑤	20 ③

1 ①

해석

남 네 가방 찾는 걸 도와줄게.

여 고마워. 나는 가방을 하나 더 기다리고 있어.

남 어떻게 생긴 거야?

여 줄무늬가 있는 가방이야.

남 수하물 꼬리표가 달린 저것이니?

여 아니, 내 여행 가방은 바퀴가 달렸고 큰 손잡이가 있어.

남 저기 큰 손잡이가 있는 커다란 줄무늬 여행 가방이 있어. 저게 네 거니?

여 응. 무거워! 조심해!

해설

여자의 가방은 바퀴가 있고, 손잡이가 크고, 줄무늬가 있는 가방이다.

어휘

give a hand 도와주다 / wait for ~를 기다리다 / luggage 수하물 /
tag 꼬리표 / suitcase 여행 가방 / wheel 바퀴 / handle 손잡이

2 ③

해석

① 남 어떻게 해 드릴까요?
   여 저는 살짝 익힌 것으로 주세요.

② 남 여기 앉아도 될까요?
   여 죄송합니다. 이미 자리가 있어요.

③ 남 뜨거운 걸로 드릴까요, 차가운 걸로 드릴까요?
   여 뜨거운 걸로요. 그리고 헤이즐넛 시럽도 주세요.

④ 남 이 소포를 해외에 계신 부모님께 보내려고 해요.
   여 속달 우편이신가요, 보통 우편이신가요?

⑤ 남 도와 드릴까요, 손님?
   여 이 코트 더 큰 사이즈로 있나요?

해설

손님인 여자가 카페에서 커피를 주문하고 있는 상황이다.

어휘

medium-rare (고기를) 살짝 익힌 / package 소포 / overseas 해외로 /
express mail 속달 우편 / regular mail 보통 우편

3 ④

해석

여 안녕하세요. 저희는 Hahn이라는 이름으로 예약을 했는데요.

남 확인해 드리겠습니다. 네, 여기에 있네요. Bobby Hahn 씨, 5인 가족
   맞나요?

여 맞아요. 늦어서 죄송합니다.

남 괜찮아요. 손님들 자리를 보여 드릴게요.

여 이 곳에 물이랑 전기도 있죠?

남 네. 그리고 불 피우는 곳도 있어요. 설치하는 걸 도와 드릴까요?

여 감사하지만, 저희 아이들이 텐트를 스스로 설치하고 싶어 해서요.

해설

텐트를 치고, 불 피우는 장소가 있는 곳은 캠핑장이다.

어휘

reservation 예약 / site 장소 / electricity 전기 / set up 설치하다, 세우다

4 ⑤

해석

남 그래서 구직 면접은 어떻게 됐어?

여 좋았어! 나는 다음 주부터 일을 시작해.

남 네가 해낼 줄 알았어.

여 다 네 덕분이야. 정말 고마워.

남 천만에. 내가 한 일은 너를 Brown 씨에게 추천한 것뿐인걸.

여 Brown 씨가 널 신뢰하잖아. 네가 없었다면 그 직업을 얻지 못했을
   거야!

해설

여자는 자신을 추천해 준 남자에게 고마워하고 있다.

어휘

interview 면접 / grateful 감사하는 / recommend 추천하다 / trust 신
뢰하다

5 ①

해석

여 뭘 드시겠어요?

남 저는 치즈 피자 한 조각, 큰 사이즈 콜라 하나 주세요.

여 피자는 3달러, 콜라는 2달러입니다.

남 여기 5달러예요.

여 아, 죄송합니다. 특별 점심 세트에 대해 말씀드리는 것을 잊었네요. 피자와 콜라를 같이 주문하시면 콜라는 무료입니다.

남 좋네요, 고맙습니다.

해설

피자와 콜라를 같이 주문하면 콜라는 무료라고 했으므로 3달러를 지불해야 한다.

어휘

a slice of ~ 한 조각

6 ③

해석

여 내 컴퓨터가 꽉 찼어. 사진을 저장할 다른 장비가 필요할 것 같아.

남 CD에다가 저장해 보는 것은 어때?

여 그런데 새로운 CD를 사야 해

남 그럼 내 USB를 줄게. 나는 더 이상 사용하지 않거든.

여 고맙긴 한데, USB로는 사진을 보기가 불편해.

남 스마트폰에 저장해 보는 건 어때? 사진을 언제 어디서든 볼 수 있잖아.

여 좋은 생각이다. 바로 시도해 봐야지.

해설

남자가 사진을 스마트폰에 저장해 보는 것은 어떠냐는 제안에 그렇게 하겠다고 했으므로 스마트폰이 가장 적절하다.

어휘

full 가득한 / device 장비

7 ④

해석

여 너 영어 점수 얼마나 받았어?

남 95점. 내가 받아 본 최고의 점수야.

여 정말? 나는 80점밖에 못 받았는데.

남 농담하는 거지? 무슨 일이야? 너 시험공부 안 했어?

여 아니, 공부는 열심히 했지. 네가 나를 이기다니 믿을 수 없어.

남 질투하지 마. 네가 나보다 낮은 점수를 받은 건 이번이 처음이잖아.

해설

여자는 남자보다 시험을 못 봐서 부러워하고 있다.

어휘

score 성적 / beat 이기다 / jealous 시샘하는, 질투하는

8 ⑤

해석

① 여 이 손목시계 누구 거지?

　 남 Gina의 것 같아.

② 여 오늘 좀 어때?

　 남 훨씬 나아졌어. 물어봐 줘서 고마워.

③ 여 너는 커서 무엇이 되고 싶어?

　 남 나는 헤어 스타일리스트가 되고 싶어.

④ 여 너는 어느 나라 출신이니?

　 남 나는 프랑스에서 태어났어.

⑤ 여 너 이탈리아 사람이니, 아니면 그리스 사람이니?

　 남 응, 나는 그 언어를 꽤 잘 알아.

해설

이탈리아 사람인지, 그리스 사람인지 묻고 있는데 그 언어를 잘 안다고 답하는 것은 어색하다.

어휘

belong to ~에게 속하다 / feel better 나아지다 / quite 꽤

9 ⑤

해석

남 여기가 V 휴대 전화 서비스 센터인가요?

여 네, 손님. 먼저 표를 받으셔야 해요.

남 어떤 버튼을 눌러야 하죠?

여 고지서 관련은 1번, 구매 관련은 2번, 서비스와 수리는 3번이예요.

남 내 핸드폰을 떨어뜨려 망가뜨렸다니 믿을 수가 없어요. 새것이거든요.

여 걱정 마세요. 저희가 고칠 수 있는지 봐 드릴게요. 3번을 눌러 주세요.

해설

남자는 자신의 고장 난 휴대 전화를 고치기 위해 센터를 찾았다.

어휘

press 누르다 / bill 청구서 / purchase 구매 / repair 수리 / brand-new 완전 새것인 / fix 수리하다

10 ④

해석

여 Bobo 어린이 축구 클럽의 단장입니다. 감독님들은 축구 경기를 중단하세요. 어린이 선수들은 클럽실로 가세요. 이것은 미아에 관한 안내 방송입니다. Ken 씨가 그의 딸, Sally를 잃어버렸습니다. Sally는 여섯 살이고, 짧은 갈색 머리이며, 노란색 점퍼와 검은색 바지를 입고 있습니다. Sally를 찾으시는 분은 클럽 사무실로 가능한 한 빨리 와 주십시오.

해설

Sally의 나이, 머리 모양, 옷차림, 아버지 성함에 대해서는 언급되었지만 키에 대해서는 언급되어 있지 않다.

어휘

coach 감독 / announcement 안내 방송 / lost child 미아

11 ①

해석
남 도와 드릴까요?
여 네. 저는 조선 왕조에 관한 기사를 쓰고 있어요.
남 흥미로워 보이네요.
여 이 목록에 있는 책이 여기에 있나요?
남 확인해 볼게요. 우리는 그 주제에 관한 DVD도 있을 거예요.
여 그럼 좋겠네요. 제가 책이랑 DVD를 얼마나 대여할 수 있죠?
남 책은 3주 동안 10권, DVD는 1주 동안 3편을 대여할 수 있어요.

해설
남자는 책과 DVD 등의 자료를 찾는 여자를 도와주고 있으므로 도서관 사서임을 알 수 있다.

어휘
article 기사 / dynasty 왕조 / subject 주제 / borrow 대여하다, 빌리다

12 ③

해석
남 나 새 카메라 생겼어! 방금 K–Camera 가게에서 샀어.
여 멋져 보인다. 사용할 준비는 다 된 거야?
남 물론이지. 우리 사진을 찍자. 준비 됐어? *[카메라 셔터 소리]*
여 봐. 사진에 검은색 선이 있어. 카메라 렌즈를 확인해 봐.
남 금이 갔어! 당장 반품을 해야겠어. 그들은 새것을 줄 거야.

해설
남자는 새로 산 카메라에 금이 가 있는 것을 발견해서 새것으로 교환하러 갈 것이다.

어휘
line 줄, 선 / lens 렌즈 / cracked 금이 간

13 ⑤

해석
여 너 최근에 Staples 센터에서 열린 NBA 경기 봤어?
남 Lakers와 Celtics 경기 말이지?
여 응. 나 지난밤에 그걸 봤어.
남 지난밤에? 하지만 그 경기는 2월 20일이었잖아.
여 재방송이었어. 물론 Lakers가 이겼지.
남 응. 110 대 97점으로, Staples 센터가 그들의 홈구장이잖아.
여 나는 Chris Paul이 MVP를 받지 못해서 안타까워.
남 나도 그래. 그는 정말 경기를 잘 했어.

해설
Chris Paul이 MVP를 받지 못해 안타깝다고 했으므로 MVP를 받은 사람은 다른 사람이다.

어휘
latest 가장 최근의 / replay 재방송, 다시 보기 / shame 애석한 일

14 ①

해석
남 이것은 액체를 담는 용기이다. 가장 흔한 사이즈는 200밀리리터를 담지만, 더 크거나 작을 수도 있다. 이것은 보통 손잡이가 있어서 당신이 그것을 집을 수 있다. 하지만 이것에 꼭 손잡이가 있을 필요는 없다. 사실, 동아시아의 전통에는 이것에 손잡이가 없고 크기도 꽤 작다. 우리는 모든 종류의 것을 이 안에 담아 마실 수 있고, 특히 차나 커피가 그렇다.

해설
차나 커피를 담아 마시는 도구는 컵이다.

어휘
container 용기 / liquid 액체 / common 흔한 / handle 손잡이 / pick up 들다, 집다 / tradition 전통

15 ③

해석
여 너 새해 결심을 했어?
남 응. 나는 제2언어를 배울 거야.
여 어떤 언어? 나는 스페인어가 정말 유용하고 흥미롭다고 생각해.
남 스페인어도 좋지만 나는 한국어를 배우고 싶어.
여 네가 한국어를 말하는 것을 빨리 보고 싶다!
남 하지만 이제 막 시작했는걸. 다른 언어를 배우는 것이 쉬운 일은 아니더라고.
여 시작하는 것이 가장 어려운 법이야. 일단 시작했다는 것은 가장 어려운 부분을 마친 것이라고.

해설
여자는 처음 시작하는 것이 가장 어려운 법이라고 말하며 일단 시작하는 것의 중요성을 강조했으므로 "시작이 반이다"라는 속담이 적절하다.

어휘
new year's resolution 새해 결심 / second language 제2언어 / Spanish 스페인어

16 ⑤

해석
여 여보! 우리 고양이가 독감 주사를 맞아야 할 것 같아요.
남 정말이에요? 고양이를 오늘 동물병원에 데려가려고요?
여 아뇨, 동물병원은 3월 12일까지 예약이 다 찼어요.
남 오늘이 9일이죠? 토요일에 예약하는 건 어때요?
여 토요일에는 우리가 자원봉사를 하잖아요.
남 미안해요, 깜박했어요! 그럼 월요일은 어때요? 15일이요.
여 그게 좋겠어요.

해설
월요일인 15일이 어떻겠냐는 남자의 말에 여자가 그날이 좋겠다고 했다.

어휘
flu 독감 / shot 주사 / vet 수의사, 동물병원 / be booked up 예약이 끝나다 / volunteer 자원봉사를 하다

17 ④

해석

[휴대 전화가 울린다.]

남 여보세요.

여 안녕, Nick. 너 지금 어디야?

남 지금 집에 가는 길이에요. 아! 형광등을 하나 사는 걸 깜박했네요.

여 걱정 마. 여유분을 하나 찾았어.

남 다행이네요. 그래서 이제 전등이 켜져요?

여 아니. 나는 교체하기엔 팔이 닿지를 않아. 네가 해주면 좋겠어.

남 알았어요. 오래 안 걸릴 거예요.

해설

여자는 손이 형광등에 닿지 않아 교체를 하지 못하고 있어서 남자에게 도움을 요청했다.

어휘

fluorescent light 형광등 / spare 여유분의 / work (작동)되다 / reach 손이 닿다

18 ①

해석

여 재미있는 영화 골랐어?

남 응. 범죄 스릴러야. 볼 준비 됐어?

여 먼저 내가 팝콘을 만들어 줄까?

남 아니, 괜찮아. 간식거리를 좀 샀어.

여 그런데 영화를 보기 전에 이 소파 위의 난장판을 정리해야 할 것 같아.

남 그래, 내가 청소기를 가져와서 청소할게.

해설

남자는 영화를 보기 전에 일단 청소를 하기로 했다.

어휘

pick 고르다 / crime 범죄 / mess 난장판 / vacuum cleaner 진공청소기

19 ⑤

해석

남 Tina와 그녀의 가족들은 봄에 휴가로 뉴욕에 갈 것이다. 그녀의 친구인 Dan은 뉴욕에 2년 동안 살았다. 그는 거기에서 연기를 배웠고 웨이터로 일을 했다. 그는 식사를 할 좋은 장소들과 할 것, 볼 것을 몇 가지 알고 있다. Tina는 그가 가장 좋아하는 것을 추천해 주기를 바란다. 이 상황에서, Tina는 Dan에게 뭐라고 말하겠는가?

해설

뉴욕에 살고 있는 친구에게 뉴욕에서 무엇이 가장 좋은지 추천해 달라고 말하는 상황이다.

① 그건 비용이 얼마나 드니? ② 뉴욕에 다시 갈 거니? ③ 어떤 도시가 가장 흥미롭니? ④ 뉴욕에 얼마나 오래 있었니? ⑤ 뉴욕에서 가장 좋아하는 것이 무엇인지 말해 줄 수 있니?

어휘

acting 연기 / recommend 추천하다 / favorite 가장 좋아하는 것

20 ③

해석

여 네가 제일 좋아하는 악기는 뭐야?

남 내가 가장 좋아하는 건 하모니카야.

여 하모니카? 나도 하모니카가 좋아. 소리가 정말 훌륭해.

남 아빠가 연주하는 법을 알려 주셨어. 나는 꽤 잘 연주해.

여 정말? 얼마나 오래 연주해 왔는데?

남 내가 일곱 살 때부터 시작했어.

해설

하모니카 연주를 얼마나 오래 했는지 기간을 묻고 있으므로 일곱 살부터 시작했다는 답변이 적절하다.

① 좋게 들리지 않는데. ② 다른 키로 연주해 보자. ④ 누구나 연주하는 걸 배울 수 있어. ⑤ 나는 Bob Dylan이 그걸 연주하는 방식이 좋아.

어휘

instrument 악기 / harmonica 하모니카 / play 연주하다

Dictation

p.108~111

1 a striped one / with a big handle / Be careful

2 already taken / hot or cold / mail this package

3 under the name of / setting up / all by themselves

4 your job interview go / I'm so grateful / Don't mention it

5 What would you like / a slice of / forgot to tell you

6 How about saving them / anytime and anywhere / try it right now

7 You're kidding me / I studied hard / Don't be jealous

8 belongs to / come from / quite well

9 get a ticket first / brand-new / Don't worry

10 a lost child / Anyone who / as soon as possible

11 writing an article / Let me check / That would be great

12 got my new camera / ready to use / It's cracked

13 The one between / It was a replay / It's a shame

14 you can pick it up / all kinds of things / tea and coffee

15 I want to learn Korean / not easy to learn / getting started

16 get a flu shot / booked up / That would be good

17 on my way home / a spare one / I can't reach it

18 pick a good movie / clean up this mess / get the vacuum cleaner

19 for a vacation / knows some great places / to recommend his favorites

20 favorite instrument / how to play / How long

14회 영어듣기 모의고사 p.112~115

01 ③	02 ②	03 ⑤	04 ④	05 ⑤
06 ⑤	07 ①	08 ②	09 ④	10 ①
11 ⑤	12 ③	13 ④	14 ③	15 ②
16 ④	17 ③	18 ①	19 ④	20 ④

1 ③

해석

남 호수의 일몰이 정말 아름다워. 사진을 찍어서 블로그에 올려야겠어.

여 나도 사진에 나오길 원해?

남 물론이지. 우리 둘 다 사진에 나와야지. 셀프타이머를 쓸게.

여 우리가 어디에 서야 할까? 왼쪽에 있는 나무 옆은 어때?

남 대신에 저 큰 바위에 같이 앉는다면 어떨까?

여 좋은 생각이야! 멋져 보일 거야.

남 좋아. 방금 셀프타이머를 눌렀어. 가자.

해설

호수에 해가 지고 있고, 나무와 바위가 있으며 두 사람이 바위 위에 앉아 있는 사진이다.

어휘

sunset 일몰 / lake 호수 / upload 업로드하다 / what if ~라면 어떨까? / instead 대신에 / set 설정하다

2 ②

해석

남 어떤 의자가 제일 좋아? 나는 줄무늬 의자가 좋아.

여 나는 꽃무늬 디자인이 더 좋아.

남 팔걸이는? 팔걸이가 있는 걸 원해?

여 응.

남 좋아. 꽃무늬와 팔걸이가 있는 걸로. 발받침은?

여 어떤 의자가 발받침이 있지?

남 왼쪽 아래에 손잡이가 달린 의자 말이야.

여 아, 찾았어. 나는 발받침은 필요 없어. 꽃무늬 의자가 나한테 딱 맞겠어.

해설

여자는 꽃무늬에, 팔걸이가 있고 발받침이 없는 의자를 선택하였다.

어휘

stripe 줄무늬 / armrest 팔걸이 / footrest 발받침, 발판 / handle 손잡이

3 ⑤

해석

여 오늘 오신 손님은 Arnold Adams입니다. 저희 라디오 프로그램에 오신 걸 환영해요, Adams 씨.

남 Arnold라고 불러 주세요.

여 네, Arnold 씨, 새로 나온 훌륭한 책 축하드립니다.

남 고마워요, Liz.

여 당신 작품의 위대한 수집품인 것 같아요. 흑백 사진에 대해 말씀해 주세요.

남 저는 그 사진들을 작년에 찍었어요. 그건 제 고향에 있는 사람들의 사진이에요.

여 디지털 카메라를 쓰시나요?

남 아뇨. 저는 아직 필름을 써요.

해설

고향에 있는 사람들의 사진을 찍었다고 했으므로 남자가 사진가임을 알 수 있다.

어휘

collection 수집품, 소장품 / black-and-white 흑백의

4 ④

해석

여 학교 끝나고 같이 도서관에서 공부할래?

남 오늘은 안 돼. 나 농구 연습이 있어.

여 괜찮아. 내일 보자.

남 아, Mary? 내가 네 역사 교과서를 빌려도 될까?

여 빌려줄 수는 있는데 내가 그 책이 필요해. 이번 주 금요일에 역사 시험이 있거든.

해설

여자는 남자의 교과서를 빌려 달라는 부탁에 정중히 거절하고 있다.

어휘

library 도서관 / practice 연습 / borrow 빌리다 / lend 빌려 주다

5 ⑤

해석

[전화가 울린다.]

여 여보세요?

남 안녕하세요. 저는 Allie의 같은 반 친구 Ben이에요. Allie는 괜찮나요?

여 많이 좋아졌어, 고맙구나.

남 Allie하고 잠깐 이야기할 수 있을까요?

여 미안하지만, 지금 자고 있단다.

남 그녀에게 우리 반 모두 어서 낫기를 바란다고 전해 주세요.

여 고맙구나.

해설

남자는 아픈 친구의 안부를 물으려고 전화했다.

어휘

feel better 나아지다

6 ⑤

해석

① 여 주문하시겠어요?

남 네, 저는 딸기 요거트 주세요.

② 여 어제 숙제 끝냈니?
　남 아, 완전히 잊고 있었어.
③ 여 무엇을 도와 드릴까요?
　남 제가 이것을 다른 것으로 교환할 수 있을까요?
④ 여 얼마나 자주 저녁에 외식을 하나요?
　남 한 달에 한 번이요.
⑤ 여 정말 달콤하다. 이건 내가 가장 좋아하는 디저트야.
　남 나도야. 정말 맛있다!

해설
아이스크림을 나누어 먹고 있는 상황에 적절한 대화는 디저트에 관한 이야기이다.

어휘
strawberry 딸기 / exchange 교환하다 / sweet 달콤한, 단 / dessert 디저트, 후식

7 ①

해설
여 무엇을 도와 드릴까요?
남 네. 저는 이 운동화가 맘에 들어요. 얼마죠?
여 80달러입니다.
남 아, 할인은 안 되나요?
여 안 돼요, 죄송합니다.
남 이 장화는요? 가격표에 50달러라고 되어 있는데요.
여 그 장화는 10퍼센트 할인을 해요.
남 그럼 5달러 할인이네요, 맞죠? 저걸로 할게요.

해설
50달러에서 5달러를 할인 받았으므로 45달러를 지불해야 한다.

어휘
sneakers 운동화 / discount 할인 / boots 장화 / price tag 가격표

8 ②

해설
여 나 잠을 잘 수가 없어.
남 또 위층에 사는 이웃이야!
여 아이들이 집안을 온통 뛰어다니는 것 같이 들려.
남 지금은 밤 11시야. 경비실에 전화를 해야겠어.
여 정말이야? 내가 올라가서 이웃이랑 이야기를 해볼 수도 있어.
남 안 돼. 너무 늦었어. 경비실 전화번호가 뭐지?

해설
여자가 위층에 올라가서 이야기를 하려고도 했지만, 시간이 너무 늦었기 때문에 남자는 경비실에 전화를 하겠다고 했다.

어휘
upstairs 위층의 / all over 곳곳에 / security office 경비실

9 ④

해설
남 오늘 아침에 무료 영화 봤어?
여 응, 굉장했어. 넌 어디에 있었어?
남 나는 못 갔어. 복통이 너무 심했어.
여 정말 안 됐다. 네가 무료 영화에 대해 나에게 알려줬잖아! 넌 그거에 대해 정말 들떠 있었는데.
남 그러게. 지난밤에 피자랑 치킨을 그렇게 많이 먹지 않았다면 좋았을걸.

해설
남자는 자신이 기대했던 무료 영화 상영을 놓쳐서 후회하고 있는 상황이다.

어휘
free 무료의 / awesome 굉장한 / stomachache 복통

10 ①

해설
남 도와 드릴까요?
여 아, 고마워요. 저는 여기가 처음이라서요.
남 그런 것 같아서요.
여 저는 Regal 호텔로 가는 버스를 찾고 있어요. 300번이 거기에 간다고 들었는데 버스가 오지를 않네요.
남 아니요, 200번이 거기에 가요. 저도 Regal 호텔로 가는 길이에요. 같이 기다리시죠.
여 고맙습니다.

해설
호텔로 가는 버스를 기다리고 있으므로 두 사람이 대화하고 있는 장소는 버스 정류장이다.

어휘
new 처음이라서 잘 모르는

11 ⑤

해설
① 여 너 어디 가?
　남 집에 가는 길이야.
② 여 나 기억 안 나?
　남 물론 기억하지.
③ 여 오랜만이야, 그렇지 않아?
　남 응, 널 다시 만나니 좋다.
④ 여 어떻게 지냈어?
　남 특별할 거 없어, 너는?
⑤ 여 죄송한데요, 성함이 뭐였죠?
　남 괜찮아요. 별 말씀을요.

해설
이름을 물었는데 괜찮다고 대답하는 것은 어색하다. 남자의 대답은 고맙다는 인사에 적절한 대답이다.

어휘
on one's way ~로 가는 중인 / mention 언급하다

12 ③

해석

여 Metro 신문 단편 대회에 참가하고 싶은 학생들은 서두르십시오. 참가 신청은 7월 27일까지입니다. 오늘로부터 2주 뒤입니다. 아시다시피, 학생 누구나 참가할 수 있으며 글은 어떤 주제여도 좋습니다. 제한은 1,000글자입니다. 1등은 MacMillan 출판사로부터 천 달러 상품권을 받게 됩니다. 놓치지 마세요!

해설

참가 비용에 대해서는 언급되지 않았다.

어휘

enter 참가하다, 응시하다 / short story 단편 (소설) / entry 참가, 출전 / topic 주제 / limit 제한 / prize 상품 / gift certificate 상품권

13 ④

해석

여 오늘 영화 보러 갈래? 나 Rapunzel 보고 싶어.
남 난 그 영화 이미 봤어. 다른 건 어떤 게 있어?
여 Monster Trucks랑 Xmas Story가 있어.
남 그 영화들은 3D야?
여 응. Monster Trucks를 보자, 알았지? 6시 30분과 8시에 상영을 해.
남 더 일찍 하는 걸로 보자.

해설

두 사람은 Monster Trucks 중 더 일찍 상영하는 6:30에 상영되는 것을 보기로 했다.

어휘

else 그 밖에 / earlier 더 이른

14 ③

해석

남 이것은 왕족과 권력의 상징이다. 왕, 왕비, 그리고 황제들이 이것을 쓴다. 이것은 원형이며 종종 금과 같이 값비싼 금속으로 만들어지는데, 또한 다이아몬드 같은 진귀한 원석으로 꾸며진다. 이것은 특별한 행사에만 머리에 쓰여진다.

해설

금과 보석으로 만들어져 특별한 행사에 머리에 쓰는 것은 왕관이다.

어휘

symbol 상징 / royalty 왕족 / emperor 황제 / precious 귀중한, 값비싼 / metal 금속 / stone 원석 / occasion 경우, 행사

15 ②

해석

여 이봐, Alex. 너 야구 좋아해?
남 아주 좋아해. 왜 물어보는 거야?
여 나 이번 주 토요일 경기 표를 두 장 구했거든.
남 그래? 어떤 경기인데?

여 Westgate 경기장에서 하는 거야.
남 정말? 그건 Bears 대 Giants 경기잖아!
여 사실 같이 갈 사람을 찾고 있었어. 나랑 같이 갈래?
남 물론, 좋지!
여 좋아! 나는 야구에 대해 하나도 몰라. 내가 야구를 즐기도록 네가 도와줄 수 있겠다.

해설

여자는 표가 두 장 있어서 남자에게 같이 가자고 부탁하고 있다.

어휘

stadium 경기장 / versus 대

16 ④

해석

남 우리 회의 날짜를 잡아야 해요.
여 오늘이 며칠이지? 3월 29일 화요일 맞죠?
남 네. 그리고 저는 이번 주에 금요일 오후까지는 바빠요.
여 1일 금요일이요? 저는 금요일이 쉬는 날이에요.
남 네. 그러면 그때는 만날 수가 없겠네요.
여 월요일은 어때요? 4월 4일이 될 텐데요.
남 완벽해요. 월요일이 좋아요.

해설

두 사람은 4월 1일에 시간이 맞지 않아서 4월 4일 월요일에 회의를 하기로 했다.

어휘

set a date 날짜를 정하다 / day off 쉬는 날

17 ③

해석

여 Daniel은 Jenny의 독일어 사전을 지난주에 빌렸다. 그는 독일어 시험을 볼 때 사전을 가지고 있었다. 불행히도, 그는 사전을 시험장에 두고 와서 잃어버렸다. Daniel은 Jenny에게 사전을 잃어버려서 그녀에게 새것을 사주겠다고 했다. 그는 어떤 서점에서 그 사전을 파는지 알아야 한다. 이 상황에서, Daniel은 Jenny에게 뭐라고 말하겠는가?

해설

사전을 어디에서 살 수 있는지 물어봐야 하는 상황이다.
① 나 그걸 잊어버렸어. ② 내가 그걸 다시 빌려도 될까? ③ 너 그것을 어디에서 샀니? ④ 독일어 시험은 어땠니? ⑤ 시험은 언제 시작해?

어휘

borrow 빌리다 / German 독일어 / dictionary 사전 / unfortunately 불행히도 / leave behind 두고 가다 / exam hall 시험장

18 ①

해석

여 너 남산 타워에 올라가고 싶어?
남 좋은 생각이야. 오늘 날씨가 맑고 여기에서 걸어갈 만한 거리잖아.
여 하지만 내 하이힐을 신고 멀리까지 걸을 수는 없어. 우리 택시를 타면 안 될까?

남 택시나 버스를 탈 수도 있지만 내 생각에는 케이블카를 타고 올라가야 할 것 같아.

여 정말 좋은 생각이다! 내가 왜 그 생각을 못했지?

해설
두 사람은 케이블카를 타고 남산 타워까지 올라갈 것이다.

어휘
go up 올라가다 / distance 거리 / catch 타다

19 ④

해석
여 Kevin, 네가 주문을 할 때 그에게 무례하게 굴어서 웨이터가 우리에게 친절하게 굴지 않잖아.

남 그는 웨이터야. 주문을 받는 건 그의 일이라고.

여 그건 공정하지 않아. 네가 그러면 어떻게 느낄지 생각해 봐.

남 그래. 알겠어.

여 너도 좋지 않겠니, 그렇지?

남 응, 미안해. 좀 더 상냥해지도록 할게.

여 고마워. 정중하게 구는 데에는 아무런 돈도 들지 않는다고.

해설
여자는 웨이터에게 무례하게 대한 남자에게 입장을 바꾸어 생각해 보라고 말하고 있다. "남한테 대접 받고 싶은 대로 남을 대하라"는 속담이 적절하다.
① 서두르면 일을 그르친다. ② 시간은 사람을 기다려주지 않는다. ③ 눈에서 멀어지면, 마음에서도 멀어진다. ④ 남한테 대접 받고 싶은 대로 남을 대하라. ⑤ 어려울 때 친구가 진정한 친구다.

어휘
rude 무례한 / job 일 / fair 공정한 / cost 비용이 들다

20 ④

해석
남 저녁으로 뭘 먹고 싶어요?

여 오늘 저녁에는 나가서 먹지 않을래요?

남 좋아요, 하지만 요리를 해도 상관은 없어요.

여 아이들이 제일 좋아하는 식당에 데려갈 수도 있어요.

남 정말, 그게 좋겠네요. 바비큐 식당이요?

여 네. 좋을 거예요.

남 예약해야 할까요?

여 아뇨, 할 필요 없어요.

해설
남자가 저녁을 먹으러 갈 식당의 테이블을 예약해야 할지를 물었으므로, 예약할 필요가 없다고 답하는 것이 가장 적절하다.
① 나는 아직 거기에 가본 적이 없어요. ② 당신이 좋아하는 걸로 주문하세요. ③ 네, 그건 내가 제일 좋아하는 요리예요. ⑤ 그들은 숙제가 너무 많아요.

어휘
feel like ~하고 싶다 / mind 상관하다

Dictation
p.116~119

1 the two of us / Where shall we stand / What if

2 the ones with stripes / prefer the flower designs / perfect for me

3 beautiful new book / pictures of people / a digital camera

4 to study together / Can I borrow / lend it to you

5 feels a lot better / Can I talk to her / to get better soon

6 ready to order / completely forgot / Can I exchange / How often / favorite dessert

7 How much are they / no discount / I'll take them

8 get to sleep / running all over the house / call the security office

9 was awesome / wish I had not eaten

10 I'm new around here / looking for / wait together

11 a long time / Nothing special / That's okay

12 should hurry / open to all students / Don't miss it

13 Do you want to / I've already seen it / the earlier show

14 a symbol of / made of / on the head

15 Why do you ask / Can you come with me / help me enjoy it

16 set a date / the day off / What about Monday

17 left it behind / it's lost / get her a new one

18 walking distance from here / catch a taxi / ride the cable car

19 take orders / That's not fair / try to be nicer

20 go out tonight / I don't mind cooking / Do we need a reservation

15회 영어듣기 모의고사 p.120~123

01 ③	02 ④	03 ②	04 ①	05 ④
06 ③	07 ⑤	08 ②	09 ②	10 ⑤
11 ④	12 ④	13 ④	14 ③	15 ③
16 ②	17 ②	18 ②	19 ①	20 ③

1 ③

해석
여 먼저, 네모를 그린다. 그러고 나서 네모 안에 동그라미를 그린다. 동그라미는 네모의 모든 면과 닿아야 한다. 다음으로, 세모를 동그라미 안에 그린다. 세모의 세 꼭짓점은 동그라미에 닿아야 한다. 마지막으로, 세모를 검게 칠한다.

네모 안에 네모에 닿아 있는 둥근 원이 있고 그 안에 검게 칠해진 세모가 있는 그림을 설명하고 있다.

draw 그리다 / inside ~의 안에 / side 면 / point 꼭짓점 / color 색을 칠하다

2 ④

남 호놀룰루의 주말 날씨 예보입니다. 금요일인 오늘은 맑고 화창하겠지만, 오후에는 바다에서부터 온 안개가 끼겠습니다. 밤새 구름이 형성되겠습니다. 이것은 토요일 아침에 서늘한 기온과 약한 비를 가져오겠습니다. 바다의 산들바람이 토요일 오후에는 강한 바람으로 바뀌겠습니다.

토요일 아침에는 약한 비가 내린다고 했다.

fog 안개 / overnight 밤사이에 / lead to ~로 이어지다 / temperature 기온 / breeze 산들바람

3 ②

여 실례합니다. 국립미술관을 여기에서 어떻게 가야 하나요?
남 여기에서 걸어서 10분 거리예요. 두 블록을 쭉 가서 오른쪽으로 도세요. 그러고 나서 한 블록을 가서 왼쪽으로 도세요. 그건 오른쪽에 있어요.
여 다시 한번 말씀해 주실래요? 두 블록을 가서 오른쪽으로 돌아라. 그러고 나서…
남 한 블록 더 가서 왼쪽으로요. 찾기 쉬울 거예요.
여 감사합니다.

두 블록을 가서 오른쪽으로 돌고 다시 한 블록을 가서 왼쪽으로 돌면 오른쪽에 있다고 했다.

straight 똑바로 / miss 놓치다

4 ①

여 실례합니다. 여기 자리 주인이 있나요?
남 아니요. 친구 분이랑 여기에 앉으셔도 돼요.
여 잠시만요. 당신 이름이 Scott인가요?
남 네, 그런데… 어떻게 아시죠?
여 Scott! 나야, Lily Kent! 우리 5학년 때 친구였잖아.
남 Lily! 너 정말 많이 자랐구나! 만나서 반가워!
여 너도. 정말 놀랍다! 널 여기서 만나다니 정말 믿기지가 않아.

여자는 어릴 적 친구를 만나서 기뻐하며 반가워하고 있다.

seat 자리 / grow up 자라다

5 ④

여 안녕하세요, 이 장화 230사이즈 있나요?
남 어떤 거 말씀이시죠, 긴 장화요, 아니면 짧은 장화요?
여 긴 거요. 얼마죠?
남 45달러입니다.
여 알겠습니다. 오, 이 우산 정말 귀여워요!
남 음, 이번 주에 장화를 사시면 우산을 단돈 5달러에 사실 수 있어요. 여름 이벤트예요.
여 그럼 다 같이 50달러인가요? 두 개 다 주세요.
남 감사합니다. 우산은 원래 20달러거든요.

장화는 45달러, 우산은 5달러이므로 50달러를 내야 한다.

rain boots 장화 / usually 평소에

6 ③

여 면허증을 보여주시겠습니까?
남 네. 잠시만요. 차 안 어딘가에 있을 텐데.
여 면허증은 지갑에 넣고 다니셔야죠.
남 죄송합니다. [멈춤] 여기 있어요.
여 스쿨존에서 시속 40km로 달리셨어요. 속도 제한은 20km입니다.
남 몰랐어요. 정말 죄송해요!
여 딱지를 끊어 드려야 할 것 같네요. 벌금은 150달러입니다.

여자는 과속을 한 남자에게 벌금을 부과하고 있으므로 두 사람의 관계는 경찰과 운전자임을 알 수 있다.

license 면허증 / somewhere 어딘가 / carry 가지고 다니다 / wallet 지갑 / limit 제한 / ticket 딱지 / fine 벌금

7 ⑤

① 남 너 여가 시간에 주로 뭘 해?
　 여 나는 만화를 그리는 걸 좋아해.
② 남 오늘 기분이 어때?
　 여 아주 좋아, 고마워.
③ 남 치킨과 생선 중 어떤 게 더 좋아?
　 여 치킨이 더 좋아.
④ 남 소금이랑 후추를 좀 건네주세요?
　 여 여기 있어요.

⑤ 남 이 소파를 옮기는 걸 좀 도와줄래?
　 여 내가 나중에 너에게 줄게. 알았지?

해설
소파 옮기는 것을 도와 달라고 도움을 요청하는 질문에 적절하지 않은 대답이다. 남자의 질문에서 hand는 '도움'의 뜻으로 쓰였고, 여자의 대답에서 쓰인 'hand'는 '건네주다'의 뜻이다.

어휘
draw 그리다 / cartoon 만화 / pass 건네주다 / give a hand 도와주다 / hand 건네주다

8 ②

해석
남 파란 바다를 봐! 물이 정말 깨끗하다.
여 응. 아름다운데 나는 무서워.
남 물속으로 다이빙하자.
여 아니. 너무 무서워서 움직이지 못하겠어.
남 아래를 보지 말고 숨을 깊게 쉬어. 일단 뛰고 나면 즐길 수 있어.
여 후유.
남 야! 할 수 있어. 내가 카운트를 셀게.

해설
남자는 다이빙하기 무서워하는 여자가 다이빙할 수 있도록 격려하고 있다.

어휘
scared 무서운 / dive 다이빙하다 / take a breath 숨을 쉬다 / once 일단 ~하면 / count 세다

9 ②

해석
남 안녕, Gemma! 너 새 룸메이트 찾았어?
여 아직 못 찾았어. 아직 찾고 있어.
남 정말 스트레스겠다.
여 그래. 지금 내 가장 큰 고민은 집세를 내는 거야. 내가 곧 새 룸메이트를 구하지 못하면 정말 큰 곤란에 처할 거야!
남 내가 널 위해서 주변에 물어봐 줄게.
여 그럼 좋겠다.

해설
여자는 집세를 같이 낼 룸메이트를 구하는 것이 가장 큰 문제라고 했다.

어휘
stressful 스트레스가 많은 / rent 집세, 방세 / be in trouble 곤란에 처하다

10 ⑤

해석
남 네가 제일 좋아하는 영화는 뭐야?
여 나는 좋아하는 영화가 많은데, 특히 한국 영화가 좋아. 너는?
남 나는 액션 영화와 판타지 영화를 좋아해.
여 너 "Faraway Tree" 봤어?

남 응! 나는 그 영화가 나오자마자 3D로 봤어.
여 나는 지난주에 봤는데 3D로는 아니야.
남 왜? 3D 영화 멋지잖아!
여 3D 영화를 보면 두통이 생겨.

해설
여자는 3D 영화를 보면 두통을 느껴서 별로 좋아하지 않는다고 했다.

어휘
especially 특히 / as soon as ~하자마자 / come out 출시되다 / awesome 멋진

11 ④

해석
남 Jane. 우리 여행갈 짐 다 쌌어?
여 거의 다 쌌어. 담요와 먹을 것을 챙겼지. 그리고 디지털 카메라도 확인했어.
남 따뜻한 옷도 챙겼어? 밤에는 추울 거야.
여 물론이지. 겨울 재킷도 챙겼는걸.
남 내 선글라스 봤어? 찾을 수가 없네.
여 선글라스는 안 가져가도 될 것 같아. 여행하는 동안 날씨가 흐릴 거야.

해설
여행하는 동안 날씨가 흐려서 선글라스는 안 가져가도 된다고 했다.

어휘
pack 짐을 싸다 / blanket 담요

12 ④

해석
여 너 오늘 피아노 연주회에 가? 7시에 시작하잖아.
남 응. 나는 엄마 아빠랑 같이 가.
여 나는 정말 가고 싶어. 그런데 엄마가 오늘 저녁에 일을 하셔서 날 태워다 줄 수 없어.
남 우리가 널 태워줄 수 있는데.
여 정말? 그래 주면 좋겠어.
남 시작하기 30분 전에 너희 집으로 가면 될까?
여 응. 이따 보자.

해설
연주회는 7시에 시작하고 남자가 여자의 집에 시작하기 30분 전에 간다고 했으므로 6시 30분에 만날 것이다.

어휘
recital 연주회 / give someone a ride 태워 주다

13 ④

해석
[전화가 울린다.]
여 성 Vincent 병원입니다.
남 안녕하세요. 저는 Paul Young입니다. 저는 1월 28일에 예약이 되어 있어요.

57

여　잠시만요. 컴퓨터로 찾아볼게요.
남　오후 3시이고 Lee 박사님과의 예약이에요.
여　네, 여기 있네요.
남　Lee 박사님의 진료실이 어딘지 알려주실 수 있나요?
여　네, 구강 외과 건물, 304호예요.
남　정말 감사합니다.

해설
진료실은 403호가 아니라 304호이다.

어휘
appointment 예약, 약속 / dental surgery 구강 외과

14 ③

해석
남　이것은 대도시에서 많은 사람들을 운송할 때 사용된다. 첫 번째 것은 1863년 런던에서 시작되었다. 이것은 "underground", "tube" 또는 "metro"라고 불리기도 한다. 이것은 대부분 지하에 설치되는데 몇몇 부분은 지상에 지어질 수도 있습니다. 이것의 목적은 많은 사람들을 붐비는 도시 곳곳에 빠르고 안전하게 이동하는 것이다.

해설
보통 지하에 있고, 사람들을 빨리 운송하는 것은 지하철이다.

어휘
transport 운송하다 / mostly 대부분 / underground 지하에 / above ~ 위로 / purpose 목적 / throughout 도처에 / crowded 붐비는

15 ③

해석
여　너 기분이 아주 좋아 보인다.
남　언젠가 이런 일이 생길 줄 알았지!
여　무슨 일인데?
남　오늘 세 명의 여자애가 나에게 데이트를 신청했어! 믿겨지니?
여　와우. 어떤 일인지 말해 봐.
남　오늘까지 내가 데이트 신청한 모두 여자애들은 이미 파트너가 있었어. 지난 2주 동안 거의 10명에게 데이트 신청했을 거야. 그들은 모두 거절했지. 그런데 이제는 누구랑 같이 갈지 정하지를 못하겠어.
여　정말 좋은 날이구나!

해설
데이트 상대를 구하지 못하다가 갑자기 여러 명이 생겨서 기뻐하고 있는 상황이다.

어휘
ask ~ out ~에게 데이트를 신청하다 / partner 파트너, 상대

16 ②

해석
여　내 친구 Susan과 나는 국토 횡단 여행을 떠날 거야. 가고 싶은 곳이 많지만 우리가 갈 장소를 다섯 곳으로 정했어. 우리는 2주 동안 떠날 거고 서울에서 시작할 거야. 먼저 우리는 대전에 머물 거야. 그 다음에

우리는 전주에서 이틀을 보낼 거야. 전주 다음으로 우리는 부산에 가. 우리의 본토 마지막 경유지는 강릉이고, 그리고 나서 우리는 배로 독도에 갈 거야. 여행이 정말 기대돼!

해설
서울을 떠나 대전 – 전주 – 부산 – 강릉 – 독도 순으로 여행을 할 계획이다.

어휘
cross-country 국토 횡단 / a couple of 이틀 / stop 머묾 / mainland 본토

17 ②

해석
남　엄마! 여기에서 뭐 하세요?
여　안녕, Johnny! 병원에 다녀오는 길이란다. 알레르기에 대한 처방전을 받았어.
남　약이 효과가 있기를 바랄게요, 엄마.
여　나도 그래. 하지만 오늘은 약을 받을 수가 없겠구나.
남　왜요? 약국이 바로 저기에 있잖아요.
여　유치원에 네 동생을 데리러 가야 하는데 늦었어. 기다렸다가 약을 받아줄 수 있겠니?
남　그럼요! 약값을 지불할 돈만 주세요.

해설
남자는 동생을 데리러 가야 하는 엄마 대신 약국에 가서 약을 받아올 것이다.

어휘
clinic 병원 / prescription 처방전 / allergy 알레르기 / work 효과가 있다 / pharmacy 약국 / kindergarten 유치원

18 ②

해석
남　여기 당신이 문제가 있을 때 이를 해결할 몇 가지 방법이 있습니다. 먼저, 당신 자신에게 물어보세요. 정말 문제가 있나요? 우리는 자주 우리 마음에서 문제를 만들어냅니다. 그래서 먼저 당신 마음속을 들여다보세요. 두 번째로 문제를 받아들이고 그 문제를 더 이상 크게 만들지 마세요. 마지막으로 도움을 청하세요. 당신은 사람들에게 조언을 구할 수 있습니다. 이것이 당신이 문제에 직면했을 때 이를 해결하는 가장 좋은 방법입니다.
질문　문제점을 해결하는 데 가장 좋은 방법은 무엇인가?

해설
마지막에 문제에 직면했을 때 이를 해결하는 가장 좋은 방법으로 도움을 요청하라고 했다.
① 당신 자신에게 물어라. ② 도움을 요청하라. ③ 문제점을 받아들여라.
④ 문제를 만들지 마라. ⑤ 마음속을 들여다보라.

어휘
solution 해결책 / face 직면하다

19 ①

해석
여　너 뭐 걱정하는 거 있어?
남　응. 나는 아빠가 걱정이 돼.

여 왜? 뭐 문제가 있니?
남 담배를 피우는 것만 빼면 괜찮아. 아빠는 하루에 한 갑을 피워.
여 아버지는 금연하기를 원하셔?
남 응. 원하시지. 흡연이 건강에 얼마나 나쁜지 아시거든.
여 금연을 시도하신 적은 있어?
남 <u>한두 번 있어.</u>

<u>해설</u>
여자는 남자의 아빠가 담배를 끊으려고 시도한 적이 있는지 묻고 있으므로, 횟수로 답하는 것이 가장 적절하다.
② 그는 내게 하지 말라고 했어. ③ 난 괜찮아, 고마워. ④ 네가 그렇게 해도 상관없어. ⑤ 그건 어떤 사람들에게는 괜찮아.

<u>어휘</u>
except ~를 빼면 / smoke 흡연하다 / pack 갑

20 ③

<u>해석</u>
여 우리가 토요일에 이사를 한다는 걸 알았어?
남 너랑 네 가족이? 아니, 몰랐어. 어디로 이사를 가는데?
여 주소는 Victoria 거리 27번지야. 일요일에 들르지 않을래?
남 <u>좋아. 점심식사 이후가 어때?</u>

<u>해설</u>
여자가 새로 이사하는 집에 남자를 초대했으므로, 승낙하면서 시간을 정하는 답변이 가장 적절하다.
① 응. 나도 그렇게 들었어. ② 정말? 너무 비싸다. ④ 그게 바로 내가 너희 부모님을 만났을 때야. ⑤ 일요일에는 날씨가 좋을 거야.

<u>어휘</u>
move 이사하다 / address 주소 / drop by 들르다

Dictation p.124~127

1 draw a square / all four sides / touch the circle
2 weather forecast / lead to / strong winds
3 Go straight two blocks / turn right / turn left
4 Are these seats taken / grown up / I can't believe
5 so cute / a pair of boots / I'll take them both
6 somewhere here / carry it in your wallet / give you a ticket
7 draw cartoons / How are you feeling / Pass me / hand it to you later
8 dive into the water / too scared to move / take a deep breath
9 must be stressful / in big trouble / I'll ask around
10 What's your favorite / as soon as / awesome
11 Did you pack / see my sunglasses / It will be cloudy
12 give you a ride / half an hour before / See you soon
13 I have an appointment / Just a moment / Can you tell me where

14 transport a lot of people / The purpose / throughout crowded cities
15 so excited / asked me out / can't decide who to go with
16 agreed on / a couple of days / Our last stop
17 works for you / I'm running late / Can you wait
18 ask yourself / accept the problem / the best solution
19 Nothing except / for his health / tried to quit
20 moving to a new house / I didn't know / drop by

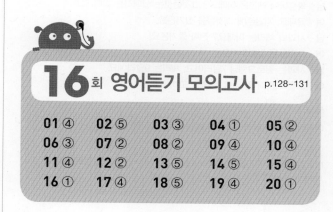

16회 영어듣기 모의고사 p.128~131

01 ④	02 ⑤	03 ③	04 ①	05 ②
06 ③	07 ②	08 ②	09 ④	10 ④
11 ④	12 ②	13 ⑤	14 ⑤	15 ④
16 ①	17 ④	18 ⑤	19 ④	20 ①

1 ④

<u>해석</u>
여 내가 무엇을 그리고 있는지 맞춰 봐. 이건 네가 탈 수 있는 거야.
남 어디 보자. 내가 이걸 땅에서 탈 수 있니. 아니면 공중에서. 아니면 바다나 강을 건너 탈 수 있니?
여 너는 이걸 땅에서만 탈 수 있어. 이건 물에는 가라앉을 거야. 그리고 이건 날 수 없어.
남 바퀴가 있니?
여 응. 두 개의 바퀴와 의자가 있어.
남 그게 뭔지 알겠다! 우리가 매일 학교에 타고 가잖아!

<u>해설</u>
땅에서만 탈 수 있고 두 개의 바퀴와 의자가 달린 것은 자전거이다.

<u>어휘</u>
ride 타다 / on land 땅 위에서 / sink 가라앉다 / wheel 바퀴

2 ⑤

<u>해석</u>
[전화가 울린다.]
여 Spring Valley 리조트입니다.
남 안녕하세요. 저는 Oscar Choi입니다. 저는 내일 예약이 되어 있어요.
여 네, Choi 씨. 어떻게 도와 드릴까요?
남 제가 오후 세 시보다 일찍 체크인할 수 있을까요?
여 가장 이른 체크인 시각은 정오이고, 30달러의 요금이 있습니다.

남자는 체크인을 원래 정해진 시각보다 더 빨리 하고 싶어서 전화를 걸었다.

어휘

booking 예약 / check in 체크인하다 / fee 요금

3 ③

해석

남 안녕하세요. Collins 씨! 오늘은 무엇을 도와 드릴까요?
여 저는 파이를 구울 거예요. 어떤 과일을 추천하시나요?
남 복숭아나 레몬은 어때요? 그것들로는 실패하는 법이 없죠.
여 글쎄요, 지난주에 그것들을 샀거든요.
남 사과와 체리는 어때요? 진짜 좋거든요!
여 그것들은 얼마인가요?
남 사과는 킬로그램당 7달러이고, 체리는 9달러예요.
여 그렇다면 더 싼 걸로 살게요. 고마워요.

해설

여자는 사과와 체리 중 더 싼 과일인 사과를 사겠다고 했다.

어휘

recommend 추천하다 / you can't go wrong ~은 잘못되는 법이 없다 / a kilo 킬로그램당

4 ①

해석

남 나 샌드위치를 만들고 있어. 너도 줄까?
여 응, 좋아. 어떤 종류를 만드는데?
남 구운 소고기와 상추, 얇게 썬 양파, 겨자, 그리고 마요네즈를 써.
여 맛있겠는데. 양파는 익힌 거니?
남 아니. 안 익힌 거야.
여 아. 나는 생양파에 알레르기가 있어.
남 그거 안 됐다. 나는 생양파를 좋아하는데! 그럼 네 것에는 양파를 뺄게.
여 그렇게 해 준다니 고마워.

해설

여자는 생양파를 먹지 못하기 때문에 남자가 양파를 빼 주겠다고 했다.

어휘

roast 구운 / lettuce 상추 / cooked 익힌 / fresh 익히지 않은 / be allergic to ~에 알레르기가 있는 / leave ~ out ~를 빼다

5 ②

해석

남 수학 시험 어땠어?
여 정말 잘 본 것 같아. 쉬웠어! 너는 어땠어?
남 모르겠어. 나는 실수를 좀 한 것 같아.
여 왜 그렇게 생각하는데?
남 나는 지시문을 제대로 읽지 않았어. 그리고 정답을 고르는 데 시간이 너무 짧았던 것 같아.
여 걱정하지 마. 난 네가 제대로 했을 거라고 확신해.

해설

여자는 수학 시험에서 실수를 한 것 같다고 걱정하는 남자에게 걱정하지 말라며 위로하고 있다.

어휘

make mistakes 실수를 하다 / instruction 지시문 / properly 제대로

6 ③

해석

여 선크림이 어디에 있지? 내가 호텔에 두고 온 건가?
남 아니. 내 가방에 있어. 필요하면 내게 말해 줘.
여 고마워. 여기 해변에 있는 게 정말 좋다. 내 모든 걱정을 사라지게 해.
남 보통 어떤 걱정을 하는데?
여 지금은 아무 것도 생각이 안 나. 정말 좋지 않니?

해설

여자는 바다로 여행을 와서 편안히 휴식을 취하고 있다.

어휘

sunscreen 선크림 / disappear 사라지다

7 ②

해석

① 남 오늘 우리 집에 놀러 올래?
　 여 좋아! 엄마한테 괜찮은지 여쭤 볼게.
② 남 너는 아빠를 닮았니 아니면 엄마를 닮았니?
　 여 나는 둘 다 좋아.
③ 남 비가 많이 와. 나 젖을 것 같아.
　 여 걱정하지 마. 내 우산 같이 쓰자.
④ 남 Sarah가 어디 있는지 알아?
　 여 아니, 오늘 못 봤어.
⑤ 남 내일 뭐 할 거야?
　 여 Ann이랑 영화 볼 거야.

해설

아빠와 엄마 중 누구를 닮았는지 물었는데 둘 다 좋다고 답하는 것은 어색하다. 여자는 "Do you like ~?"에 맞는 대답을 하고 있다.

어휘

come over 들르다, 오다 / share 함께 쓰다

8 ②

해석

[전화가 울린다.]
여 여보세요, Rick. 나 Christine이야.
남 안녕, 무슨 일이야?
여 나 자전거를 타고 학교에 가다가, 자전거에서 떨어졌어.
남 괜찮아? 다쳤어?
여 그냥 팔이 좀 긁혔을 뿐이야. 그런데 자전거에서 떨어질 때 티셔츠가 찢어졌어. 티셔츠를 갈아입어야 해.
남 알았어, 내가 하나 가져다줄게.

여자는 티셔츠가 찢어져서 남자에게 티셔츠를 하나 가져오라고 부탁하고 있다.

어휘

hurt 다치다 / scratch 긁힌 상처, 찰과상 / tear 찢다

9 ④

해석

여 너는 FTA에 대해 어떻게 생각해?

남 잘 모르겠어. 국제 무역을 증가시킬 거라고 생각해.

여 맞아. FTA는 일자리도 더 많이 만들고 산업 기술도 향상시킬 거야.

남 그럼 수입은?

여 글쎄, 많은 상품들이 훨씬 더 싸지겠지, 특히 쌀이 말이야.

남 그래? 그럼 값싼 수입품이 우리 쌀 농가를 해칠 수도 있겠네.

해설

자동차 수출에 대해서는 언급되지 않았다.

어휘

FTA 자유 무역 협정(Free Trade Agreement) / increase 증가시키다 / international 국제의 / trade 무역 / industrial 산업의 / import 수입 / goods 상품 / harm 해를 가하다

10 ④

해석

남 너 봉사 활동 프로그램에 등록했어?

여 응. 나는 "식사 배달 서비스"에 등록했어.

남 혼자 사는 노인들에게 따뜻한 식사를 배달하는 것을 돕는 프로그램 말이지?

여 응. 너도 등록해. 등록은 금요일에 마감돼.

남 멋질 것 같아. 지금 가서 등록해야겠어.

여 그건 다음 주 화요일에 시작해서 매주 화요일과 목요일 점심시간에 운영돼.

해설

등록은 금요일에 마감된다고 했다.

어휘

sign up 등록하다 / meals on wheels 식사 배달 서비스 / deliver 배달하다 / registration 등록 / run 운영하다

11 ④

해석

여 안녕하세요, Brown 씨.

남 안녕하세요, Allen 씨. 무엇을 도와 드릴까요?

여 이 블라우스 세탁해 주세요. 소매에 커피 얼룩이 있어요.

남 아, 알겠습니다. 금요일 오전에 준비될 것 같아요.

여 화요일까지 마칠 수 있을까요? 수요일에 필요하거든요.

남 알겠어요. 먼저 처리할게요.

해설

여자가 남자에게 블라우스를 세탁해 달라고 부탁하는 것으로 보아 대화를 하는 장소가 세탁소임을 알 수 있다.

어휘

blouse 블라우스 / stain 자국, 얼룩 / sleeve 소매

12 ②

해석

남 교통사고 이후로 6달이 흘렀어요. 지금은 좀 어떠신가요?

여 여전히 가끔 두통이 있어요.

남 목과 어깨는 어떤가요?

여 통증이 조금씩 나아지고 있어요. 하지만 여전히 고개를 옆으로 돌릴 수가 없네요.

남 잠은 어떠세요?

여 잘 못 자요.

남 음. 통증을 위해서 새로운 처방전을 드릴게요.

해설

여자는 복통에 관해서는 언급하지 않았다.

어휘

since ~이래로 / pain 통증 / prescription 처방전

13 ⑤

해석

남 나 타로 카드 카페에 갔었어. 재미있었지.

여 그것에 대해 말해 줘!

남 카페 이름은 "Madam Gree"야. King 거리의 Han 치킨집 옆에서 찾았어.

여 너는 무슨 카드를 뽑았어?

남 달 카드가 처음이었어. 그녀는 그것이 내가 꿈을 이룰 거라는 뜻이래.

여 그래? 흥미로운 걸. 나도 가서 내 미래에 대해서 물어보고 싶다.

남 여기 그녀의 명함이야. 수요일부터 일요일까지, 오후 2시부터 10시까지 문을 열어. 그런데 너무 진지하게 생각하지 마. 그냥 재미로 하는 거잖아.

해설

수요일과 일요일에 문을 여는 게 아니라 수요일부터 일요일까지 문을 연다.

어휘

tarot card 타로 카드 / pick 고르다, 뽑다 / come true 실현되다

14 ⑤

해석

남 좋은 아침입니다. 저는 Springfield 소방서의 Jerald Smith입니다. 여러분들은 작년에 3,000명 이상의 사람이 집에서 사망했다는 것을 알고 있나요? 대부분의 경우에서 연기 감지기가 제대로 작동하지 않았습니다. 소리가 울리는 연기 감지기는 당신이 집 밖으로 안전하게 대피할 수 있도록 여분의 시간을 제공합니다. 집에 연기 감지기를 설치하시고, 올바르게 관리하세요. 그것은 여러분과 여러분의 가족을 안전하게 지키는 간단한 방법입니다.

연기 감지기의 필요성에 대한 안내 방송이다.

case 경우, 사례 / smoke alarm 연기 감지기 / work 작동하다 / properly 제대로 / extra 여분의 / install 설치하다 / maintain 관리하다 / correctly 바르게

15 ④

남 아이들은 어디에 있어요?
여 Jessie의 침실에서 비디오 게임을 하고 있어요.
남 오늘 아이들이 밖에 놀러 나갔었나요?
여 아니요. 밖이 꽤 추워서, 안에서 놀게 했어요.
남 여보, 우리 이것에 대해서 이야기했었잖아요. 아이들이 실내에서 너무 많은 시간을 보낸다고요. 얘들의 건강에 안 좋아요.
여 맞아요. 아이들에게 게임을 끝내고 밖에 나가서 놀라고 할게요.

두 사람은 자녀들이 집안에서만 너무 많은 시간을 보내는 것을 걱정하고 있다.

pretty 꽤 / let ~하게 하다 / indoors 실내에서

16 ①

여 이것들은 발과 발목 그리고 다리의 아랫부분을 덮는 옷의 한 부분이다. 이것들은 두꺼울 수도 얇을 수도, 무늬가 없을 수도 있을 수도 있다. 이것들은 보통 면, 모직 또는 나일론으로 만들어진다. 여름에는 발의 땀을 흡수해 준다. 겨울에는 발이 어는 것을 방지해 준다. 밖에 나갈 때에는 당신은 이것만 신어서는 안 된다. 당신은 신발과 이것을 함께 신어야 한다.

발이 어는 것을 방지해 주며 밖에 나갈 때 신발과 같이 신어야 하는 것은 양말이다.

thick 두꺼운 / thin 얇은 / plain 무늬가 없는 / patterned 무늬가 있는 / cotton 면 / wool 모직 / nylon 나일론 / absorb 흡수하다 / sweat 땀

17 ④

여 이번 주말에 친구들하고 캠핑을 갈 거야. 너도 같이 갈래?
남 가고 싶긴 한데 안 될 것 같아.
여 왜? 다른 계획이라도 있니?
남 이번 주말은 바쁠 거야. 토요일에는 아버지와 함께 등산을 가기로 약속했어.
여 일요일은 어때? 일요일에는 시간 있지?
남 미안해, 일요일에는 영어 숙제를 해야 해. 캠핑은 다음에 같이 가자.

같이 캠핑을 가자는 여자의 말에 남자는 토요일에는 등산을 가고 일요일에는 영어 숙제를 해야 한다며 거절하고 있다.

mountain climbing 등산 / next time 다음번

18 ⑤

여 안녕하세요, Mark. 인도에 온 걸 환영합니다!
남 초대해 주셔서 감사해요. 다시 뵙게 되어서 반가워요.
여 저녁부터 먼저 먹어요. 당신을 위해서 카레라이스를 준비했어요.
남 흠… 냄새가 좋네요. 감사합니다. 그런데 수저는 어디 있나요?
여 우리는 보통 밥을 손으로 먹어요.
남 그래요? 우리 나라에서는 절대 손으로 밥을 먹지 않아요.
여 지금은 인도에 있잖아요. 한번 시도해 보세요!

여자는 수저를 찾는 남자에게 손으로 한번 밥을 먹어보라고 권유하고 있으므로 그 나라에 가면 그 나라 문화에 따르라는 뜻의 "로마에 가면 로마법을 따르라"가 적절하다.
① 벽에도 귀가 있다(낮말은 새가 듣고 밤말은 쥐가 듣는다). ② 나쁜 소문은 빨리 퍼진다. ③ 반짝인다고 다 금은 아니다. ④ 유유상종.
⑤ 로마에 가면 로마법을 따르라.

curry and rice 카레라이스

19 ④

남 제가 도와 드릴까요?
여 빅토리아 호텔을 찾고 있어요.
남 그 호텔은 여기서 멀어요.
여 그래요? 제가 이 도시는 처음이라서요. 거기에 어떻게 가죠?
남 지하철을 타거나 택시를 타면 돼요.
여 호텔까지 택시 타고 가면 얼마나 걸려요?
남 <u>약 15분쯤 걸려요.</u>

시간이 얼마나 걸리는지 물었으므로 "약 15분쯤 걸린다"라고 답하는 것이 가장 적절하다.
① 여기 있습니다. ② 5달러입니다. ③ 저는 여기 처음이에요. ⑤ 호텔은 버스 정류장 옆에 있어요.

far 멀리

20 ①

남 너 일기를 쓰니?
여 몇 년 동안 일기를 썼는데 이제 더 이상 쓰지 않아. 시간이 없거든.
남 오래된 일기장들은? 아직 가지고 있어?

여 그럼. 소중한 기억이잖아.
남 그게 바로 내가 일기장을 간직하는 이유야. 개인적인 기록이니까.
여 언제부터 일기를 쓰기 시작했어?
남 내가 10살 때부터.

해설
여자가 '언제부터' 일기를 쓰기 시작했는지 물었으므로 "10살 때부터"라고
답하는 것이 가장 적절하다.
② 네가 그것을 읽어도 괜찮아. ③ 네가 좋아하는 것이면 무엇이든지 쓸
수 있어. ④ 일기를 쓰게 되면 기억력이 향상된다. ⑤ 걱정이 있을 때 네 마
음을 안정시키는 데 도움이 된다.

어휘
used to ～하곤 했다 / precious 소중한 / personal 개인적인, 사적인 /
record 기록

Dictation

p.132~135

1 you can ride / on land / ride it to school
2 have a booking / earlier than / The earliest
3 bake a pie / go wrong with them / the cheaper ones
4 Sounds great / allergic to / leave it out
5 did really well / I made some mistakes / really short for me
6 leave it / all my worries disappear / Isn't it nice
7 if it's okay / both of them / Do you know where
8 I fell off the bike / get hurt / I'll bring you one
9 international trade / create more jobs / will become much cheaper
10 sign up / help to deliver / Registration closes
11 coffee stains / Can you finish it / take care of
12 get headaches sometimes / getting better / a new prescription
13 Tell me about it / come true / It is open
14 work properly / extra time / maintain them correctly
15 let them play inside / not good for their health / play outside
16 made of / prevent your foot being frozen / with your shoes
17 any other plans / go mountain climbing / next time
18 inviting me / in my country / Give it a try
19 far from here / get there / How long does it take
20 keep a diary / a personal record / When did you start

17회 영어듣기 모의고사 p.136~139

01 ②	02 ②	03 ①	04 ④	05 ①
06 ④	07 ⑤	08 ⑤	09 ④	10 ④
11 ④	12 ②	13 ②	14 ②	15 ①
16 ⑤	17 ①	18 ④	19 ⑤	20 ④

1 ②

해석
여 이 박물관 멋지다! 많은 역사적인 미술품을 볼 수 있잖아.
남 정말 그래. 그런데 이것들이 매우 귀중하다는 것을 기억해야 해. 그러
니 어떤 것도 건드리지 마.
여 알아. 봐! 다른 전시관이 있다. 저기로 가 보자.
남 잠깐만. 표지판이 안 보여? "들어가지 마세요"라고 쓰여 있잖아. 우리
저기는 들어갈 수 없어.
여 아, 표지판을 못 봤네. 알려줘서 고마워.

해설
박물관에서 출입금지에 해당하는 표지판에 대해서 이야기하고 있다.

어휘
historical 역사적인 / artwork 미술품 / precious 귀중한

2 ②

해석
남 엄마, 제 스케치북이랑 물감 보셨어요?
여 학교 가방 안에 있지 않니?
남 아, 찾았어요. 저는 붓도 필요해요.
여 아마 책상 서랍 속에 있을 거야.
남 한번 볼게요. [멈춤] 네. 역시 찾았어요.
여 필요한 걸 다 챙긴 거니? 미술 연필은?
남 학교 사물함에 있어요. 고마워요, 엄마!

해설
여러 가지 미술 도구들이 언급되었는데 크레파스는 언급되지 않았다.

어휘
water color 수채화 물감 / brush 붓 / locker 사물함

3 ①

해석
남 얘야, 와서 아침 먹어야지.
여 괜찮아요, 아빠. 저는 별로 배가 안 고파요.
남 학교에 가기 전에 뭐라도 먹어야지.
여 가는 길에 오렌지 주스를 마실게요.
남 음료수는 성장하는 십대 소녀에게 충분하지 않단다. 최소한 바나나
하나라도 먹으렴.
여 네, 아빠. 엄마가 아침용 시리얼을 어제 샀어요. 우유랑 해서 먹을게요.
남 그래. 아침을 거르는 것은 좋지 않아.

여자는 어제 엄마가 사준 시리얼을 먹겠다고 했다.

어휘
drink 음료수 / at least 최소한 / cereal 시리얼 / skip 거르다

4 ④

해석
여 아빠, 여쭤볼 게 있어요.
남 물어보렴, 얘야.
여 저 Lucy와 Tina와 함께 다음 주말에 Mountain 호수로 캠핑을 가고 싶어요.
남 여자애 세 명이서? 너무 위험해. 너와 네 친구들을 믿지만 너희는 너무 어리구나. 미안하다.

해설
남자는 캠핑을 가고 싶어 하는 딸의 부탁을 위험하다며 거절하고 있다.

어휘
lake 호수 / dangerous 위험한 / trust 믿다

5 ①

해석
남 네 직업에서 가장 좋은 점은 뭐야?
여 글쎄. 나는 사람들을 만나고, 그들을 편안하게 해 주는 게 좋아.
남 그러면 좋지 않은 점은 뭐야?
여 무례하고 화가 난 승객들, 그리고 특히 취한 승객들이야.
남 충돌하는 게 두렵지는 않니?
여 아니. 비행은 사실 운전보다 훨씬 안전해.

해설
'making them feel comfortable', 'rude and angry passengers', 'flying is actually much safer' 등의 언급으로 보아 여자의 직업이 승무원임을 알 수 있다.

어휘
comfortable 편안한 / rude 무례한 / passenger 승객 / crash 충돌

6 ④

해석
남 안녕, Miranda! 너 Tim's Noodles에 가 봤니?
여 응, 어제 갔었어.
남 부모님이랑 거기서 저녁을 먹으려고 생각 중이야. 거기 어땠어?
여 끔찍했어.
남 무슨 일이 있었니?
여 음식도 마음에 들지 않았고, 음식에서 머리카락 두 개가 있었어. 더 심한 건 매니저가 사과도 하지 않았어.

해설
여자는 음식에서 나온 머리카락에 대해 사과도 하지 않은 매니저에 대해 말하며 화가 나 있다.

어휘
terrible 끔찍한, 형편없는 / apologize 사과하다

7 ⑤

해석
① 남 케이크 더 먹을래?
여 고맙지만 사양할게. 배불러.
② 남 땅에 있는 깨진 유리를 조심해.
여 경고해 줘서 고마워.
③ 남 너희 아버지는 무엇을 하시니?
여 그는 트럭 운전수야.
④ 남 오늘이 며칠이지?
여 오늘은 8월 11일이야.
⑤ 남 여기에 얼마나 머무실 건가요?
여 한 시간 정도 걸려요.

해설
얼마나 머물지 기간을 물었는데 한 시간 정도 걸린다고 답하는 것은 어색하다.

어휘
full 배가 부른 / watch out 조심하다 / broken 깨진

8 ⑤

해석
남 봐, Sissy! 우편함에 너에게 온 소포가 있어! 스코틀랜드에서 온 거야.
여 왜! 이건 할머니에게서 온 생일 선물이야!
남 열어 봐!
여 와! 정말 귀여워! 손으로 짠 스웨터야.
남 너한테 잘 어울릴 것 같아.
여 잠깐만 기다려. 지금 입어 볼게.

해설
여자는 할머니에게 선물로 받은 옷을 입어 보겠다고 했다.

어휘
package 소포 / mailbox 우편함 / hand-knitted 손으로 짠

9 ④

해석
남 안녕하세요. 도와 드릴까요?
여 네. 딸기 도넛은 얼마인가요?
남 각각 2달러입니다.
여 네. 세 개 주세요. 오! 저 샌드위치도 맛있어 보이네요.
남 각각 10달러입니다. 몇 개 드릴까요?
여 딸기 도넛 세 개하고 샌드위치 두 개 주세요.

해설
딸기 도넛 세 개는 6달러, 샌드위치 두 개는 20달러이므로 총 26달러를 지불해야 한다.

어휘
strawberry 딸기 / each 각각

10 ④

해석

남 Mark Twain이 쓴 "허클베리 핀"을 읽고 있네. 재미있니?

여 응. 하지만 몇몇 언어가 좀 어려워.

남 무슨 뜻이야?

여 여기에는 옛날식 표현들이 너무 많아. 나는 항상 사전을 써야 해.

남 언제 그 책이 쓰여졌는데?

여 어디 보자. 처음 이 책은 1884년에 영국에서 출판되었고, 그 후에 미국에서 1885년에 출판되었어.

남 그거 흥미로운데.

해설

처음 출간된 나라는 미국이 아니라 영국이다.

어휘

language 언어 / old-fashioned 구식의, 옛날의 / dictionary 사전 / all the time 항상 / publish 출판하다

11 ④

해석

남 안녕하세요, 무엇을 도와 드릴까요?

여 안녕하세요. 어제 제 스마트폰을 떨어뜨리는 바람에 액정 화면이 깨졌어요.

남 알겠습니다. 제가 좀 봐도 될까요?

여 물론이죠. 여기 있어요.

남 음… 당신의 말이 맞네요. 화면이 깨졌네요.

여 수리하는 데 얼마나 걸리고 비용은 얼마나 들까요?

남 10분밖에 안 걸리고, 수리비는 50달러예요. 제가 손님의 이름을 부를 때까지 앉아서 기다리세요.

여 알겠습니다.

해설

여자가 고장 난 스마트폰을 수리하러 서비스 센터를 방문한 상황이다.

어휘

drop 떨어뜨리다; 떨어지다 / display 전시, 디스플레이 / crack 갈라지다, 부서지다 / take a look ~을 보다 / have a seat 앉다

12 ②

해석

남 다음 학기의 수업 등록이 시작되었습니다. 9학년 학생들에게 열린 수업은 과학 실험, 프랑스 요리, 그리고 뜨개질입니다. 등록 마감은 다음 주 금요일이고, 반의 규모는 15명의 학생으로 제한되어 있습니다. 학기 수업료는 250달러입니다.

해설

수업 기간에 대해서는 언급되지 않았다.

어휘

semester 학기 / registration 등록 / include 포함하다 / experiment 실험 / deadline 기한 / limited 제한된 / fee 수업료

13 ②

해석

남 안녕하세요. "Avengers" 두 시 반 학생 표를 한 장 주세요.

여 네, 학생증을 좀 볼 수 있을까요? 이 영화는 15세 이상 관람가여서 이 영화를 보려면 15세 이상이어야 하거든요.

남 아, 여기 있어요. 저는 17살이에요.

여 좋아요. 남은 좌석이 네 개밖에 없네요. 뒷줄에 앉아도 괜찮으세요?

남 네, 괜찮아요.

여 알겠습니다. 좌석 번호는 G7이에요. 8달러입니다.

남 여기 있어요.

해설

남자는 세 시 반이 아니라 두 시 반 영화표를 구매했다.

어휘

rate 등급을 매기다 / available 이용할 수 있는

14 ②

해석

남 나 너무 배가 고파! 오늘 아침 식사를 하지 못했어.

여 여기, 내 바나나 머핀을 먹어.

남 고마워, 하지만 나는 먹을 수 없어.

여 왜? 너 다이어트 중이니?

남 아니, 건강 검진 예약이 돼 있거든. 의사가 12시간 전에는 먹지 말라고 했거든.

여 아. 검사가 몇 시인데?

남 오후 1시야. 빨리 끝났으면 좋겠어.

해설

남자는 의사가 건강 검진을 받기 전에 식사를 하지 말라고 지시해서 아침을 걸렀다.

어휘

be on a diet 다이어트 중이다 / appointment 예약, 약속 / medical checkup 건강 검진 / beforehand ~전에 미리

15 ①

해석

남 좋은 오후입니다. 쇼핑객 여러분. City Plaza 쇼핑몰에 오신 것을 환영합니다. City Plaza의 영업시간이 리모델링 절차로 인해 다음 주에 변경됨을 유념해 주시기 바랍니다. 리모델링 작업은 약 3달이 걸릴 것입니다. 이 기간 동안, 쇼핑몰은 매일 정오에 문을 열어서 오후 7시에 닫을 것입니다. 불편을 끼쳐 드려 죄송합니다. 감사합니다.

해설

쇼핑몰이 리모델링 작업으로 인하여 영업시간을 변경한다는 안내이다.

어휘

note 주의하다 / business hours 영업시간 / remodeling 개보수 / process 절차, 과정 / approximately 대략 / apologize 사과하다 / inconvenience 불편

16 ⑤

해석

남 지금 몇 시예요, 엄마?

여 8시 30분이란다. 내가 직장에 가는 길에 널 학교까지 태워주마.

남 이번 주부터 동계 시간제로 바뀌었어요. 이제 9시에 수업이 시작하지 않아요.

여 맞아. 내가 깜빡했네. 이제 10시에 수업이 시작하지? 그렇지?

남 네, 맞아요. 그러니까 저를 태워주실 필요 없어요. 9시 20분쯤에 버스를 탈게요.

해설

겨울에는 오전 10시에 학교 수업이 시작한다고 했다.

어휘

give a ride 태워주다 / catch a bus 버스를 타다

17 ①

해석

여 너 미국으로 언제 떠나?

남 6주 후에 떠나. 어제 표를 받았어.

여 그렇구나. 어디에서 머물 예정이야?

남 LA에 계신 Marie 이모와 함께 지내게 될 거야. 그리고 오늘 이모에게 편지를 쓸 예정이야.

여 이메일로 보내도 되잖아.

남 실은, 생일 카드와 함께 진짜 편지를 쓰고 싶어. 다음 주가 이모의 생일이거든.

여 너 정말 친절하구나.

해설

남자는 미국에 가서 같이 지낼 이모에게 생일 축하 편지를 써야 한다고 했다.

어휘

actually 사실은

18 ④

해석

남 나는 새 게임을 사기에 충분할 때까지 용돈을 모았다. 그러고 나서 나는 내 돈을 주머니에 넣고 자전거를 타고 전자 제품 시장으로 갔다. 하지만 내가 게임기를 살 돈을 지불할 준비가 되었을 때, 나는 내 돈이 없어졌다는 것을 깨달았다. 돈을 뒷주머니에 가지고 다닌 것은 멍청한 실수였다. 나는 너무 화가 났지만, 엄마는 내게 화를 낸다고 돈이 돌아오는 것은 아니라고 말씀하셨다. 모두 내 잘못이다.

해설

이미 벌어진 일에 화를 내도 아무 소용이 없다는 내용의 속담이 적절하다.

① 부전자전이다. ② 훈련이 완벽을 만든다. ③ 정직이 최선의 방책이다. ④ 엎질러진 우유 앞에서 울어봐야 소용없다. ⑤ 천 마디 말보다 한 번 보는 게 더 낫다.

어휘

save up 모으다 / pocket money 용돈 / electronics 전자 제품

19 ⑤

해석

여 이번 주말에 캠핑 갈래?

남 미안한데 나는 못 가.

여 아, 왜 못 가?

남 Jack 삼촌이 결혼을 하거든.

여 나는 너희 Jack 삼촌이 좋아! 재미있잖아. 행운의 신부는 누구니?

남 너는 그녀를 내 생일 잔치에서 봤어, 기억해? 그녀의 이름은 Karen이야.

여 아, 맞다. 결혼식은 어디에서 해?

남 그녀의 고향인 토론토에서.

해설

어디에서 결혼하는지 물었으므로 장소로 대답하는 것이 적절하다.

① 그가 그녀를 사랑하기 때문이야. ② 결혼식 날짜가 정해졌어. ③ 200명을 초대한 것 같아. ④ 그녀를 좋아해?

어휘

wedding 결혼식 / bride 신부 / get married 결혼하다

20 ④

해석

남 나 "Hard Ball"의 표를 살 수 없어서, 다른 영화표를 샀어.

여 하지만 "Hard Ball"이 매진된 건 아니잖아, 그렇지?

남 응, 아니야. 표 판매원이 우리는 들어갈 수 없다고 했어.

여 왜?

남 그 영화를 보려면 우리가 17세 이상이 되어야 한대.

여 그건 몰랐네. 왜 어린 학생들이 그걸 못 보는 거지?

남 그녀가 말하길 영화가 아주 폭력적이래.

해설

영화를 17세 이상만 관람할 수 있는 이유를 물었으므로, 그에 대한 이유로 답하는 것이 가장 적절하다.

① 네가 겨우 15살이니까. ② 표는 각각 9달러였어. ③ 팝콘과 콜라를 먹을게. ⑤ 우리는 언젠가 그것을 볼 수 있을거야.

어휘

sold out 매진된, 다 팔린 / seller 판매원 / over ~이 넘는 / extremely 매우 / violent 폭력적인

Dictation   p.140~143

1 keep in mind / don't touch anything / Do Not Enter

2 have you seen / They're probably / Is that all you need

3 before going to school / At least / Skipping breakfast

4 ask you something / I want to go camping / It's too dangerous

5 making them feel comfortable / scared of a crash / much safer than

6 I'm thinking about / It was terrible / even worse

7 I'm full / the warning / What's the date / How long

8 There's a package / look great on you / try it on

9 How much / I'll take three / two sandwiches

10 What do you mean / all the time / It was first published

11 take a look at it / how much will it cost / have a seat

12 The deadline / class sizes are limited to / The fee

13 buy one student ticket / is rated for / four seats available

14 I can't eat it / on a diet / a medical checkup

15 business hours are changing / the mall will open / We apologize for

16 give you a ride / changed over to winter hours / catch a bus

17 In six weeks / send an e-mail / I want to write

18 saved up my pocket money / my money was gone / all my fault

19 getting married / the lucky bride / Where are they

20 sold out / we have to be over 17 / Why can't

18회 영어듣기 모의고사 p.144~147

01 ③	02 ③	03 ②	04 ①	05 ⑤
06 ②	07 ⑤	08 ④	09 ④	10 ②
11 ④	12 ⑤	13 ②	14 ④	15 ④
16 ①	17 ①	18 ①	19 ④	20 ②

1 ③

해석
남 여기 내 애완동물 Biggles의 사진이야!
여 아, 이 작은 까만 눈이 예쁘다!
남 사진에서 내가 그를 목욕시켜주고 있어.
여 정말? 가시가 널 다치게 하지 않아?
남 아니, 나는 칫솔을 사용해서 가시 위로 부드럽게 솔질을 해.
여 코가 진짜 귀엽다! 매우 행복해 보이네.

해설
남자의 애완동물은 가시가 있는 애완동물이므로 고슴도치가 적절하다.

어휘
spike 뾰족한 것 / hurt 다치게 하다 / toothbrush 칫솔 / gently 부드럽게

2 ③

해석
[전화가 울린다.]
남 안녕, Maggie. 무슨 일이야?
여 이메일 주소를 확인하려고 전화했어. 너도 알겠지만 내가 우리 반 이메일 주소 리스트를 만들고 있거든.
남 내 이메일 주소는 이미 알고 있지 않아?
여 그게 맞는 것인지 확인을 해야 해서 그래. 지금 모두에게 전화를 하고 있어.
남 아. 내 주소는 여전히 June@me.com이야.
여 좋아. 이제 이메일 하나만 더 확인하면 된다.
남 좋았어, Maggie. 학교에서 봐!

해설
여자는 이메일 주소 리스트를 만들면서 이메일 주소를 다시 한 번 확인하려고 전화를 했다.

어휘
check 확인하다 / e-mail address 이메일 주소 ✔

3 ②

해석
① 여 여권을 보여 주시겠어요?
  남 네, 여기 있어요.
② 여 티켓이 얼마죠?
  남 어른은 10달러, 어린이는 3달러입니다.
③ 여 예금 통장을 하나 개설하고 싶은데요.
  남 네. 이름과 주소를 알려 주시겠어요?
④ 여 두 블록을 쭉 가셔서 왼쪽으로 도세요.
  남 진짜 친절하시네요. 감사해요.
⑤ 여 내 남동생을 위해 저 장난감 자동차를 사려면 돈이 더 필요해.
  남 그래? 얼마나 더 필요한데?

해설
놀이공원 매표소에서 표를 구입하는 그림에 알맞은 대화는 표의 가격을 묻고 대답하는 것이다.

어휘
passport 여권 / adult 성인 / savings account 예금 통장 / straight 똑바로(일직선으로)

4 ①

해석
여 아빠, 국제 교환 학생 프로그램에 대해서 얘기할 게 있어요.
남 올해는 지원할 수 없다고 했잖니. 너는 아직 너무 어려.
여 사실, 아빠, 지금은 지원하지 않을게요. 제 생각에 내년까지 기다린다면 더 좋을 것 같아요.
남 네가 마음을 바꿨다니 기쁘구나. 아빠도 같은 생각이란다.

해설
남자의 마지막 말 "I feel the same way"에서 동의함을 알 수 있다.

어휘
student exchange program 교환 학생 프로그램 / apply for 지원하다 / glad 기쁜

5 ⑤

해석

남 안녕. 무엇을 도와줄까?

여 안녕하세요. 제가 학교 가는 길에 이 지갑을 주웠어요. 어떻게 해야 할지 몰라 여기에 가져왔어요.

남 잘했구나! 나에게 언제 그리고 어디서 그것을 주웠는지 얘기해 줄래?

여 오늘 아침, 약 8시쯤에 Petsafe 동물 병원 앞에서요.

남 알겠다. 아, 안에 신분증이 있으니 주인을 쉽게 찾을 수 있겠다.

여 잘됐어요! 주인을 빨리 찾았으면 좋겠어요.

해설

여자가 주운 지갑의 주인을 찾아주겠다고 했으므로 경찰관임을 알 수 있다.

어휘

wallet 지갑 / in front of ~ 앞에 / owner 주인

6 ②

해석

남 내가 여름 휴가 때 어디를 가는지 맞혀 봐!

여 어디 보자. 거기에 비행기를 타고 가니?

남 내 생각에는 근처에 공항이 없는 것 같아.

여 너 유람선 타고 가니?

남 아니.

여 모르겠어. 힌트를 좀 줘.

남 좋아. 나는 남쪽에 있는 땅끝마을에 갈 거야.

여 아하! 너 해남에 가는구나! 나 지난여름에 거기에 기차를 타고 갔었어!

남 나도 알아. 그래서 내가 거기로 가는 거야.

해설

여자는 지난여름에 기차를 타고 휴가를 갔다 왔다고 했다.

어휘

ferry 유람선 / village 마을 / south 남쪽

7 ⑤

해석

① 여 Tom이 매우 신 난 것 같아.
   남 응. 내일 야구 경기를 보러 가거든.

② 여 배를 무슨 색으로 칠할 거니?
   남 나는 초록색으로 칠하고 싶어.

③ 여 너 뱀을 본 적 있어?
   남 응. 내가 태어난 곳에는 뱀이 많아.

④ 여 피자와 파스타 중에 어떤 걸로 먹을래?
   남 나는 치즈를 얹은 파스타를 먹을래.

⑤ 여 너 스페인으로 언제 떠나?
   남 지난주 토요일에. 거기에서 정말 좋은 시간을 보냈어.

해설

미래의 일에 대해 물었는데 과거로 대답하는 것은 어색하다.

어휘

paint 물감을 칠하다

8 ④

해석

여 입학시험 준비 다 됐니?

남 무엇을 해야 할지 잘 모르겠어.

여 왜? 괜찮은 거야?

남 사실 지난밤에 전혀 잘 수가 없었어. 시험 때문에 너무 걱정돼.

해설

남자는 입학시험 때문에 걱정하며 불안해하고 있다.

어휘

entrance exam 입학시험

9 ④

해석

여 저 오늘 밤에 Sue랑 같이 영화 보러 가요, 아빠.

남 엄마도 아시니?

여 신경 쓰지 않으실 거예요.

남 아닐 걸. 할머니가 오늘 밤에 오시거든.

여 그래서 저 못 가요?

남 할머니는 네가 저녁을 같이 먹지 않으면 화가 나실 거야.

여 알겠어요. Sue에게 전화해서 취소할게요.

남 고맙구나. 얘야.

해설

여자는 할머니께서 오셔서 저녁을 같이 먹어야 하기 때문에 친구와의 약속을 취소해야 한다.

어휘

mind 신경 쓰다 / come over 들르다, 오다 / upset 화가 난

10 ②

해석

남 내 남동생 Matt는 배트맨, 슈퍼맨, 아이언맨, 헐크, 스파이더맨과 같은 슈퍼 영웅을 정말 좋아한다. 그는 배트맨 잠옷을 입고 배트맨 인형과 같이 잠을 잔다. 그는 스파이더맨과 아이언맨 영화를 계속 반복해서 본다. 그는 헐크와 슈퍼맨 흉내 내는 것을 좋아한다. 하지만 내 생각에 그가 가장 좋아하는 영웅은 그와 같이 잠을 자는 영웅인 것 같다.

해설

남자는 동생이 같이 잠을 자는 배트맨을 가장 좋아한다고 했다.

어휘

be crazy about ~에 열광하다 / pajama 잠옷 / over and over again 계속 반복해서 / pretend ~인 체하다

11 ④

해석

여 아빠, 여기 냄새가 지독해요! 그리고 너무 시끄럽고 붐벼요.

남 익숙해질 거야. 바다 같은 냄새가 나지. 그리고 모든 게 신선하잖니!

여 뭘 사실 거예요?

남 엄마는 국을 끓일 굴을 원한단다. 나는 구워 먹을 커다랗고 좋은 물고기를 살 거야!

해설

냄새가 나고 붐비는 곳이며, 해산물을 살 수 있는 곳은 수산시장이다.

어휘

busy 붐비는 / get used to ~에 익숙해지다 / oyster 굴 / roast 굽다

12 ⑤

해석

여 너 "밝혀지는 인체의 신비" 전시회를 본 적 있어?

남 응, 너도 꼭 봐야 해! 정말 엄청나.

여 나는 주말에 "남준" 예술전에 갔었어.

남 나도 그걸 보고 싶어. 그리고 "해저 생물" 전시회도.

여 어떤 박물관에서 "밝혀지는 인체의 신비"를 해?

남 역사박물관에서. 나는 지난 월요일에 갔었어.

해설

남자는 지난 월요일에 "밝혀지는 인체의 신비"를 보았다고 했다.

어휘

reveal 밝히다, 드러내다 / exhibition 전시 / awesome 놀라운, 엄청난 / undersea 바다 속의, 해저의 / creature 생물

13 ②

해석

여 나 마침내 2월 14일에 공연하는 "뮤지컬 Wicked"의 표를 구했어! 너도 알겠지만 밸런타인데이의 표를 구하는 것은 매우 어려웠어.

남 그거 잘됐다! 그날은 우리 부모님의 기념일이잖아. 엄마 아빠가 정말 좋아하실 거야. 가격은 얼마야?

여 다 합쳐서 120달러였어. VIP 좌석으로 해서 우리 예상보다 더 비싸.

남 괜찮아. 내가 반을 부담할게. 여기 60달러.

여 고마워. 2월 14일에 부모님을 서울 아트 센터에 태워다 줄 수 있어?

남 물론이지.

해설

두 분 합쳐서 120달러라고 했으므로 1인당 60달러이다.

어휘

anniversary 기념일 / half 절반

14 ④

해석

남 이것은 한국의 전통 여름 음료이다. 요즘, 이것은 슈퍼나 자판기에서 일 년 내내 판매된다. 이것은 쌀로 만들어지며 희고, 아주 달콤하다. 이것은 한국의 전통 간식과 잘 어울린다. 이 유명한 한국 음료는 무엇인가?

해설

희고 달콤하며 쌀로 만든 한국 전통 음료는 식혜이다.

어휘

traditional 전통의 / vending machine 자판기 / year-round 연중 내내 / go well 잘 어울리다

15 ④

해석

남 네가 제일 좋아하는 야구팀은 어디야?

여 나는 항상 Reds 팀을 좋아했었어. 하지만 이번 시즌에 좋아하는 팀을 바꿨어.

남 아, 진짜? Reds가 지난 시즌에 경기를 많이 져서 그런 거야?

여 아니. 다시 한번 생각해 봐.

남 알았어. 어느 팀으로 바꿨는데?

여 나는 Tigers로 바꿨어.

남 알겠다. Jack Jones가 이번 시즌에 Tigers로 갔지.

여 맞아! 그는 내가 가장 좋아하는 선수야.

해설

여자는 자신이 가장 좋아하는 선수가 팀을 옮겼기 때문에 응원하는 팀을 바꿨다.

어휘

season 시즌

16 ①

해석

남 실례합니다. 이 크림치즈는 얼마죠?

여 작은 용기는 5달러이고, 큰 용기는 15달러입니다. 큰 용기는 작은 용기보다 다섯 배 커요.

남 그래요? 큰 용기가 경제적인 것 같네요.

여 네. 큰 용기로 구매하시는 게 더 나을 거예요.

남 하지만 저는 10달러밖에 없어요. 작은 걸로 살게요.

해설

남자는 가진 돈이 모자라서 5달러짜리 작은 용기를 살 것이다.

어휘

container 용기 / times ~으로 곱한 / economical 경제적인

17 ①

해석

여 이번 역은 Baker 거리입니다. 여기서 Bakerloo, Metropolitan 호선으로 갈아타십시오. 국립 역사박물관에 가실 분들은 이 역에서 내리십시오. 이 열차는 King's Cross, St. Pancras, 그리고 Liverpool 거리 역을 지나는 순환 호선입니다. 내리실 때 발밑을 조심하세요.

해설

지하철 안내 방송에서 이용 요금에 관해서는 언급되지 않았다.

어휘

change 갈아타다 / line 호선 / circle line 순환선 / via ~를 통해

18 ①

해석

남 Jane, 작년에 일본으로 이민 간 Shane 기억나?

여 물론이지. 그가 너무 그리워.

남 그에 대해서 소식 들은 거 있어? 그가 떠난 이후로 전혀 들은 게 없거든.
여 아니, 누구도 그에 대해서 들은 게 없는 것 같아.
남 그가 잘 지내고 있는지 궁금하다.
여 음, 그에게 문제가 전혀 없다는 것을 뜻하는 걸 수도 있지. 나는 그가 괜찮을 거라고 생각해.

해설
일본으로 이민을 간 친구에게서 연락이 없어 걱정하는 남자에게 연락이 없는 것이 오히려 괜찮다는 뜻일 수 있음을 말하고 있다.

어휘
miss 그리워하다 / result 결과

19 ④

해석
남 너 뭘 읽고 있어?
여 새로 나온 책인, "선유도 살인"이야.
남 아. 작가가 누구야?
여 내가 제일 좋아하는 한국 작가, 이인호가 쓴 거야.
남 나는 그에 대해 들어본 적이 없는데.
여 그는 주로 서울을 배경으로 탐정 소설을 써. 나는 그의 소설들을 모두 읽었어.
남 와. 그의 소설들은 어떤데?
여 <u>정말 훌륭해. 나는 그 소설들이 좋아!</u>

해설
남자는 작가의 책이 어떤지 물었으므로 "정말 훌륭하다"라고 대답하는 것이 가장 자연스럽다.
① 응, 영어로. ② 아니, 이건 도서관 책이야. ③ 나는 독서를 자주 하지는 않아. ⑤ 너 그 살인에 대해 어떻게 알았어?

어휘
murder 살인 / detective 탐정 / novel 소설 / set 배경을 설정하다

20 ②

해석
남 오늘 교통과 스모그가 최악이야.
여 맞아. 우리는 나갈 때 먼지 마스크를 써야 해.
남 더 많은 사람들이 자동차나 오토바이 대신에 걷거나 자전거를 탔으면 좋겠어.
여 글쎄, 시 의회에서 뭔가 도움이 될 일을 하고 있어. 그들은 자전거 도로와 차 없는 구역을 많이 만들고 있어.
남 그거 좋은 소식이네. 넌 그걸 어떻게 알고 있어?
여 <u>그들의 웹사이트에 나와 있어.</u>

해설
남자가 여자에게 시 의회의 활동에 대해 어떻게 그렇게 잘 아냐고 물었으므로 알게 된 방법에 대해서 답하는 것이 적절하다.
① 너는 자전거를 탈 수 있어. ③ 나는 어쨌든 운전을 못 해. ④ 우리 실내에 있어야겠다. ⑤ 시 세금으로 그걸 지불할 수 있어.

어휘
smog 스모그 / dust 먼지 / instead of ~ 대신에 / city council 시 의회 / bike path 자전거 도로 / free ~가 없는

Dictation p.148~151

1   giving him a bath / the spikes / I use a toothbrush
2   What's up / making a new e-mail list / the right one
3   How much / How nice of you / I need more money
4   can't apply for / I wait until next year / changed your mind
5   I brought it here / when and where you found it / we can find its owner easily
6   no airport near there / in the south at the end of Korea / I went there by train
7   very excited / where I come from / Which one do you want / When are you leaving
8   have no idea / Is everything OK / I am so worried
9   She won't mind / coming over / will be upset
10 crazy about / over and over again / loves pretending
11 too noisy and busy / get used to it / for a stew
12 Have you seen / It was awesome / Which museum
13 more expensive than / pay half / Can you drive them
14 summertime drink / made from rice / very sweet
15 I changed teams / Which team / my favorite player
16 pretty economical / It would be better / the small one
17 Change here / Exit here / watch your step
18 I miss him / since he left / nothing is wrong with him
19 Who is the / heard of him / He usually writes
20 if we go out / instead of / How do you know

19회 영어듣기 모의고사 p.152~155

01 ②	02 ①	03 ③	04 ①	05 ②
06 ①	07 ③	08 ④	09 ⑤	10 ⑤
11 ④	12 ③	13 ②	14 ④	15 ④
16 ②	17 ④	18 ③	19 ③	20 ①

1 ②

해석
여 여러분! 누워 주세요.
남 얼굴을 아래로 하나요, 위로 하나요?
여 얼굴을 위로 하고, 등을 대고 누우세요. 좋아요. 팔은 똑바로 하고 옆에 두세요.
남 이렇게요?

여　네, Greg. 좋아요. 다리를 함께 똑바로 쭉 펴고 발가락을 세우세요. 이제 다리를 천천히 올리세요.
남　얼마나 올려야 하나요?
여　다리와 땅의 각도가 60도 정도가 될 때까지 올리세요.

해설

누워서 다리를 모아 땅과의 각도가 60도가 되도록 들어 올린 자세이다.

어휘

lie down 눕다 / back 등 / point 향하다 / toe 발가락 / raise 올리다 / far ~까지 / angle 각(도) / degree (각도의 단위인) 도

2 　①

해석

여　너 봄 방학 동안 뭐 특별한 거 하니?
남　응, 나는 스케이트보드 타는 법을 배우고 싶어.
여　나는 이번 주에 비가 많이 온다고 들었는데.
남　하지만 오늘 월요일은 이렇게 맑잖아. 너 확실한 거야?
여　글쎄, 뉴스에 나왔어. 내일도 맑을 거야.
남　그러고 나서는?
여　수요일에 폭풍이 온대. 나머지 주 동안에는 비가 올 거야.

해설

수요일에는 태풍이 오지만 화요일까지는 맑다고 했다.

어휘

break 방학, 휴가 / storm 폭풍 / rest 나머지

3 　③

해석

남　저기, 실례합니다. 이 차는 당신 차인가요?
여　네, 무슨 문제라도 있나요?
남　장애인 주차 구역에 주차하셨습니다.
여　그래요? 몰랐어요.
남　노란색 구역은 장애인 구역이라는 것을 기억해 주세요.
여　제가 급해서 그만 노란색 구역을 보지 못했어요.
남　여기에 주차를 하면 장애인 분들이 다른 곳에 주차를 해야 합니다. 또한 규정에도 위배되는 것입니다.
여　정말 죄송해요. 다신 안 그럴게요.

해설

장애인 주차 구역에 주차한 여자에게 남자가 주의를 주는 상황으로 보아 주차장에서 일어난 대화임을 알 수 있다.

어휘

spot 장소 / disabled 장애를 가진

4 　①

해석

남　나는 "The Seventh Son"을 보러 갔다. 나는 너무 신이 났다. 그것은 내가 가장 좋아하는 판타지 소설에 기초를 둔 것이다! 영화가 시작했고 내 뒤에 있는 남자가 계속해서 떠들며 내 좌석 뒤를 계속해서 발로 찼다. 그는 또한 팝콘을 먹으며 시끄럽게 했다. 정말 짜증이 났다.

해설

남자는 자신이 가장 좋아하는 소설을 배경으로 한 영화를 볼 것에 들떠 있었는데, 뒤에 앉은 남자 때문에 영화 관람을 망쳐서 짜증나고 화가 났다.

어휘

based on ~에 근거하여 / novel 소설 / kick 차다 / make noise 시끄럽게 하다 / annoying 짜증스러운

5 　②

해석

[전화가 울린다.]
여　미술 학교 물품점입니다. 무엇을 도와 드릴까요?
남　네. 페인트를 주문하고 싶어요.
여　알겠습니다. 주문 카탈로그가 있으신가요?
남　아니요. 그냥 색을 말씀드려도 될까요?
여　그럼요. 받아 적겠습니다.
남　흰색, 파란색, 녹색이 필요해요. 이번 주 금요일에 우리 학교를 페인트 칠할 거예요.

해설

남자는 학교에서 사용할 페인트를 주문하기 위해 전화를 걸었다.

어휘

supply 물품

6 　①

해석

여　거의 모든 공중 화장실에 이것이 있다. 보통 이것은 개수대 위의 벽에 있다. 하지만 당신은 이것을 다른 많은 곳에서 찾아볼 수 있다. 예를 들어, 사람들은 이것을 주머니, 지갑, 혹은 침실에 둘 수도 있다. 특히, 미용실에는 항상 이것이 많이 있다. 이것은 사람들이 자신이 어떻게 생겼는지 정확히 보기 위한 것이다.

어휘

주로 화장실 개수대 위의 벽에 있고, 가지고 다닐 수도 있으며 자신이 어떻게 생겼는지 보는 도구는 거울이다.

어휘

nearly 거의 / public restroom 공중 화장실 / sink 개수대 / for instance 예를 들어 / keep 지니다, 두다 / purse 지갑 / hair salon 미용실 / exactly 정확히

7 　③

해석

여　너 스페인어를 공부하러 멕시코에 가는 거야?
남　응! 학교가 9월 1일에 시작해. 얼른 가고 싶어.
여　언제 갈 건데?
남　나는 엄마랑 같이 학교가 시작하기 약 2주 전에 출발할 거야.
여　그럼, 8월 15일이네. 맞지?
남　아니. 그 다음 날 떠날 거야.

해설

남자는 8월 15일 다음 날 떠난다고 했다.

어휘

Spanish 스페인어

8 ④

해석

여 여보! 지금 쇼핑 채널에서 책꽂이 세일을 해요.

남 우리 책꽂이가 필요하죠, 그렇지 않아요?

여 맞아요. 저것들은 정말 좋아 보이네요. 각각 75달러이고 세 개에 200달러래요.

남 크기는 어떻게 되죠?

여 높이는 100cm고 너비는 90cm, 깊이는 40cm예요.

남 세 개 사기에는 공간이 충분하지 않아요. 그냥 두 개만 주문해요.

여 좋아요. 지금 전화를 걸게요.

해설

책꽂이는 하나에 75달러인데 두 개 주문했으므로 150달러이다.

어휘

bookshelf 책꽂이 / each 각각 / space 공간

9 ⑤

해석

① 박물관에서는 5세 이하 어린이에게는 무료입장을 제공한다.

② 65세 이상인 분들의 입장료는 3달러이다.

③ 19세에서 65세의 사람들이 입장료가 가장 높다.

④ 18살 된 방문객은 7살 된 방문객보다 2달러를 더 내야 한다.

⑤ 8살 된 방문객의 표가 70살 된 방문객의 표보다 2달러 저렴하다.

해설

2달러 저렴한 게 아니라 2달러 더 비싸다.

어휘

offer 제공하다 / admission 입장 / fee 요금 / pay 지불하다 / cost 비용이 들다

10 ⑤

해석

남 너희 가족이 필리핀으로 휴가를 가니?

여 아니. 엄마가 어제 여행을 취소했어.

남 그래? 왜?

여 너 태풍 소식 못 들었어?

남 그건 한 달 전이었잖아.

여 그거 말고. 정부의 여행 웹사이트에 새로운 경고가 떴어.

남 다른 태풍 말이야?

여 응. 그래서 거기 가기에는 너무 위험해.

해설

여자는 태풍 소식 때문에 가족 여행이 취소되었다고 했다.

어휘

vacation 휴가 / cancel 취소하다 / typhoon 태풍 / warning 경고

11 ④

해석

남 배고프니, Gia? 나는 배가 매우 고파!

여 조금 배가 고파요. 제가 뭘 요리해 드릴까요?

남 아냐! 오늘 저녁은 포장 음식을 사 오기로 했어. 뭐 먹고 싶니?

여 잘 모르겠어요.

남 너 "Smokey's"라는 햄버거 식당 아니?

여 먹어본 적은 없지만 정말 맛있다고 들었어요.

남 그렇단다! 가서 맛있는 걸로 좀 사 올게.

여 좋아요. 제 것을 골라 주세요.

해설

남자는 햄버거 가게에서 저녁 식사 거리를 사 올 것이다.

어휘

starving 배가 몹시 고픈 / a bit 조금 / takeout (식당에서 먹지 않고 사서) 가지고 가는 음식, 포장판매 음식

12 ③

해석

여 제 지갑이 사라졌어요!

남 진정하세요. 제가 도와 드릴게요.

여 저는 쇼핑센터에 있었어요. 갑자기 한 여자가 저를 밀었어요. 그 여자가 저를 밀기 전에 제 지갑은 주머니에 있었어요.

남 그 여자의 생김새를 묘사해 주실래요?

여 그녀는 짧고 검은 머리에 빨간색 재킷을 입고 있었어요. 저는 그냥 그녀가 무례하다고만 생각했어요.

남 유감스럽지만, 귀하 같은 신고를 하는 사람들이 많아요.

해설

남자는 여자의 지갑이 없어진 과정을 조사하고 있으므로 두 사람의 관계는 경찰관, 피해자임을 알 수 있다.

어휘

wallet 지갑 / push 밀다 / describe 묘사하다, 설명하다 / rude 무례한 / unfortunately 불행하게도

13 ②

해석

여 하이킹 길 시작점에 있는 표지판 봤어? 거기에는 요리하는 게 금지되어 있다고 했어.

남 그건 나도 알아. 상식이잖아, 맞지?

여 그래, 그리고 등산객들은 나무나 바위에 아무 것도 표시하지 말라고 되어 있었어.

남 야생 동물에 관한 언급은 있었어?

여 응, 뱀을 주의하고, 어떤 동물에게도 먹이를 주지 말라고 되어 있었어.

남 나는 뱀이 무서워. 우리 조심해야겠다.

해설

금연에 대해서는 언급되지 않았다.

어휘

sign 표지판 / trail 길, 오솔길 / common sense 상식 / mark 표시 / wildlife 야생동물 / beware of ~을 조심하다, 주의하다 / be scared of ~을 두려워하다

14 ④

해석

① 남 밖을 봐! 눈이 많이 오고 있어.
   여 나가서 놀고 싶어?
② 남 이 색 괜찮아?
   여 응, 흰색이 너에게 잘 어울려.
③ 남 이게 네 야구공이야?
   여 응, 같이 놀지 않을래?
④ 남 눈사람이 또 뭐가 필요하지?
   여 막대기로 된 팔에 장갑을 끼우자.
⑤ 남 무엇을 도와 드릴까요?
   여 2인용 침실을 예약할 수 있을까요?

해설

눈사람을 만들고 있는 그림이므로 눈사람에게 장갑을 끼우자고 말하는 것이 가장 적절하다.

어휘

heavily 아주 많이 / suit 어울리다 / glove 장갑 / stick 막대기 / have a reservation 예약하다

15 ④

해석

남 너는 에너지를 절약하기 위해서 무엇을 하니?
여 나는 일회용품을 사용하지 않으려고 정말 노력하고 있어. 그리고 항상 내 장바구니를 들고 다녀. 너는 어때?
남 나는 물과 에너지를 절약하기 위해서 정말 짧게 샤워를 해.
여 그거 좋은 생각이다. 또 다른 건?
남 우리 가족은 모든 걸 재활용하고 항상 가전제품의 플러그를 뽑아. 우리는 항상 대중교통을 이용하려고 하지.
여 아, 나도 그렇게 해야겠다.

해설

여자는 일회용품을 쓰지 않기 위해 노력한다고 했다.

어휘

disposable 일회용의 / recycle 재활용하다 / unplug 플러그를 뽑다 / public transport 대중교통

16 ②

해석

① 여 디저트로 무엇을 드시겠습니까?
   남 아이스크림을 먹을 수 있을까요?
② 여 그녀를 어떻게 알아요?
   남 그녀는 어려 보여요.
③ 여 중국어를 배워 보는 건 어때?
   남 나는 언어를 배우는 데에는 소질이 없어.
④ 여 이 상자를 옮기는 걸 도와줄래?
   남 그래. 어디로 가는 거야?
⑤ 여 뭘 주문할지 결정하지 못하겠어요.
   남 저는 피시 앤 칩스를 권해 드려요.

해설

그녀를 어떻게 아는지 물었는데 그녀는 어려 보인다고 답하는 것은 어색하다.

어휘

dessert 디저트, 후식 / recommend 추천하다

17 ④

해석

남 너 봉사 활동을 해 봤니?
여 그럼. 지금 친구들이랑 공원에서 봉사 활동을 하고 있어.
남 어떤 종류의 일을 하는데?
여 우리는 공원에서 쓰레기를 주워.
남 멋지다. 나는 외국 관광객 가이드로 봉사 활동을 하고 싶어.
여 나는 그걸 2년 전에 했었어! 그건 괜찮았는데 요양원에서 일했던 게 더 좋았어.
남 아이들을 돕는 건 어때?
여 몇 년 전에 고아원에서 어린이들을 보살피는 것을 도왔었지.
남 와. 너 정말 많이 했구나.

해설

여자는 한글 교육 봉사 활동을 했다는 말은 하지 않았다.

어휘

volunteer work 봉사 활동 / pick up 줍다 / nursing home 양로원, 요양원 / orphanage 고아원

18 ③

해석

남 Louise와 그녀의 친구들은 Louise의 생일을 맞이하여 식당에 있다. Louise는 파스타 요리를 주문하고 싶은데, 거기에 치즈가 들어 있을까 봐 걱정된다. 그녀는 치즈에 알레르기가 있다. 그것은 그녀를 아프게 만든다. 그래서 웨이터가 주문을 받으려고 왔을 때, Louise는 웨이터에게 뭐라고 말할까?

해설

파스타 요리에 치즈가 들어 있을까 봐 걱정하는 상황이므로, 파스타에 치즈가 들어갔는지 질문하는 것이 가장 적절하다.
① 이거 정말 맛있다! ② 저도 그녀가 먹는 걸로 주세요. ③ 파스타에 치즈가 들어가나요? ④ 이건 내가 주문한 게 아니에요, 미안해요. ⑤ 정말 훌륭한 깜짝 생일 파티야!

어휘

order 주문하다 / dish 요리 / allergic 알레르기가 있는

19 ③

해석

남 Julia. Todd의 생일 선물 포장하는 것 좀 도와줄래? 파티가 한 시간 뒤에 시작해.
여 물론이지. 내가 선물 포장지를 가져다줄게.
남 아. 포장지가 좀 있니?
여 응. 나는 내가 받은 선물의 예쁜 포장지들을 항상 모아 두거든.

남 좋아. 가위랑 테이프가 어디에 있지?
여 주방에 있을 거야.

해설
가위와 테이프의 위치를 물었으므로, 주방에 있을 거라고 답하는 것이 가장 적절하다.
① 아니, 미안해. ② 정말 멋진 선물이야. ④ 일곱 시에 시작하는 것 같아.
⑤ 응, 그 리본은 포장지랑 잘 어울려.

어휘
wrap 포장하다 / gift-wrapping paper 선물 포장지 / save 모으다 / scissors 가위

20 ①

해석
남 엄마, 창문에 있는 귀여운 강아지들을 봐요! 하나 사도 될까요?
여 안 된다, 얘야. 시의 구조 보호소에서 강아지 한 마리를 구해 보는 것은 어때?
남 구조 보호소가 뭐예요?
여 불쌍하게 버려진 강아지들을 돌보는 곳이란다. 그 중에서 한 마리를 집으로 데려갈 수 있지.
남 지금 거기에 가도 돼요?
여 내일 가자꾸나, 알겠지?

해설
강아지를 얻으려고 지금 동물 보호소에 가자고 하는 남자에게 내일 가자고 답하는 것이 가장 적절하다.
② 아니, 그 강아지는 건강하지 않아 보여.
③ 그래, 나는 강아지를 제일 좋아해.
④ 개들은 너무 비싸기 때문이야.
⑤ 봉사자들이 환영받지 못한 동물들을 돌본단다.

어휘
puppy 강아지 / rescue shelter (동물) 구조 보호소 / abandon 버리다

Dictation p.156~159

1 Face up / Put your legs straight together / How far
2 how to ride / Tomorrow will be sunny / the rest of the week
3 disabled people / I was in a hurry / against the rules
4 based on / kept talking / It was really annoying
5 order some paints / write them down / We will paint our school
6 above the sink / For instance / what they look like
7 I can't wait / two weeks before / the next day
8 We need a bookshelf / What size are they / enough space for three
9 free admission / The highest admission fee / $2 less than
10 canceled the trip / a new warning / too dangerous
11 I'm starving / buy takeout / You can choose for me
12 calm down / describe the woman / she was rude
13 not allowed / common sense / beware of
14 Do you like this color / play together / Let's put gloves
15 to save energy / recycles everything / use public transport
16 for dessert / very young / I'm not good at / carry this box / what to order
17 We pick up trash / I'd like to volunteer / take care of children
18 there will be cheese / allergic to cheese / makes her sick
19 do you have some / the presents I get / Where are
20 How about getting a puppy / a rescue shelter / Can we go

20회 영어듣기 모의고사 p.160~163

01 ④	02 ③	03 ③	04 ②	05 ④
06 ⑤	07 ①	08 ②	09 ④	10 ④
11 ②	12 ⑤	13 ③	14 ⑤	15 ①
16 ④	17 ⑤	18 ③	19 ①	20 ③

1 ④

해석
남 우리 새로운 선생님 만나 봤니? 그녀는 정말 좋으신 분이야.
여 이름이 뭐야? 어디에서 오셨는데?
남 영국에서 오신 Mary Johnson이야.
여 긴 생머리에 안경을 쓴 여성 분 말하는 거지?
남 음, 우리 선생님은 긴 생머리가 맞긴 한데 안경을 쓰진 않아.
여 아! 이제 기억난다.

해설
긴 생머리에 안경을 쓰지 않은 여자가 남자의 선생님이다.

어휘
straight hair 생머리

2 ③

해석
[초인종이 울린다.]
남 경찰입니다, 부인. 몇 가지 질문을 해도 되겠습니까?
여 무슨 일이시죠, 경찰관님?
남 부인, 어젯밤에 이상한 소리를 듣거나 뭔가를 보셨나요?
여 네. 새벽 1시쯤에 소리를 지르고 비명을 지르는 걸 들었어요. 그래서 창밖을 봤어요.
남 보신 것을 정확하게 설명해 주세요. 저는 범죄를 수사하고 있습니다.

해설

남자는 경찰관으로, 어젯밤에 일어난 범죄를 수사하기 위해 여자의 집을 방문했다.

어휘

strange 이상한 / shout 소리를 지르다 / scream 비명을 지르다 / describe 설명하다, 묘사하다 / investigate 수사하다, 조사하다 / crime 범죄

3 ③

해석

① 여 이 가운 어때?
　 남 네가 그걸 입으면 아주 예쁠 것 같아.
② 여 내 티셔츠의 태그를 떼어 줄래?
　 남 알았어. 내가 자르는 동안 가만히 있어.
③ 여 머리를 어떻게 해 드릴까요?
　 남 그냥 보통 때처럼 다듬어 주세요.
④ 여 너무 오래 걸리는 것 같아요. 그렇게 생각하지 않나요?
　 남 네, 회의를 짧게 끝내죠.
⑤ 여 약을 얼마나 자주 먹어야 하나요?
　 남 하루 3번, 식후에 드세요.

해설

미용실에서 머리를 다듬어 달라고 하는 상황이다.

어휘

gown 가운 / tag 태그, 꼬리표 / hold still 가만히 있다 / trim 다듬기 / medicine 약

4 ②

해석

여 들어오세요. 욕실은 이쪽이에요.
남 신발에 진흙이 묻어서 죄송하네요.
여 괜찮아요.
남 먼저 배수관을 살펴볼게요. 그러고 나서 고치는데 얼마나 걸릴지 말씀 드릴게요.
여 배수관이 이틀 전에 파열됐어요.
남 걱정 마세요. 온도가 며칠 동안 영하 10도예요. 제가 이번 주에 배수관을 많이 고치게 될 겁니다.
여 정말 바쁘시겠어요.

해설

남자는 배수관을 수리하고 있으므로 배관공임을 알 수 있다.

어휘

muddy 진흙투성이인 / water pipe 배수관 / take 걸리다 / burst 터지다, 파열되다 / temperature 기온 / repair 수리하다

5 ④

해석

여 너 컴퓨터로 뭐 하고 있니?
남 엄마의 생신 선물을 찾고 있어요.
여 하지만 엄마의 생신은 내일이잖니. 온라인으로 주문하기에는 너무 늦었지.
남 그냥 아이디어를 찾고 있는 거예요.
여 나는 뭘 사 주는 것 대신에 뭔가 특별한 일을 해 주는 것을 제안해.
남 좋아요. 하지만 어떤 걸요?
여 집을 청소하는 것은 어떠니? 엄마는 집안일에서 벗어나는 걸 정말 좋아할 거야.

해설

여자는 엄마의 생신 선물로 무엇을 살지 고민하는 남자에게 집안 청소를 도와주라고 제안하고 있다.

어휘

order 주문하다 / online 온라인으로 / suggest 제안하다 / instead of ~ 대신에 / break 휴식

6 ⑤

해석

남 네 계산기를 빌려도 될까?
여 어디에 있는지 모르겠어. 컴퓨터에도 계산기가 있잖아.
남 컴퓨터를 켜는 데 너무 오래 걸려. 그냥 빠른 계산이 하고 싶어.
여 그럼 종이 위에 해.
남 안 돼. 나는 할인율을 계산할 줄 몰라.
여 네 휴대 전화를 사용하지 그래? 계산기 기능이 들어있지 않니?
남 아, 깜박했다! 물론 들어있지! 고마워.

해설

여자와 남자의 마지막 대화에서 남자가 계산을 할 때 휴대 전화를 사용할 것임을 알 수 있다.

어휘

calculator 계산기 / start up 시동을 걸다 / quick 재빠른 / figure out 계산하다 / discount 할인 / rate 비율

7 ①

해석

① 여 우리 미술관에 갈까?
　 남 나는 그림을 아주 잘 그려.
② 여 네가 부자라면 너는 스포츠카를 사겠어?
　 남 아니. 난 우주여행을 할 거야.
③ 여 그 일은 정말 힘들었어. 그렇지 않니?
　 남 응. 내가 생각했던 것보다 힘들었어.
④ 여 너와 네 형 중 누가 더 많이 먹어?
　 남 내가 제일 많이 먹어. 나는 아빠보다도 많이 먹어!
⑤ 여 너 오늘 즐거워 보여. 특별한 이유라도 있니?
　 남 응. 나 과학경시대회에서 일등을 했어.

미술관에 가자고 했는데 그림을 잘 그린다고 답하는 것은 어색하다.

어휘

art gallery 미술관 / travel into space 우주여행을 하다 / expect 예상하다 / win first prize 일등상을 타다

8 ②

해석

남 너희 팀 과제는 어떻게 되고 있어? 팀 동료들과 같이 일하는 게 재미있다고 했었잖아.

여 처음에는 재미있었어. 이제, 나는 빨리 끝났으면 좋겠어.

남 마감일이 언제인데?

여 이번 주 금요일인데 내 팀 동료들은 절대 돕지를 않아! 그들은 항상 변명만 해. 내 혼자 모든 일을 하고 있어. 이건 불공평해.

해설

여자는 팀으로 하는 과제를 하고 있는데, 자신이 모든 일을 해야만 하는 상황에 화가 나 있다.

어휘

project 과제 / teammate 팀 동료 / at first 처음에는 / due date 마감일 / make excuse 변명하다 / fair 공평한, 공정한

9 ④

해석

여 우리가 만든 쿠키가 정말 맛있다!

남 야, 우리 쿠키를 좀 더 구워서 오늘 밤 Susan의 생일 파티에 가져가자.

여 좋은 생각이야! 쿠키를 정말 예쁜 상자에 포장할 수 있겠다.

남 아! 버터랑 초콜릿 칩을 다 써버렸어. 좀 더 사 와야겠어.

여 알겠어. 내가 슈퍼에 다녀올게.

해설

쿠키를 좀 더 만들려고 했는데 재료가 떨어졌으므로 여자가 사 오겠다고 말하고 있다.

어휘

yummy 맛이 있는 / bake 굽다 / wrap 포장하다 / use up 다 써버리다 / grocery store 슈퍼마켓

10 ④

해석

여 나는 지금 시민 회관에 간단다.

남 네, 엄마. 수업 잘 듣고 오세요!

여 내 수업은 지난주에 끝났단다.

남 그럼 거기에 왜 가세요?

여 시민 회관에서 시간제 직원이 필요하거든.

남 정말요? 엄마가 일자리를 구하고 계셨는지 몰랐어요.

여 내 면접은 3시야. 행운을 빌어 주렴!

해설

여자는 구직 면접을 보기 위해서 시민 회관에 가려고 한다.

① 자원봉사를 하려고   ② 수업을 받으려고   ③ 수업 등록을 하려고
④ 시간제 일자리를 구하려고   ⑤ 책을 기부하려고

어휘

community center 시민 회관 / interview 면접

11 ②

해석

여 와, 몸매가 아주 좋아 보여.

남 고마워. 나 요즘 체육관에 다니고 있거든.

여 정말? 나도 너희 체육관에 다니고 싶어.

남 체육관에 다니고 싶다면, 일 년 치를 등록하는 게 좋을 거야. 그게 훨씬 싸거든.

여 나는 석 달을 가입할 거야. 6월에 캐나다에 가거든.

남 석 달 회원은 100달러야. 나를 통해서 등록하면, 10% 할인을 받을 수 있어.

여 좋아! 오늘 가입해야겠어.

해설

석 달에 100달러인데 남자를 통해 등록하면 10%로 할인을 받을 수 있다고 했으므로 90달러를 내야 한다.

어휘

fit (몸이) 탄탄한 / gym 체육관 / sign up 등록하다 / membership 회원 / through ~을 통해

12 ⑤

해석

여 야, Jacob! 늦어서 미안해.

남 괜찮아. 나 음악을 듣고 있었어. 무엇을 볼래?

여 글쎄. 여기 사람 많다. 길게 줄 서서 기다리는 사람들을 봐.

남 내 생각엔 표를 사는 데 적어도 30분은 걸릴 것 같아.

여 응. 우리 그냥 저녁 먹으러 갈까? 영화는 다음에 보는 게 좋겠어.

남 좋은 생각이야.

해설

영화는 다음에 보고 저녁을 먹으러 가자고 제안하는 것으로 보아 영화관에서 일어나는 대화임을 알 수 있다.

어휘

at least 적어도

13 ⑤

해석

여 여러분, 안녕하세요. 저는 기장입니다. 뉴욕행 123번 비행기에 탑승한 여러분을 환영합니다. 저희는 고도 30,000피트를 상공을 시간당 600마일의 속도로 비행하겠습니다. 저희는 샌프란시스코 공항을 이륙한 지 6시간 후에 도착할 예정입니다. 잠시 후에 승무원들이 간식과 음료를 제공할 것입니다. 즐거운 여행 하십시오. 감사합니다.

해설

비행시간에 대해서는 언급되었지만 도착 시각에 대한 언급은 없다.

captain (항공기의) 기장, 선장 / aboard 탑승한 / altitude 고도 / per ~당 / cabin crew 승무원 / serve 제공하다 / snack 간식 / beverage 음료

14 ⑤

해석

여 저는 "Frozen"을 보고 싶어요!

남 하지만 네 동생들이 액션 영화 아니면 "The Hobbit"을 보고 싶어 하잖니.

여 아빠는 어떠세요?

남 나는 액션 영화가 더 낫겠어.

여 지금은 벌써 2시 10분이라서, 우리는 "Iron Man 2"는 볼 수 없어요.

남 "Frozen"과 "The Hobbit"은 둘 다 세 시에 시작하는구나.

여 엄마도 제가 고른 게 더 좋다고 하셨어요.

남 좋아. 여기서 기다려라, 내가 티켓을 사 올게.

해설

지금이 2시 10분이고 여자가 보고 싶어 하는 "Frozen"을 보기로 했으므로 3시에 시작하는 영화를 보게 될 것이다.

어휘

action movie 액션 영화 / already 벌써 / both 둘 다 / choice 선택

15 ①

해석

남 주말에 무슨 계획 있니?

여 응. 나 일요일에 콘서트 보러 갈 거야.

남 재미있겠다! 무슨 콘서트를 보러 가는데?

여 Jason Muraz의 콘서트야. 그의 콘서트를 정말 오랫동안 기다렸거든.

남 나 그 콘서트에 정말 가고 싶어. 내 티켓도 구해줄 수 있어? 나중에 갚을게.

여 알겠어.

해설

남자는 자신도 콘서트에 가고 싶다며 표를 구해 달라고 했다.

어휘

sale 판매

16 ④

해석

남 나 기말고사를 정말 잘 봤어. 나는 5월에 요리 학교를 졸업하게 될 거야!

여 시험 결과가 언제 나오는데?

남 내일, 5월 2일에. 나는 수업 활동에서 최고 점수를 받았어.

여 그럼 너는 분명 졸업을 하게 되겠구나. 졸업식은 언제야? 내가 가도 될까?

남 물론이지. 16일 오전 11시로 잡혀 있어. 그냥 Culinary Institute의 메인 홀로 와.

여 알겠어. 나중에 보자.

해설

시험 결과는 5월 2일에 나오고 졸업식은 5월 16일이라고 했다.

어휘

final exam 기말고사 / graduate from ~에서 졸업하다 / mark 점수 / course work 수업 활동 / definitely 분명히, 반드시 / ceremony 식, 의식 / scheduled 예정된

17 ⑤

해석

남 이것은 인기 있는 소풍 음식이자, 몸에 좋고 맛있는 간단한 식사이다. 이것은 그 자체로 식사가 될 수도 있는데, 특히 이것을 국과 절임 채소와 함께 먹을 때 그렇다. 기본적으로 이것은 밥과 여러 가지의 속 재료가 김 안에 소시지 모양으로 말려 있으며, 동그랗게 썰려 있다. 인기 있는 속 재료는 당근, 햄, 그리고 달걀이다.

해설

밥과 여러 재료를 김에 말아 잘라 먹는 음식은 김밥이다.

어휘

snack 간단한 식사 / meal 식사 / soup 국 / pickle 피클, 절임 채소 / steam 찌다 / filling 속 / seaweed paper 김밥용 김 / slice 썰다

18 ③

해석

남 너 뭐 해?

여 나는 학생 회장 선거에 출마하려고 등록할 거야.

남 훌륭해! 네 선거 운동을 위한 포스터를 만들자.

여 정말이니? 네가 나를 돕고 싶어 하다니 정말 멋지다. 넌 정말 창의적이잖아. 네가 무엇을 디자인하든 좋을 거야.

남 나는 벌써 생각해 둔 디자인이 있어. 시작하자!

해설

두 사람은 여자의 학생 회장 선거 운동을 위한 포스터를 만들 것이다.

어휘

register 등록하다 / run for 출마하다 / student president 학생 회장 / election 선거 / campaign 선거 운동 / creative 창의적인 / in mind 마음속에

19 ①

해석

여 Mary는 엄마의 생신 선물로 예쁜 커피 컵을 샀다. 그런데 Mary가 집에 왔을 때, 그녀는 컵에 금이 가 있는 것을 발견했다. 그녀는 다음 날 그 가게에 다시 가서 둘러보는데, 같은 디자인의 컵이 더 이상 없었다. 그녀는 다른 디자인은 마음에 들지 않아서, 그녀의 돈을 되돌려 받기로 했다. 이 상황에서, Anna는 점원에게 뭐라고 말하겠는가?

해설

Anna는 원하는 디자인의 컵이 없어서 환불을 원하는 상황이다.

① 환불해 주세요. ② 저 디자인이 멋져요. ③ 어머니 생신 선물을 위한 거예요. ④ 신용카드도 되나요? ⑤ 현금으로 계산하면 할인이 되나요?

어휘
crack 금 / the following day 그 다음 날 / look around 둘러보다 /
shop assistant 판매원

20 ③

해석
남 엄마. 아이스크림을 좀 사게 돈 좀 주시면 안 돼요?
여 좋아. 하지만 모두에게 줄 아이스크림을 사야 한다.
남 엄마랑 할머니 할아버지까지요?
여 응. 여기 20달러가 있다. 잔돈은 가져오고!
남 아. 장바구니도 가져가야겠어요.
여 왜?
남 <u>그거야, 비닐 쓰레기를 줄이려고요.</u>

해설
아이스크림을 사러 가면서 장바구니를 왜 가져가냐고 묻는 말에는 "비닐
쓰레기를 줄이기 위해서"라는 답변이 적절하다.
① 고마워요. 여기 거스름돈이요. ② 저도요. 그게 내가 가장 좋아하는 맛
이에요. ④ 그게 가장 인기 있는 상표죠, 그렇지 않나요? ⑤ 하지만 할머니
는 아이스크림을 좋아하지 않으세요.

어휘
make sure 반드시 ~하다 / include ~를 포함하다 / change 잔돈 /
shopping bag 장바구니 / reduce 줄이다 / plastic 비닐로 된

Dictation
p.164~167

1 Where is she from / long straight hair / doesn't wear
   glasses
2 anything strange / shouting and screaming / describe
   exactly what you saw
3 Just a trim / It's taking too long / Three times a day
4 check the water pipes / repair a lot of
5 too late to order online / doing something special / How
   about cleaning the house
6 a piece of paper / how to figure out / Why don't you
7 I'm very good at / travel into space / more difficult than / I
   won first prize
8 interesting at first / the due date / make excuses
9 we should bake some more / in a really pretty box / buy
   some more
10 My class finished / a part-time worker / Wish me luck
11 pretty fit / join your gym / sign up for a year
12 waiting in a long line / it'll take at least / see a movie next
   time
13 I'd like to welcome you / We will be arriving / enjoy your
   flight

14 I prefer to see / she prefers my choice / get the tickets
15 going to a concert / waiting so long / pay you back
16 My final exam went really well / I got top marks / When is
   the ceremony
17 a popular picnic food / a meal in itself / sliced into circles
18 run for / You're so creative / have a design in mind
19 she found a crack / the following day / get her money back
20 Can I have some money / make sure / Bring me the
   change

1회 기출 모의고사
p.168~171

01 ④	02 ②	03 ②	04 ③	05 ③
06 ③	07 ②	08 ①	09 ②	10 ④
11 ②	12 ④	13 ④	14 ⑤	15 ④
16 ④	17 ④	18 ⑤	19 ⑤	20 ①

1 ④

Script
M Excuse me. I need a sticker board for my little sister.
W Well, look at these boards with animals. Does she like dogs
   and bears?
M Oh, yes. She loves bears.
W Then how about the boards with three bears? Kids love
   them.
M Good idea. Which one is better?
W The one with numbers on it is very popular.
M Okay. I'll take it.

해석
남 실례합니다. 저는 제 여동생에게 줄 스티커 판이 필요해요.
여 음, 여기 동물들이 있는 판을 보세요. 그녀가 강아지나 곰을 좋아하나요?
남 아, 그럼요. 그녀는 곰을 좋아해요.
여 그럼 이 세 마리 곰이 있는 판은 어떠세요? 어린이들이 아주 좋아해요.
남 좋은 생각이에요. 어떤 게 더 낫나요?
여 숫자가 그려진 게 인기가 많아요.
남 좋아요. 그걸로 할게요.

해설
남자는 세 마리 곰과 숫자가 그려진 스티커 판을 구입할 것이다.

어휘
board 판 / better 더 나은

2 ②

Script

W What can I do for you?
M I bought this CD yesterday for my friend. But she has one already!
W Would you like to exchange it for a different CD?
M I'd rather just get a refund.
W Well, you can get a free gift if you buy the new special album of JC Band.
M No, thanks.

해석

여 무엇을 도와 드릴까요?
남 제가 어제 여기에서 친구에게 줄 CD를 샀는데요. 그녀가 이미 그걸 가지고 있더라고요!
여 다른 CD로 교환하고 싶으세요?
남 그냥 환불을 받고 싶어요.
여 저기, JC 밴드의 새로운 스페셜 앨범을 사시면 무료 선물을 받으실 수 있어요.
남 고맙지만 됐어요.

해설

남자는 친구에게 주려고 샀던 CD를 환불하려고 가게에 갔다.

어휘

exchange 교환하다 / refund 환불

3 ②

Script

① W James, the curtain is so dirty.
　 M Okay. Let's wash it then.
② W Honey, would you close the curtain?
　 M Sure, I'll do that for you.
③ W Oh, it's raining outside!
　 M I'll go get an umbrella for you.
④ W This is such a lovely curtain.
　 M Thank you. I bought it last month.
⑤ W Do you know how to hang a curtain?
　 M I'm afraid I've never done that before.

해석

① 여 James, 커튼이 너무 더러워요.
　 남 알겠어요. 커튼을 세탁해요.
② 여 여보, 커튼 좀 닫아 줄래요?
　 남 물론이죠, 제가 닫아 줄게요.
③ 여 오, 밖에 비가 와요.
　 남 제가 가서 우산을 가져올게요.
④ 여 정말 멋진 커튼이에요.
　 남 고마워요. 지난달에 샀어요.
⑤ 여 커튼을 어떻게 거는지 알아요?
　 남 한번도 해 본 적이 없어요.

해설

창문으로 비치는 햇빛 때문에 커튼을 닫아 달라고 하는 상황이다.

어휘

hang 걸다

4 ③

Script

W Honey, look at this cake. Isn't the star beautiful?
M It's nice, but I'm not sure if Mark will like it.
W Then, how about this one with a snowman?
M It's good too, but I think Mark would like one with animals more.
W Okay. Then we should choose either the one with a polar bear or a penguin.
M I think Mark would prefer the polar bear to the penguin.
W I agree. Let's buy it.

해석

여 여보, 이 케이크 좀 봐요. 별이 아름답지 않아요?
남 멋있기는 한데 Mark가 좋아할지는 잘 모르겠어요.
여 그럼, 이 눈사람 있는 것은 어때요?
남 역시 좋긴 한데 Mark는 동물이 들어가 있는 것을 더 좋아할 것 같아요.
여 알겠어요. 그럼 북극곰이 들어가 있는 거 아니면 펭귄이 들어가 있는 것 중에서 골라야겠네요.
남 Mark는 펭귄보다는 북극곰을 더 좋아할 것 같아.
여 저도 그래요. 그걸로 사요.

해설

북극곰과 펭귄이 들어가 있는 케이크에서 북극곰이 들어가 있는 케이크를 사기로 했다.

어휘

snowman 눈사람 / polar bear 북극곰 / prefer A to B B보다 A를 좋아하다

5 ③

Script

W Excuse me. Can I have these in another color?
M You mean these blue sneakers?
W No, I want the green ones in size 3, for my daughter.
M I'm sorry, but they're all sold out. How about these black ones?
W Well, she doesn't like black.
M Do you want us to order the green ones, then?
W Yes, please.

해석

여 실례합니다. 이거 다른 색으로 볼 수 있을까요?
남 파란색 운동화 말씀하시는 건가요?
여 아뇨, 초록색 운동화를 3사이즈로요, 제 딸에게 줄 거예요.
남 죄송하지만, 그건 다 팔렸어요. 이 검은색 운동화는 어떠세요?
여 음, 그녀는 검은색을 좋아하지 않아요.
남 그러면 초록색으로 주문해 드릴까요?
여 네, 그래 주세요.

해설

남자는 신발을 판매하는 점원이다.

어휘

sneakers 운동화 / sold out 다 팔린 / order 주문하다

6 ③

Script

M You look nice in your pants.
W Thanks. But they're too tight. I shouldn't have bought them.
M Why don't you exchange them for a larger size?
W I can't. I've already washed them once.
M Oh, I see. But they'll stretch if you keep wearing them.
W I doubt it. I wish I hadn't bought them.

해석
남 너 그 바지를 입으니 예뻐 보인다.
여 고마워. 하지만 바지가 너무 꽉 껴. 사지 말았어야 했어.
남 더 큰 사이즈로 교환하지 그래?
여 그럴 수 없어. 벌써 바지를 한 번 빨았거든.
남 아, 그렇구나. 하지만 바지를 계속 입고 있으면 늘어날 거야.
여 안 그럴 것 같아. 이 바지를 사지 않았어야 했는데.

해설
여자는 너무 꽉 끼는 바지를 사지 말았어야 했다고 후회하고 있다.

어휘
tight 꽉 끼는 / exchange 교환하다 / stretch 늘어나다 / doubt 의심하다

7 ②

Script

① M What time do you open?
   W We open at nine in the morning.
② M When does your train leave?
   W You'd better take a train in this rain.
③ M Don't you think it's too loud?
   W Sorry, I'll turn the volume down.
④ M How much does it cost to send this package?
   W Well, it depends on how much it weighs.
⑤ M Oh, no! I missed my bus!
   W Don't worry. The next bus will come in five minutes.

해석
① 남 언제 문을 여나요?
   여 우리는 아침 아홉 시에 문을 열어요.
② 남 기차는 언제 출발하니?
   여 이렇게 비가 오니 기차를 타는 게 좋을 거야.
③ 남 소리가 너무 크다고 생각하지 않아?
   여 미안해. 소리를 줄일게.
④ 남 이 소포를 보내는 데 얼마가 드나요?
   여 글쎄요, 그건 소포의 무게가 얼마나 나가느냐에 달렸어요.
⑤ 남 안 돼! 내 버스를 놓쳤어!
   여 걱정 마. 다음 버스가 5분 후에 올 거야.

해설
기차가 '언제' 출발하는지 물었는데, 기차를 타라고 조언하는 대답은 어색하다.

어휘
leave 떠나다 / had better ~하는 편이 좋겠다 / turn down 줄이다 / cost 비용이 들다 / package 소포 / weigh 무게가 나가다

8 ①

Script

W Hi, Steve. You look busy these days.
M I'm preparing for a presentation in my Korean class.
W What are you going to talk about?
M I've decided to talk about cultural differences.
W Did you write a script?
M I did, but it took me so much time to write it in Korean.
W Do you need any help?
M Yes. Would you read the script and correct any errors?
W Sure, no problem.

해석
여 안녕, Steve. 너 요새 바빠 보인다.
남 나는 한국어 수업에서 할 발표를 준비하고 있어.
여 뭐에 대해서 이야기할 건데?
남 문화 차이에 관해 이야기하기로 결정했어.
여 원고는 썼어?
남 응, 그런데 한국어로 쓰는 데 정말 시간이 오래 걸렸어.
여 도움이 필요하니?
남 응. 원고를 읽고 오류를 수정해 주겠니?
여 그래, 문제없어.

해설
남자는 여자에게 자신의 한국어 원고를 교정해 달라고 부탁하고 있다.

어휘
prepare 준비하다 / presentation 발표 / cultural 문화적인 / difference 차이 / script 원고 / take 시간이 걸리다 / correct 고치다

9 ②

Script

M What are you going to do after school?
W I have to do a part-time job at the bookstore. Why?
M Mike and I are going to the K-pop concert.
W That sounds wonderful.
M Would you join us after finishing your work?
W I'm afraid not. It would be too late.

해석
남 너 방과 후에 뭐 할 거야?
여 서점에서 아르바이트를 해야 해. 왜?
남 Mike랑 내가 K-pop 콘서트에 갈 거거든.
여 정말 좋겠다.
남 일을 끝내고 같이 갈래?
여 안 될 것 같아. 너무 늦을 거야.

해설
여자는 콘서트에 같이 가자는 남자의 제안을 거절하고 있다.

어휘
part-time job 시간제 일, 아르바이트 / bookstore 서점

10 ④

Script

W Hello, may I help you?
M I'd like to rent some skis. How much are they?
W $20 for an adult set and $10 for a junior set.
M Okay. I'll take two adult sets and one junior set.
W In that case, you get $5 off of the total.
M Great.

해석

여 안녕하세요, 도와 드릴까요?
남 스키를 대여하려고요. 얼마인가요?
여 성인용 세트는 20달러이고 어린이용 세트는 10달러입니다.
남 좋아요. 성인용 두 세트랑 어린이용 한 세트 주세요.
여 그렇게 하시면, 합계 금액에서 5달러가 할인이 돼요.
남 좋군요.

해설

남자는 원래 50달러를 내야 하지만 5달러를 할인 받아서 45달러만 지불하면 된다.

어휘

rent 빌리다, 대여하다 / adult 성인, 어른 / total 총액

11 ②

Script

M Honey. Haven't you decided on what to buy yet?
W I don't know what to choose. So many kinds, so many colors...
M How about red roses? Janet will like them.
W But I think Janet likes lilies. How about ten lilies and ten roses, and...
M Honey, hurry up! Janet's piano recital is at 6 pm.
W Okay. Let's get roses.

해석

남 여보. 아직 뭘 살지 결정하지 못한 거예요?
여 뭘 골라야 할지 모르겠어요. 종류와 색이 너무 많아서…
남 빨간 장미는 어때요? Janet이 좋아할 거예요.
여 하지만 Janet은 백합을 좋아하는 것 같아요. 백합 열 송이와 장미 열 송이, 그리고…
남 여보, 서둘러요! Janet의 피아노 연주회는 오후 여섯 시예요.
여 알겠어요. 장미로 해요.

해설

두 사람은 Janet을 위해 꽃을 사고 있으므로 꽃가게에 있음을 알 수 있다.
① 미용실 ③ 연주회장 ④ 결혼식장 ⑤ 옷가게

어휘

choose 고르다 / lily 백합 / recital 연주회

12 ④

Script

M The Max Sports Center, which opened in June, 2002, is the first five-star fitness facility in our city. It is open 24 hours a day, seven days a week for your convenience. We offer a variety of programs free of charge. Popular fitness programs like yoga, aerobics, and Taekwondo are offered throughout the year. Come and enjoy yourself!

해석

남 2002년 6월에 문을 연 Max 스포츠 센터는 우리 시 최초의 5성급 체력 단련 시설입니다. 센터는 여러분의 편의를 위해 일주일 내내 하루 24시간 개방되어 있습니다. 우리는 무료로 다양한 프로그램을 제공합니다. 요가, 에어로빅, 그리고 태권도와 같은 인기 있는 신체 단련 프로그램들을 일 년 내내 제공합니다. 와서 즐기세요!

해설

회원 가입 방법에 대해서는 언급되지 않았다.

어휘

fitness 체력 단련 / facility 시설, 기관 / convenience 편의, 편리 / a variety of 다양한 / free of charge 무료로 / throughout ~내내

13 ④

Script

W When is the DNP Soccer final match?
M It's already over. It was on March 20.
W Oh, really? At Windsor Stadium again?
M Yes. The Duke Stars played against the State Bears.
W Who won the match?
M The Duke Stars! They won by two points. The score was three to one.
W Hmm. Who was the best?
M Jim Smith.
W I knew he would become the MVP.

해석

여 DNP 축구 결승전이 언제지?
남 벌써 끝났어. 그 경기는 3월 20일에 했어.
여 아, 정말? 또 Windsor 경기장에서 했어?
남 응. Duke Stars가 State Bears와 겨뤘어.
여 누가 경기에서 이겼니?
남 Duke Stars가 이겼어! 그들은 2점 차로 이겼어. 점수는 3대 1이었어.
여 흠. 누가 가장 잘했어?
남 Jim Smith가 가장 잘했어.
여 그가 MVP가 될 줄 알았어.

해설

경기 점수는 3:1이었다.

어휘

final match 결승전 / over 끝이 난 / stadium 경기장 / against ~에 맞서 / point 점수

14 ⑤

Script

W This is stretched on a frame of wood or metal and designed to cover the opening of a window. It is used to keep insects from entering. It is most useful in areas where there're

large populations of insects, especially mosquitoes. It also allows fresh air to flow into a house.

해석

여　이것은 나무나 금속 틀에 뻗어 있으며 창문의 열린 부분을 막기 위해 고안되었다. 이것은 곤충들이 들어오는 것을 막는 데 쓰인다. 이것은 곤충, 특히 모기가 많은 지역에서 가장 유용하다. 이것은 또한 집으로 신선한 공기가 들어오게 한다.

해설

창문에 설치되어 공기는 들어오게 하고, 벌레와 곤충을 막아주는 것은 방충망이다.

어휘

stretch 뻗다 / frame 틀 / metal 금속 / cover 막다, 덮다 / keep 막다 / insect 곤충 / useful 유용한 / population 인구, 개체 수 / mosquito 모기 / flow 흐르다

15 ④

Script

W　Danny, you look worried. What's wrong?

M　Take a look at my cell phone.

W　Oh, the screen is broken. What happened?

M　I dropped it on the subway. It's not working now.

W　Why don't you take it to the service center?

M　I will. I hope it can be fixed.

해석

여　Danny, 너 걱정이 있어 보여. 뭐가 문제야?

남　내 휴대 전화를 좀 봐.

여　아, 화면이 깨졌네. 무슨 일이 있었던 거야?

남　지하철에서 떨어뜨렸어. 지금 휴대 전화는 작동이 안 돼.

여　서비스 센터에 가져가지 그래?

남　그럴 거야. 고칠 수 있으면 좋겠다.

해설

남자는 서비스 센터에 망가진 휴대 전화를 가지고 갈 것이라고 했다.

어휘

cell phone 휴대 전화 / screen 화면 / drop 떨어뜨리다 / work 작동하다 / fix 고치다, 수리하다

16 ④

Script

[Telephone rings.]

M　Hello?

W　Hello, Professor Brown. This is Susan Baker in your art class.

M　Hello, Susan. What's up?

W　I wonder if I can turn in my drawing assignment late. I mean on May 7.

M　Why? You know you will get a penalty.

W　I know, but I can't finish it by May 4, the due date.

M　Okay, but I have a seminar on May 7. Just put it in my mailbox.

W　Thanks. I will.

해석

[전화가 울린다.]

남　여보세요?

여　안녕하세요, Brown 교수님. 저는 교수님의 미술 강의를 듣는 Susan Baker예요.

남　안녕하세요, Susan. 무슨 일인가요?

여　제 그리기 과제를 늦게 제출해도 될지 궁금해서요. 5월 7일에 말이에요.

남　왜죠? 벌점이 있을 거라는 걸 알잖아요.

여　알아요, 하지만 기한인 5월 4일까지는 끝낼 수가 없어서요.

남　좋아요, 하지만 5월 7일에는 세미나가 있어요. 그냥 내 우편함에 넣어 두세요.

여　감사합니다. 그렇게 할게요.

해설

여자는 과제를 원래 기한인 5월 4일에서 기한을 늦춰 5월 7일에 제출할 것이다.

어휘

professor 교수 / turn in 제출하다 / assignment 과제, 숙제 / penalty 벌점 / due date 기한인 날짜 / mailbox 우편함

17 ④

Script

W　Sumi went to Grace Shopping Mall to buy a birthday present for her friend. She found a pretty necklace and bought it. And she wanted to buy a birthday card, but she didn't know where to find it. So she decided to ask a clerk where she could get one. In this situation, what would Sumi most likely say to the clerk?

해석

여　Sumi는 그녀의 친구에게 줄 생일 선물을 사러 Grace 쇼핑몰에 갔다. 그녀는 예쁜 목걸이를 발견해서 그것을 샀다. 그리고 그녀는 생일 카드를 사고 싶었는데, 어디에 있는지 찾을 수 없었다. 그래서 그녀는 점원에게 어디에서 카드를 살 수 있는지 묻기로 했다. 이 상황에서, Sumi가 점원에게 뭐라고 말하겠는가?

해설

쇼핑몰에서 생일 카드를 판매하는 곳을 찾을 수 없어 점원에게 물으려는 상황이다. 어디에서 살 수 있는지 위치를 묻는 것이 가장 적절하다.
① 저는 이 신용카드로 계산할게요. ② 쇼핑몰이 언제 문을 닫나요? ③ 이 목걸이를 포장해 주시겠어요? ④ 어디에서 카드를 살 수 있는지 알려 주시겠어요? ⑤ 저는 엄마에게 드릴 생일 선물을 찾고 있어요.

어휘

present 선물 / necklace 목걸이 / clerk 점원

18 ⑤

Script

M　Linda, I can't open this website. I don't know what's wrong with it.

W　Did you check the address?

M　Yes. And the Internet cable is okay.

W　Hmm. Have you checked for viruses on your computer?

M No, I haven't. I just tried turning it off and on again.
W Well, you should've checked for viruses first. Let me do that for you.
M Thanks.

해석
남 Linda, 나 이 웹사이트를 열 수가 없어. 뭐가 문제인지 모르겠어.
여 주소는 확인했어?
남 응. 그리고 인터넷 선도 괜찮아.
여 흠. 네 컴퓨터의 바이러스는 체크해 봤어?
남 아니, 안 해 봤어. 그냥 껐다 켰다만 계속해 봤어.
여 음, 너는 먼저 바이러스를 확인해 봤어야 해. 내가 해 줄게.
남 고마워.

해설
여자는 남자의 컴퓨터에 바이러스가 있는지 확인해 주겠다고 했다.

어휘
address 주소 / cable 줄, 선 / virus 바이러스

19 ⑤

Script
W Steve, bring some snacks to the book club party.
M Okay. Are you baking a cake this time, too?
W No, Amy wants to do it. And Jim will bring some fruit.
M Who is going to decorate the club room for the party?
W Lisa and I will do it together.
M Hmm, the party will be easily ready because we all work together.
W You're right.

해석
여 Steve, 독서 동아리 파티에 간식을 좀 가져와줘.
남 알겠어. 넌 이번에도 케이크를 구울 거니?
여 아니, Amy가 그걸 하고 싶어 해. 그리고 Jim은 과일을 좀 가져올 거야.
남 파티를 위해 누가 동아리 방을 꾸밀 거야?
여 Lisa랑 내가 같이 할 거야.
남 음, 우리가 모두 같이 일하니까 파티가 쉽게 준비될 것 같아.
여 맞아.

해설
동아리 파티 준비를 친구들과 함께 협력해서 진행하니 일이 수월해진 상황이다.
① 그 아버지에 그 아들이다. ② 잔잔한 물이 깊다. ③ 정직이 가장 좋은 방책이다. ④ 피는 물보다 진하다. ⑤ 일손이 많으면 일이 가벼워진다.

어휘
snack 간식 / bake 굽다 / decorate 꾸미다, 장식하다 / easily 쉽게

20 ①

Script
M Hi. I'd like to get a library card.
W Do you live in this area?
M Yes, right across from this library.

W Then you can get a Special Membership Card.
M What benefits does it have?
W You can borrow up to five books at a time.
M Good. Is that all?
W You can also check out our DVDs free of charge.
M Great! That sounds like the card that I want.

해석
남 안녕하세요. 도서관 카드를 만들려고 해요.
여 이 지역에 거주하시나요?
남 네, 이 도서관 바로 건너편이에요.
여 그럼 특별 회원 카드를 만드실 수 있어요.
남 그 카드는 어떤 혜택이 있나요?
여 한 번에 책을 다섯 권까지 대여할 수 있어요.
남 좋군요. 그게 다인가요?
여 저희 DVD를 무료로 대여하실 수도 있어요.
남 훌륭하네요! 그게 바로 제가 원하는 카드예요.

해설
여자가 특별 회원 카드의 혜택을 설명해 주고 있는 상황에서 "그게 바로 제가 원하는 카드"라고 답하는 것이 가장 적절하다.
② 좋아요. 제 도서관 카드를 바로 가져올게요. ③ 정말인가요? 벌써 DVD를 구매하셨어요? ④ 물론이죠. 당신은 아마 이 도서관을 좋아할 거예요. ⑤ 네. 저는 이 책들을 반납하고 싶어요.

어휘
area 지역 / benefit 이득, 혜택 / borrow 빌리다 / up to ~까지 / at a time 한 번에 / check out 대여하다 / free of charge 무료로

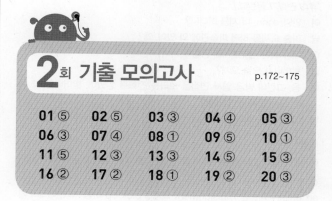

2회 기출 모의고사 p.172~175

01 ⑤	02 ⑤	03 ③	04 ④	05 ③
06 ③	07 ④	08 ①	09 ⑤	10 ①
11 ⑤	12 ③	13 ①	14 ⑤	15 ③
16 ②	17 ②	18 ①	19 ②	20 ③

1 ⑤

Script
M We need to change the clothes on the mannequin in the display window.
W Yeah, you're right. Spring is coming soon.
M How about a skirt with a flower pattern?
W I like that. It would be better than pants for the upcoming season.
M Do you think a jacket will match the skirt?
W Sure. Any jacket would go well with it.
M Good. Let's put a scarf on the mannequin, too.
W That's a good idea.

해석

남 우리는 진열창에 있는 마네킹의 옷을 바꿔야 해.

여 응, 맞아. 봄이 곧 오잖아.

남 꽃무늬 치마는 어떨까?

여 좋아. 다가오는 계절에 바지보다 나을 것 같아.

남 그 치마에 재킷이 어울릴 거라고 생각해?

여 그럼. 어떤 재킷이든 잘 어울릴 거야.

남 그래. 마네킹에 스카프도 두르자.

여 좋은 생각이야.

해설

꽃무늬 치마에 재킷과 스카프를 한 마네킹이다.

어휘

mannequin 마네킹 / display window 진열창 / pattern 무늬 / upcoming 다가오는 / go well with ~와 잘 어울리다

2 ⑤

Script

[Cell phone rings.]

W Hi, John. Where are you now?

M I'm at the art gallery, doing my art assignment. Why?

W I have to go to the airport to pick up my grandma, but...

M Is she coming today?

W Yeah. But I just got a call for a job interview. Would you pick her up for me?

M Sure. I'll do it.

해석

[휴대 전화가 울린다.]

여 안녕, John. 너 지금 어디니?

남 미술 숙제를 하러 미술관에 와 있어. 왜?

여 내가 할머니를 모시러 공항에 가야 하는데…

남 할머니가 오늘 오셔?

여 응. 그런데 방금 입사 면접을 보라는 전화를 받았어. 할머니를 나 대신 모시고 올 수 있겠어?

남 그래. 내가 할게.

해설

여자는 면접이 있어서 남자에게 할머니를 마중 나가 달라고 부탁하고 있다.

어휘

art gallery 미술관 / assignment 과제 / pick up 마중 가다, 데리러 가다 / job interview 입사 면접

3 ③

Script

① W How can I help you?
    M I'd like my shirts cleaned.

② W Is there something wrong?
    M Hey, look! There's a hair in your soup.

③ W What would you like to order?
    M I'd like a hamburger and a glass of orange juice.

④ W We can give you 15 percent off on this bag.
    M Then, how much do I have to pay for it?

⑤ W How about this necktie with the striped pattern?
    M It looks good. I'll take it.

해석

① 여 어떻게 도와드릴까요?
    남 셔츠를 세탁해 주세요.

② 여 뭐 문제 있어?
    남 봐! 네 수프에 머리카락이 있어.

③ 여 무엇을 주문하시겠어요?
    남 햄버거 하나랑 오렌지 주스 한 잔 주세요.

④ 여 이 가방은 15퍼센트 할인해 드릴 수 있어요.
    남 그럼, 제가 얼마를 내야 하죠?

⑤ 여 이 줄무늬 넥타이가 어떠세요?
    남 좋아 보이네요. 이걸로 할게요.

해설

패스트푸드점에서 주문을 하는 상황이다.

어휘

pay 지불하다 / striped 줄무늬의 / pattern 무늬

4 ④

Script

M I'm looking for a chair for my daughter.

W How about this one with four wheels? It's very popular among students.

M Oh, my daughter is only five years old. I like this square one.

W But it might be dangerous for five-year-olds because it doesn't have a back. How about this one?

M Good. The crown shape looks unique. How much is it?

W It's $30.

M Okay, I'll take it.

해석

남 제 딸이 쓸 의자를 찾고 있어요.

여 이 바퀴가 네 개 달린 의자가 어떠세요? 학생들에게 아주 인기가 좋아요.

남 아, 제 딸은 겨우 다섯 살이에요. 저는 이 네모난 의자가 좋은데요.

여 하지만 등받이가 없어서 다섯 살에게는 위험할 수도 있어요. 이건 어떠세요?

남 좋아요. 왕관 모양이 독특하네요. 얼마죠?

여 30달러입니다.

남 좋아요, 이걸로 할게요.

해설

남자는 왕관 모양에 등받이가 있는 의자를 골랐다.

어휘

wheel 바퀴 / among ~사이에서 / dangerous 위험한 / back 등(받이) / crown 왕관 / shape 모양

5 ③

Script

M How may I help you, ma'am?

W I've lost my six-year-old son. Please help me, officer.

M When and where did you last see him?

W At the street market, not far from this police station, about 30 minutes ago.

M What's his name?

W Kevin Anderson. He's wearing a yellow T-shirt and jeans.

M Okay, we'll start searching right away. Write down your phone number here, please.

W Thank you. Please find him.

해석

남 무엇을 도와 드릴까요, 부인?

여 제 여섯 살 난 아들을 잃어버렸어요. 제발 도와주세요, 경관님.

남 언제 어디에서 그를 마지막으로 봤나요?

여 이 경찰서에서 멀지 않은 시장 거리에서요. 한 30분 전에요.

남 이름이 뭐죠?

여 Kevin Anderson이에요. 그는 노란 티셔츠와 청바지를 입고 있어요.

남 네, 우리가 바로 탐색을 시작할게요. 여기에 전화번호를 적어 주세요.

여 고맙습니다. 꼭 찾아주세요.

해설

여자는 아들을 잃어버려서 남자에게 도움을 요청하고 있으므로, 남자가 경찰관임을 알 수 있다.

어휘

lose 잃어버리다 / last 마지막으로 / far 거리가 먼 / search 찾다 / right away 당장, 바로

6 ③

Script

W I'm sorry, John.

M What do you mean, Jenny?

W I think I was much too upset last night at the party.

M No, it was my fault. I spilled coffee on your smartphone.

W I still think I shouldn't have reacted like that yesterday.

M Anybody would be upset in that situation.

해석

여 미안해, John.

남 무슨 뜻이야, Jenny?

여 내가 어젯밤에 파티에서 너무 많이 화를 낸 것 같아서.

남 아냐, 내 잘못이었어. 내가 네 스마트폰에 커피를 쏟았잖아.

여 그래도 어제 내가 그런 식으로 반응하는 게 아니었어.

남 누구나 그런 상황에서는 화가 날 거야.

해설

여자는 어제 남자에게 심하게 화를 낸 것에 대해 후회하고 있다.

어휘

upset 화가 난 / fault 잘못 / spill 엎지르다 / react 반응하다 / situation 상황

7 ④

Script

① M How can I get to the city library?

W Cross the road and take bus number 261.

② M I'd like to buy a ticket for the next show.

W I'm sorry, sir. They're all sold out.

③ M Why are some of the seats on this bus yellow?

W Oh, they're for senior citizens.

④ M Are there any good Korean restaurants around here?

W Thank you, but I don't like fast food.

⑤ M Let's go see a movie tonight.

W I can't. I have to study for my math test.

해석

① 남 시립 도서관에 어떻게 가야 하나요?

　 여 길을 건너서 261번 버스를 타세요.

② 남 다음 공연의 티켓을 사려고 해요.

　 여 죄송합니다, 손님. 모두 매진이에요.

③ 남 이 버스의 몇 자리는 왜 노란색인 걸까?

　 여 아, 그건 노인들을 위한 거야.

④ 남 이 주위에 맛있는 한식 식당이 있나요?

　 여 고맙지만, 저는 패스트푸드를 좋아하지 않아요.

⑤ 남 오늘 밤에 영화 보러 가자.

　 여 안 돼. 나는 수학 시험공부를 해야 해.

해설

근처에 맛있는 식당이 있는지 묻는 말에 패스트푸드를 좋아하지 않는다고 대답하는 것은 어색하다.

어휘

cross 건너다 / sold out 매진된, 다 팔린 / senior citizens 노인 / around 근처에

8 ①

Script

M Hi, Jennifer. You look healthier these days.

W Thanks. I've been playing tennis.

M Good for you. Actually, I need to start exercising, too.

W How about playing tennis with me?

M I'd like to, but I've never played.

W It's easy to learn.

M Would you teach me, then?

W Of course. It'd be my pleasure.

해석

남 안녕, Jennifer. 너 요즘 더 건강해진 것 같아.

여 고마워. 나는 테니스를 치고 있어.

남 잘 된 일이야. 사실, 나도 운동을 시작할 필요가 있어.

여 나랑 같이 테니스 치는 게 어때?

남 나도 그러고 싶은데, 한 번도 쳐본 적이 없어.

여 그건 배우기 쉬워.

남 그럼 네가 나를 가르쳐줄래?

여 물론이지. 도움이 되어 나도 기뻐.

한 번도 테니스를 쳐본 적이 없는 남자가 여자에게 테니스 치는 방법을 가르쳐 달라고 부탁하고 있다.

어휘

healthy 건강한 / exercise 운동하다 / pleasure 기쁨

9 ⑤

Script

M I finally finished my science project, Ms. Brown.
W Great! I'm proud of you, Tom.
M I couldn't have finished it without your encouragement.
W I know how hard you've been working on the project.
M I don't know how to thank you enough for your help.

해석

남 제 과학 숙제를 드디어 끝냈어요, Brown 선생님.
여 잘 했구나! 네가 자랑스럽다, Tom.
남 선생님의 격려가 없었다면 저는 끝내지 못했을 거예요.
여 네가 그 숙제를 얼마나 열심히 했는지 안단다.
남 선생님의 도움에 제가 얼마나 감사한지 몰라요.

해설

남자는 숙제를 도와주고 격려해 준 선생님께 감사하고 있다.

어휘

be proud of ~를 자랑스러워하다 / encouragement 격려

10 ①

Script

W May I help you?
M One pack of popcorn and two bottles of orange juice, please.
W That's $9. Do you have a movie ticket for today?
M Yes, I have two. Why?
W We can give you a one-dollar discount for each ticket.
M Great. Here are the tickets.
W Okay. You'll get $2 off.

해석

여 도와 드릴까요?
남 팝콘 한 봉지랑 오렌지 주스 두 병 주세요.
여 9달러입니다. 오늘 보시는 영화표가 있으신가요?
남 네, 두 장이 있어요. 왜 그러시죠?
여 표 한 장당 1달러의 할인을 해 드릴 수 있거든요.
남 좋네요. 여기 표예요.
여 네. 손님은 2달러 할인을 받으실 거예요.

해설

9달러에서 2달러를 할인 받았으므로 7달러를 내면 된다.

어휘

pack 봉지 / bottle 병 / discount 할인

11 ⑤

Script

M How about this one? I like it.
W Well, I don't think it matches your hair style.
M Yeah. What about this jacket, then?
W Hmm. Not bad, but why don't you try this bright one?
M Okay. *[Pause]* Does this one look good on me?
W Wow, great! You'll look even better when we take pictures outside.
M Right. I'll buy it.

해석

남 이건 어때? 난 마음에 들어.
여 글쎄, 네 머리 스타일에 어울리는 것 같지 않아.
남 그렇구나. 그럼 이 재킷은?
여 흠. 나쁘진 않아, 하지만 더 밝은 이걸 입어 보지 그래?
남 좋아. *[잠시 후]* 이게 나에게 잘 어울리니?
여 와, 훌륭해! 밖에서 사진을 찍으면 훨씬 더 멋져 보일 거야.
남 좋아. 이걸로 사야겠어.

해설

두 사람은 남자의 옷을 고르고 있으므로 옷가게임을 알 수 있다.
① 세탁소 ② 미용실 ③ 미술관 ④ 사진관

어휘

match 어울리다 / bright 밝은 / look good on 잘 어울리다

12 ③

Script

M We have a special reading program for your children this summer. The Summer Reading Club will meet every Monday from 3 to 4 pm during the summer vacation. The children will read storybooks, make a mini-book, and do group storytelling. Children aged 5 to 7 are welcome to attend. For more information, please contact us at 1-800-723-2347.

해석

남 우리는 여러분의 자녀들을 위해 이번 여름 특별한 독서 프로그램을 제공합니다. 여름 독서 클럽은 여름 방학 동안 매주 월요일 오후 3시에서 4시에 모일 것입니다. 어린이들은 이야기책을 읽고, 미니책을 만들고, 조를 지어 이야기를 할 것입니다. 5세에서 7세 아동들의 참석을 환영합니다. 더 많은 정보를 원하시면, 1-800-723-2347로 저희에게 연락을 주세요.

해설

참가 비용에 대해서는 언급하지 않았다.

어휘

storybook 이야기책 / storytelling 이야기하기 / attend 참석하다 / contact 연락하다

13 ③

Script

M Which seats do you think are the best?
W The seats in Section B, of course.
M But they're really expensive. How about Section A?
W You can see only one side of the stage from there.
M Right, and the seats on the second floor are too far from the stage.
W I agree. We have only one option left.
M That's right. I'll book two tickets in that section.

해석

남 어떤 자리가 가장 좋은 것 같아?
여 물론 B 구역에 있는 자리들이지.
남 하지만 그 자리들은 정말 비싸. A 구역은 어때?
여 거기에서는 무대의 한쪽 면만 보일 거야.
남 맞아. 그리고 2층에 있는 좌석은 무대와 너무 멀어.
여 나도 그렇게 생각해. 우리에겐 딱 하나의 선택만 남았네.
남 그래. 그 구역의 자리 두 개를 예약할게.

해설

B 구역은 너무 비싸고, A 구역은 무대의 한쪽 면만 보이고 2층은 너무 멀기 때문에 C 구역의 자리를 예약할 것이다.

어휘

seat 좌석 / section 구역 / stage 무대 / option 선택(권) / book 예약하다

14 ⑤

Script

M This is a special type of a human figure dressed in old clothes and a hat. It's placed in fields to scare birds such as crows or sparrows away from crops. This can be highly effective when it creates active movement in the wind. Almost anything can be used to make this, but straw is the traditional material.

해석

남 이것은 낡은 옷과 모자를 쓴 특별한 유형의 인간 모형이다. 이것은 까마귀나 참새를 겁주어 곡식들로부터 쫓아 버리려고 밭에 두어진다. 이것은 바람에 따라 움직임이 생길 때에 매우 효과적일 수 있다. 거의 모든 것이 이것을 만드는 데 쓰일 수 있지만, 짚이 전통적인 재료이다.

해설

곡식으로부터 새들을 쫓기 위해 세워 놓는 사람 모양의 모형은 허수아비이다.

어휘

figure 모형 / dress 옷을 입(히)다 / place 두다 / scare ~ away 겁을 주어 ~를 쫓아 버리다 / crow 까마귀 / sparrow 참새 / crop 곡식 / highly 매우 / effective 효과적인 / create 만들어내다 / active 활동적인 / movement 움직임 / straw 짚 / traditional 전통적인

15 ③

Script

W Hey! Look out the window! That might be Namdaemun, right?
M Really? Then I think we've passed Gyeongbokgung.
W Wait! Let's see the city tour map.
M It says Namdaemun is three stops away from Gyeongbokgung. Well....
W Let me ask the bus driver where we are now.

해석

여 야! 창밖을 봐! 저게 남대문이야, 맞지?
남 정말? 그럼 우리가 경복궁을 지나친 것 같은데.
여 기다려! 도시 관광 지도를 보자.
남 남대문이 경복궁에서 세 정거장 떨어져 있다고 되어 있어. 글쎄...
여 내가 버스기사에게 우리가 지금 어디에 있는지 물어볼게.

해설

여자는 버스기사에게 현재 위치를 물어보겠다고 했다.

어휘

pass 지나치다 / stop 정거장

16 ②

Script

M Jenny, the school club festival is on May 24.
W Yeah, I know. We need to have a meeting sometime this week so we can get things ready.
M Sure. Why don't we meet on May 15?
W I don't think that's a good idea. We have two after-school classes on that day.
M Right. What about May 16? It's Wednesday.
W That's probably the best day because we don't have any after-school classes on that day.
M Okay. Let's meet on Wednesday.

해석

남 Jenny, 학교 동아리 축제가 5월 24일이야.
여 응, 나도 알아. 우리는 이번 주에 언제 회의를 해서 준비를 해야 해.
남 맞아. 5월 15일에 모이는 게 어때?
여 그건 좋은 생각이 아닌 것 같은데. 우리 그날 방과 후 수업이 두 개나 있잖아.
남 그렇구나. 5월 16일은? 수요일이야.
여 그 날에는 방과 후 수업이 없으니까 아마 그 날이 가장 좋은 날일 것 같아.
남 좋아. 수요일에 만나자.

해설

두 사람은 방과 후 수업이 없는 5월 16일 수요일에 회의를 하기로 했다.

어휘

club 동아리 / get ready 준비를 하다 / after-school class 방과 후 수업

17 ②

Script

W Chris usually comes home before 5 pm. Today, Chris and his friends played a soccer game. His team won, and the game finished around 7 pm. Chris didn't tell his mother that he would be late today. His mother was waiting for him and getting worried. In this situation, what would his mother most likely say to Chris when he came home?

해석

여 Chris는 보통 오후 5시 전에 집에 온다. 오늘, Chris와 그의 친구들은 축구를 했다. 그의 팀이 이겼고, 경기는 오후 7시쯤에 끝이 났다. Chris는 엄마에게 오늘 늦을 거라고 이야기하지 않았다. 그의 엄마는 그를 기다리며 걱정을 하고 있었다. 이 상황에서, Chris가 집에 돌아왔을 때 그의 엄마가 뭐라고 말하겠는가?

해설

아무런 연락 없이 평소보다 집에 늦게 온 상황이므로, 걱정을 하며 어디에 있었는지 물어볼 것이다.
① 너 전에 축구를 해 봤니? ② 세상에! 너 어디에 있었던 거니? ③ 기운 내렴! 다음에는 그들을 이길 수 있을 거야. ④ 너는 그 경기에서 얼마나 많이 이겼니? ⑤ 날 기다리게 해서 미안하구나.

어휘

get worried 걱정을 하다

18 ①

Script

W Peter! Can you help me with the dishes?
M I think it's your turn today. I'm going to take out the trash.
W You wash the dishes, and I'll take out the trash.
M Why?
W Because I cut my finger while cooking yesterday.
M Really? Okay, I'll wash the dishes then. You take out the trash.

해석

여 Peter! 설거지 좀 도와줄 수 있겠어?
남 오늘은 네 차례인 것 같은데. 나는 쓰레기를 내다 버릴 거야.
여 네가 설거지를 해. 그럼 내가 쓰레기를 갖다 버릴게.
남 왜?
여 어제 요리를 하다가 손가락을 베였거든.
남 정말? 알겠어. 그럼 내가 설거지를 할게. 네가 쓰레기를 갖다 버려.

해설

남자는 손가락을 다친 여자 대신 설거지를 할 것이다.

어휘

turn 차례 / take out 내놓다 / wash the dishes 설거지를 하다 / cut 베다

19 ②

Script

M You know what? Tom won the prize for the Best Player of the Year on our soccer team.

W You mean Tom with the big glasses?
M Right. He was not the best when he first joined our team.
W Really? I think I saw him kicking the ball on the soccer field even during the holidays.
M Yeah, he's practiced very hard throughout the year.
W That must be why he improved so much.

해석

남 너 그거 알아? Tom이 우리 축구팀에서 올해의 최고 선수 상을 받았어.
여 큰 안경을 쓴 Tom 말하는 거야?
남 맞아. 그가 처음에 우리 팀에 들어왔을 때 최고는 아니었잖아.
여 그래? 나는 그가 휴일에도 축구장에서 공을 차는 걸 본 것 같아.
남 응. 그는 일 년 내내 매우 열심히 연습을 했지.
여 그게 그가 그렇게 발전한 이유일 거야.

해설

두 사람은 열심히 노력해서 축구 실력이 월등히 향상되어 상까지 타게 된 친구의 이야기를 하고 있다. 노력한 만큼 좋은 결과를 얻을 수 있다는 뜻의 속담이 적절하다.

어휘

win the prize 상을 타다 / kick 차다 / soccer field 축구장 / practice 연습하다 / throughout ~ 내내 / improve 발전하다, 향상하다

20 ③

Script

M Hey, Sally.
W Hi, Brian.
M Oh, you look a little sad. Is anything wrong?
W Well, my grandmother is in the hospital. She's got the flu.
M I'm sorry to hear that. I hope she will be fine soon.
W So do I. But the thing is that she's too old.
M What do you mean by that?
W Well, it'll take her a long time to get over the flu.

해석

남 안녕, Sally.
여 안녕, Brian.
남 오, 너 좀 슬퍼 보인다. 뭐 문제 있어?
여 음, 우리 할머니가 병원에 입원해 계셔. 독감에 걸리셨거든.
남 안됐구나. 할머니가 곧 좋아지시길 바랄게.
여 나도야. 하지만 문제는 할머니께서 너무 연세가 드셨다는 거야.
남 그게 무슨 소리야?
여 음, 할머니가 독감에서 회복되기에는 긴 시간이 걸릴 거야.

해설

여자는 독감에 걸린 할머니가 빨리 회복하기에는 연세가 너무 많다고 생각하고 있다.
① 나는 네가 그녀를 또 방문하지 않아도 된다고 생각해. ② 우리 할머니는 해외에 가본 적이 없다고 하셨어. ④ 그녀는 겨우 이틀 동안 입원해 계셔. ⑤ 우리 할머니는 8년 전에 돌아가셨어.

어휘

flu 독감

새 교과서 반영
중등 듣기 시리즈
LISTENING 공감

● 최근 5년간의 시·도 교육청 듣기능력평가 출제 경향을 철저히 분석하여 반영

● 실전과 비슷한 난이도부터 고난도 문제풀이까지 듣기능력평가 시험 완벽 대비

● 실전모의고사 20회 + 기출모의고사 2회로 구성된 총 22회 영어듣기 모의고사

● 원어민과 공동 집필하여 실제 회화에서 쓰이는 대화 및 최신 이슈 반영

● 듣기 모의고사 받아쓰기 수록, MP3 무료 다운로드 제공

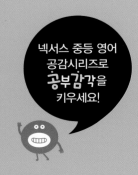

넥서스 중등 영어
공감시리즈로
공부감각을
키우세요!

www.nexusEDU.kr
MP3 무료 다운로드

NEXUS makes your next day
www.nexusEDU.kr | 책에 대해 궁금한 사항은 넥서스에듀 홈페이지 1:1 **고객상담** 게시판을 이용하세요.